Sommaire

4 et 5   CARTE DES PRINCIPALES CURIOSITÉS

6 et 7   CARTE DES ITINÉRAIRES DE VISITE

8 à 10   LIEUX DE SÉJOUR - LOISIRS

11   **INTRODUCTION AU VOYAGE**

12 à 16   PHYSIONOMIE DU PAYS

17 et 18   QUELQUES FAITS HISTORIQUES

19 et 20   LA PRÉHISTOIRE

21   LES CATHARES

LA LANGUE D'OC

22 à 30   L'ART

31   GASTRONOMIE

32   **LÉGENDE**

33 à 137   **CURIOSITÉS**
description par ordre alphabétique

138   **INDEX**

141 à 143   **RENSEIGNEMENTS PRATIQUES**

144   **CONDITIONS DE VISITE**

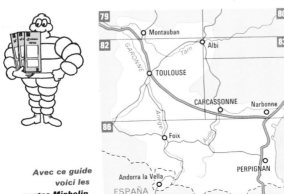

*Avec ce guide
voici les
cartes Michelin
qu'il vous faut :*

Pyr. R. 1

PRINCIPALES CURIOSITÉS

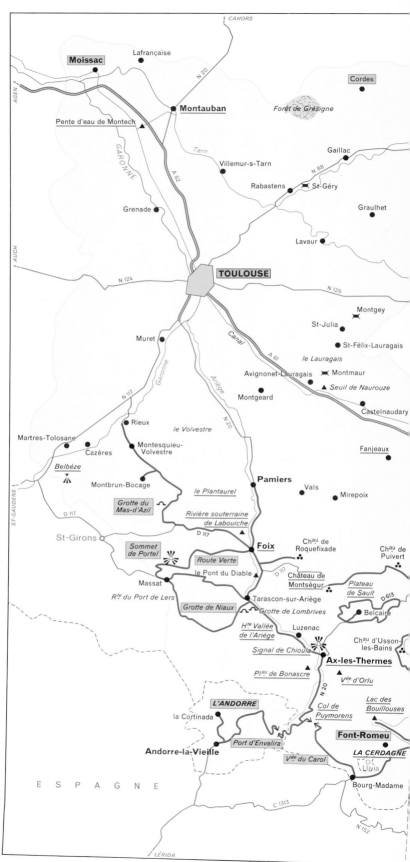

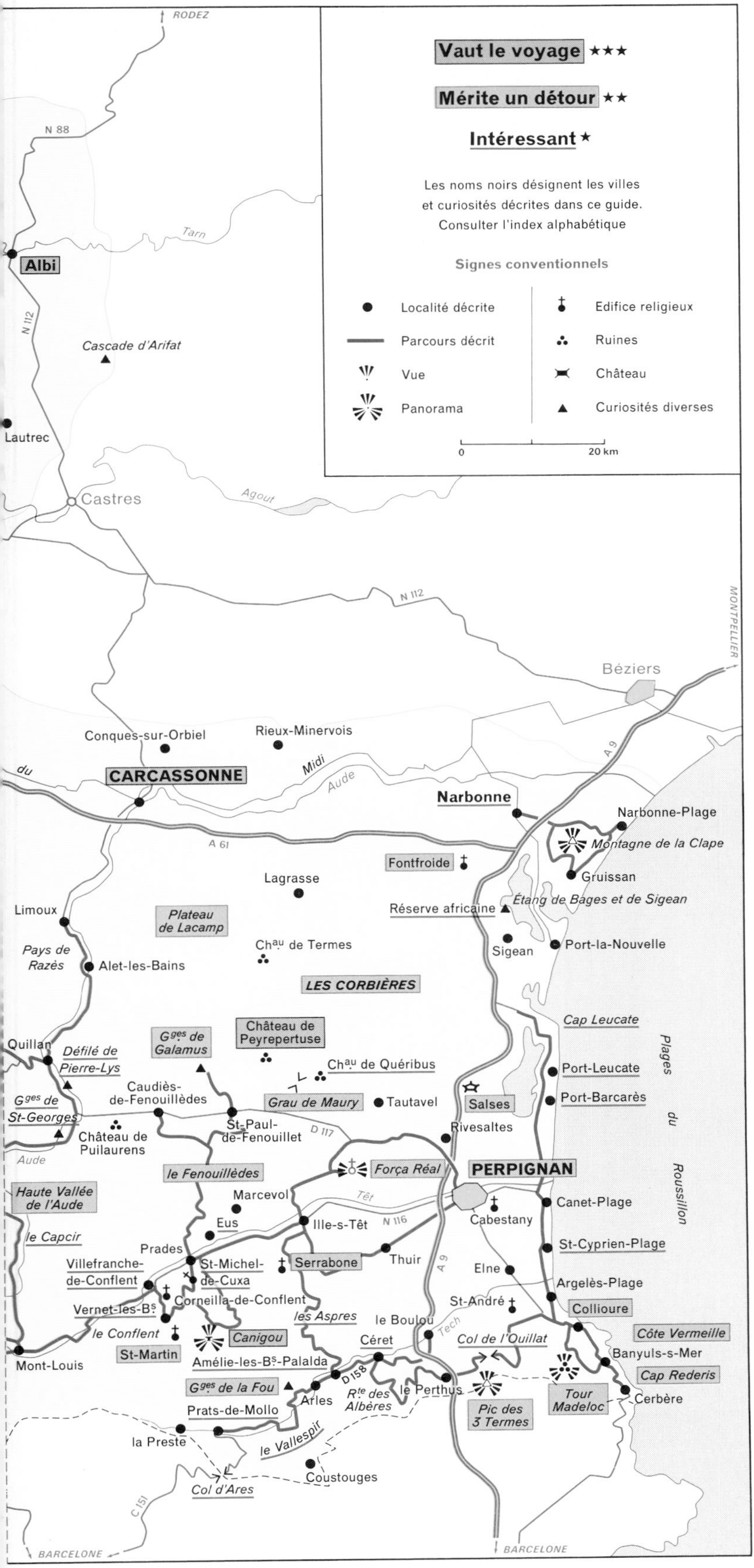
Vaut le voyage ★★★
Mérite un détour ★★
Intéressant ★
Les noms noirs désignent les villes
et curiosités décrites dans ce guide.
Consulter l'index alphabétique
Signes conventionnels
Localité décrite
Parcours décrit
Vue
Panorama
Edifice religieux
Ruines
Château
Curiosités diverses
0
20 km
RODEZ
N 88
Tarn
Albi
N 112
Cascade d'Arifat
Lautrec
Castres
Agout
N 112
MONTPELLIER
Béziers
Conques-sur-Orbiel
Rieux-Minervois
du
Midi
Aude
CARCASSONNE
A 9
Narbonne
Narbonne-Plage
Montagne de la Clape
A 61
Fontfroide
Gruissan
Lagrasse
Étang de Bages et de Sigean
Réserve africaine
Limoux
Plateau de Lacamp
Sigean
Port-la-Nouvelle
Pays de Razès
Alet-les-Bains
Chau de Termes
LES CORBIÈRES
Cap Leucate
Gges de Galamus
Château de Peyrepertuse
Quillan
Défilé de Pierre-Lys
Chau de Quéribus
Port-Leucate
Plages du Roussillon
Caudiès-de-Fenouillèdes
Grau de Maury
Tautavel
Salses
Port-Barcarès
Gges de St-Georges
St-Paul-de-Fenouillet
D 117
Rivesaltes
Château de Puilaurens
Aude
Força Réal
PERPIGNAN
le Fenouillèdes
Haute Vallée de l'Aude
Marcevol
Têt
Canet-Plage
Eus
Ille-s-Têt
N 116
Cabestany
le Capcir
Prades
St-Cyprien-Plage
Villefranche-de-Conflent
St-Michel-de-Cuxa
Serrabone
Thuir
A 9
Elne
Argelès-Plage
Corneilla-de-Conflent
St-André
Vernet-les-Bs
les Aspres
le Boulou
Collioure
le Conflent
Tech
Côte Vermeille
Canigou
Céret
Col de l'Ouillat
Mont-Louis
St-Martin
Amélie-les-Bs-Palalda
Banyuls-s-Mer
D 158
Cap Rederis
Gges de la Fou
Arles
Rte des Albères
le Perthus
Tour Madeloc
Cerbère
Pic des 3 Termes
Prats-de-Mollo
la Preste
le Vallespir
Coustouges
Col d'Ares
C 151
BARCELONE
BARCELONE

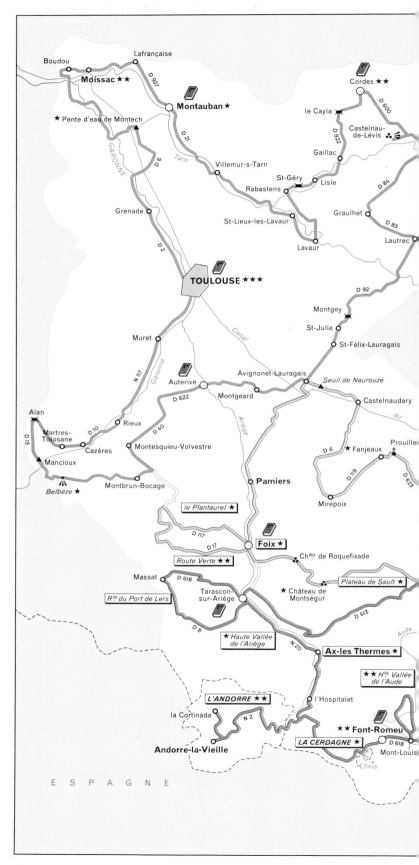

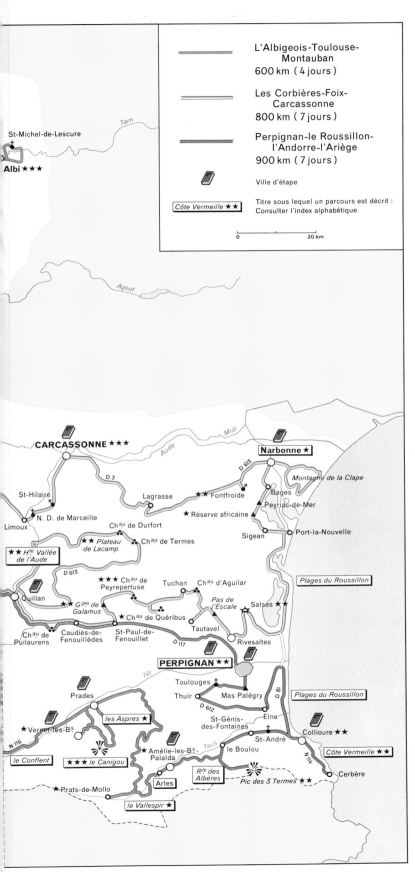

St-Michel-de-Lescure

Albi ★★★

Tarn

L'Albigeois-Toulouse-
Montauban
600 km (4 jours)

Les Corbières-Foix-
Carcassonne
800 km (7 jours)

Perpignan-le Roussillon-
l'Andorre-l'Ariège
900 km (7 jours)

Ville d'étape

Côte Vermeille ★★

Titre sous lequel un parcours est décrit :
Consulter l'index alphabétique

0   20 km

Agout

CARCASSONNE ★★★   *Midi*   **Narbonne ★**

Aude   D 613

D 3   *Montagne de la Clape*

St-Hilaire   Lagrasse   ★★ Fontfroide   Bages

N. D. de Marceille   Peyriac-de-Mer

Limoux   ★ Réserve africaine   Port-la-Nouvelle

Ch^au de Durfort

★★ Plateau   Ch^au de Termes   Sigean
de Lacamp

★★ H^te Vallée
de l'Aude

D 613   *Plages du Roussillon*

★★★ Ch^au de
Peyrepertuse   Tuchan   Ch^au d'Aguilar

Quillan   ★★ G^ges de   Pas de   Salses ★★
Galamus   l'Escale

Ch^au de   ★ Ch^au de Quéribus
Puilaurens   Caudiès-de-   St-Paul-de-   Tautavel
Fenouillèdes   Fenouillet   D 117   Rivesaltes

PERPIGNAN ★★

Têt
Toulouges

Prades   Thuir   Mas Palégry   *Plages du Roussillon*
D 612

les Aspres ★   St-Génis-   Elne
des-Fontaines   Collioure ★★
★ Vernet-les-B^s   St-André

N 116   ★★★ le Canigou   le Boulou   Côte Vermeille ★★

le Conflent   ★ Amélie-les-B^s -   *Tech*   le Boulou
Palalda

R^te des   Cerbère
Arles   Albères   Pic des 3 Termes ★★

★ Prats-de-Mollo   le Vallespir ★

7

LIEUX DE SÉJOUR

Sur la carte ci-dessous ont été sélectionnées quelques localités particulièrement adaptées à la villégiature en raison de leurs possibilités d'hébergement et de l'agrément de leur site.

Pour plus de détails, vous consulterez :

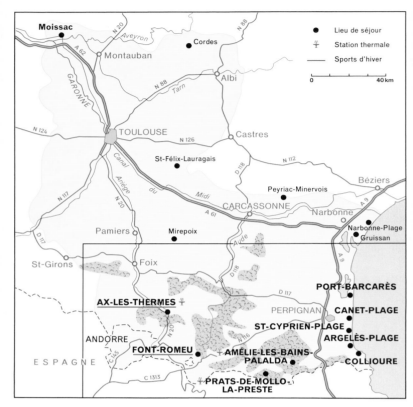

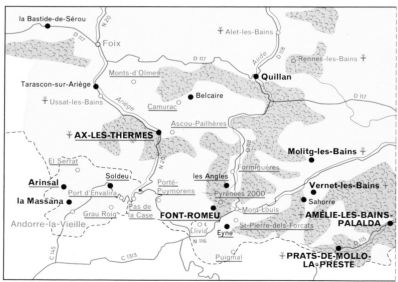

Les routes enneigées apparaissent, dans un cartouche,
*sur les **cartes Michelin** France*
à 1/1 000 000 nos 916, 989 et 999,
avec l'indication des périodes de fermeture probable,
du délai de déblaiement
et des centres d'information routière.

Pour l'hébergement

Le **guide Michelin France** des hôtels et restaurants et le **guide Camping Caravaning France** ; chaque année, ils présentent un choix d'hôtels, de restaurants, de terrains, établi après visites et enquêtes sur place. Hôtels et terrains de camping sont classés suivant la nature et le confort de leurs aménagements. Ceux d'entre eux qui sortent de l'ordinaire par l'agrément de leur situation et de leur cadre, par leur tranquillité, leur accueil, sont mis en évidence. Dans le guide Michelin France, vous trouverez également l'adresse et le numéro de téléphone du bureau de tourisme ou syndicat d'initiative.

Pour le site, les sports et distractions

Les **cartes Michelin** à 1/200 000 *(assemblage p. 3)* permettent d'un simple coup d'œil d'apprécier le site de la localité. Elles donnent, outre les caractéristiques des routes, les emplacements des baignades en rivière ou en étang, des piscines, des golfs, des hippodromes, des terrains de vol à voile, des aérodromes, des refuges de montagne, des principales remontées mécaniques...

LES LOISIRS

Pour les adresses et autres précisions, voir le chapitre des Renseignements pratiques.

LA PÊCHE ET LA CHASSE

La pêche. — La région pyrénéenne, particulièrement riche en lacs, rivières et torrents (les **gaves** et les **nestes**) aux eaux vives et froides, est le paradis des pêcheurs de truites. Généralement le cours supérieur des rivières est classé en 1re catégorie, les cours moyen et inférieur en 2e catégorie. De nombreux lacs ont été aménagés en retenue (à visiter de préférence au début de l'été avant les prélèvements à destination hydro-électrique), mais le plateau des **Bouillouses** parsemé de nombreux lacs naturels *(p. 96)* a conservé son caractère sauvage (accès au départ de Font-Romeu et de Mont-Louis).

La chasse. — Les Pyrénées attirent les chasseurs à la recherche de gros gibier. Les amateurs de pièces rares telles que le lagopède et le coq de bruyère sont des passionnés qui fréquentent les hôtels de quelques stations d'altitude.
Plus répandue est la chasse à la palombe en octobre.

LE SKI

A partir de 1300 m les sports d'hiver se pratiquent généralement pendant cinq mois, de décembre à avril. La région souffre néanmoins de l'irrégularité de l'enneigement ; c'est pourquoi les stations récentes se situent en haute altitude et ont aménagé des pistes sur les versants exposés au nord : les principales sont soulignées de bleu sur la carte *p. 8 et 9*. A côté de ces stations équipées, existent de nombreux « stades de neige », comme dans le massif du Puigmal.

La pratique du **ski de fond**, déjà connu en 1910 dans le milieu sportif pyrénéen, s'avère particulièrement agréable sous le soleil méditerranéen de la Cerdagne et du Capcir.

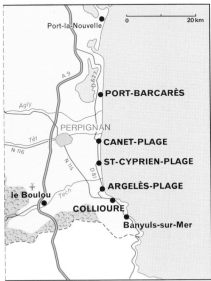

AUTRES LOISIRS

Les randonnées pédestres constituent une des ressources les plus tonifiantes de la montagne. De nombreux sentiers, jalonnés de refuges, offrent de multiples possibilités aux randonneurs, en particulier le sentier « des Pyrénées », GR 10, qui traverse la région décrite dans cet ouvrage d'Est en Ouest (de Banyuls à Mérens-les-Vals). Des topo-guides en donnent le tracé détaillé et procurent d'indispensables conseils.

Les petites routes bien revêtues, sans circulation, se prêtent merveilleusement aux **randonnées à bicyclettes**. Les amateurs de **spéléologie** trouvent sur les plateaux ou dans les vallées particulièrement riches en grottes et en cavités de toutes sortes de nombreux clubs avec lesquels ils pourront prendre contact. Ceux qui préfèrent **l'escalade** choisiront l'altitude qui leur convient le mieux. La Garonne, le Tarn et les nombreux étangs ou lacs de barrage se prêtent admirablement à la pratique du **canoë-kayak**. La plupart des centres équestres organisent des **balades à cheval** qui font la joie des débutants comme des cavaliers confirmés. Sur le canal du Midi et le canal de la Robine *(p. 102)*, le **tourisme fluvial** se développe rapidement. De nombreuses sociétés louent des « maisons flottantes » (house-boats), qui permettent de parcourir au fil de l'eau de 20 à 30 km par jour. Enfin les ports de plaisance et les stations balnéaires offrent aux estivants les plaisirs de la **voile**, du **ski nautique**, de la **pêche en mer**...

LES JEUX

La sardane. — La sardane représente sans doute la tradition la plus pittoresque des pays catalans. Elle repose sur la **cobla**, un orchestre très particulier qui fait intervenir une douzaine d'instruments originaux (**tenores**, **primes**, **fiscorns**, trompettes à piston, trombone, contrebasse, **flaviol** et tambourin) capables d'exprimer toute une gamme de sentiments, des plus doux aux plus passionnés.

Les figures de cette danse, qui tient d'une ronde rituelle, font alterner huit mesures de pas courts et seize de pas longs. Elles exigent, de la part des danseurs, une grande maîtrise chorégraphique (oscillations latérales limitées et sauté vertical mesuré). Vue comme un spectacle, à l'occasion d'un concours ou d'un festival (celui de Céret est le plus réputé), la sardane déroule ses guirlandes de bras levés. La finale, la « sardane de la fraternité », réunit en rondes concentriques les différents groupes participants.

Le rugby. — Introduit au début du siècle, le rugby s'est solidement installé le long de la chaîne pyrénéenne où il suscite un engouement inouï. La région de Carcassonne se distingue quant à elle par son attachement à la formule du jeu à XIII.

LE THERMALISME

L'abondance des sources minérales et thermales a fait la renommée des Pyrénées dès l'Antiquité. Par leur nature et leur composition variées, elles offrent un large éventail de propriétés thérapeutiques.

Prenant le relais du thermalisme mondain d'autrefois, le thermalisme actuel attire des foules de curistes venus se soigner pour des affections très diverses, respiratoires et rhumatismales principalement.

Les eaux pyrénéennes appartiennent à deux grandes catégories, les sources sulfurées et les sources salées.

Les sources sulfurées. — Elles se situent principalement dans les Pyrénées centrales, mais elles s'étirent en direction de la Méditerranée, d'Ax-les-Thermes à Amélie-les-Bains. Leur température, tiède, peut s'élever jusqu'à 80°. Le soufre, qualifié de « divin » par les Grecs, en raison de ses vertus médicales, entre dans leur composition en combinaisons chloro-sulfurées et sulfurées-sodiques. Sous forme de bains, douches et humages, ces eaux sont utilisées dans le traitement de nombreuses affections : oto-rhino-laryngologie (oreilles, nez, gorge et bronches), maladies osseuses et rhumatismales, rénales et féminines.

Les principales stations de ce groupe sont : Ax-les-Thermes, Vernet, Molitg, la Preste et Amélie.

Les sources salées. — Elles se trouvent en bordure du massif ancien. Selon leur composition minéralogique, on distingue les eaux sulfatées ou bicarbonatées-calciques, dites « sédatives », des eaux chlorurées-sodiques. Les premières sont employées (à Ussat, à Alet, au Boulou...) dans le traitement des affections nerveuses, hépatiques et rénales. Les secondes, utilisées sous forme de douches et de bains, soulagent les affections gynécologiques et infantiles.

La carte p. 8 et 9 distingue les stations thermales par un carré bleu. Le **guide Michelin France** signale les dates officielles d'ouverture et de clôture de la saison thermale.

LES CLIMATS

L'avant-pays. — Le Bas-Quercy, l'Albigeois et le Toulousain subissent l'influence aquitaine. Les étés sont très chauds et émaillés de violents orages. Au printemps et à l'automne, d'abondantes précipitations détrempent la région. Toutefois, des sautes de vent interrompent les courants dominants d'Ouest et du Nord-Ouest : en automne, l'**autan** (vent du Sud-Est) balaie les plaines de son souffle tiède, sec puis chargé de pluie, dégénérant en rafales furieuses, cause de dégâts dans les cultures fragiles.

Un régime de températures contrastées, des ciels d'été fréquemment brouillés donnant une luminosité douce et un peu laiteuse, ont inspiré cette réflexion au géographe Emmanuel de Martonne : « le Méditerranéen ne se sent plus chez lui. L'homme du Nord n'est cependant guère moins dépaysé ».

Le climat de montagne. — Le cours de la Garonne trace une frontière climatique : l'influence océanique disparaît dans les Pyrénées ariégeoises, plus sèches. Cependant, la disposition du relief, l'altitude, l'exposition des versants apportent une infinité de nuances aux climats des vallées pyrénéennes. La position abritée de la Cerdagne, du Conflent et du Vallespir leur vaut une situation privilégiée, caractérisée par un remarquable ensoleillement, qui contraste avec celle des autres massifs, plus frais et humides.

Les grandes vallées sont balayées par les brises de montagne soufflant le matin de la plaine vers les hauteurs et engendrant à la mi-journée la formation de nuages sur les sommets ; le soir un phénomène identique se produit mais en sens inverse. La régularité de ce mécanisme est l'indice d'un temps stable.

L'enneigement, qui varie considérablement d'un massif à l'autre, tarde souvent : c'est à la fin de l'hiver et au printemps que la neige est la plus abondante.

Le versant méditerranéen. — La sécheresse et la chaleur des étés constituent sa caractéristique essentielle. La moyenne des températures des mois d'été est la plus élevée de France (22°3 à Perpignan). Le **marin**, vent de mer, apporte quelques pluies, rares certes en cette saison mais amenant un temps complètement « bouché ».

Le Roussillon et les contreforts des Pyrénées méditerranéennes sont plus arrosés au printemps et en automne qu'en hiver où les coups de **tramontane**, vent froid et sec du Nord-Ouest, soutiennent la comparaison, par leur brutalité, avec le mistral.

Introduction au voyage

La chaîne orientale des Pyrénées, avec le Roussillon et la Côte Vermeille, offre au visiteur les rudes profils de ses montagnes, sèches et ravinées, ses vignes et sa végétation méditerranéenne, ses villages dorés par le soleil.

A ces richesses naturelles s'ajoute l'attrait de nombreuses villes d'art, Toulouse, Carcassonne, Perpignan, Albi, Moissac, de célèbres abbayes, de châteaux chargés d'histoire... mais aussi de stations balnéaires réputées.

(Photo H. Donnezan/Rapho)

Caudiès-de-Fenouillèdes. — Église N.-D.-de-Laval.

*Afin de donner à nos lecteurs l'information la plus récente possible, les **Conditions de Visite** des curiosités décrites dans ce guide ont été groupées en fin de volume.*

Les curiosités soumises à des conditions de visite y sont énumérées soit sous le nom de la localité soit sous leur nom propre si elles sont isolées.

Dans la partie descriptive du guide, p. 33 à 137, le sigle ⓥ placé en regard de la curiosité les signale au visiteur.

PHYSIONOMIE DU PAYS

Frontière naturelle entre la France et l'Espagne, les Pyrénées forment une barrière difficilement franchissable. Le versant français, en pente forte, n'a qu'une faible largeur ; il est entaillé par une série de vallées, séparées par de hautes cloisons, qui le mettent en relation avec la plaine et le littoral. Du Montcalm (3 078 m) au massif des Albères (1 256 m au pic Neulos), la montagne s'abaisse et tombe dans la mer. L'histoire de la chaîne commence à la fin du secondaire et au tertiaire lorsque des plissements d'une immense amplitude bouleversèrent la vieille structure hercynienne. L'érosion nivela ensuite l'édifice, faisant réapparaître par décapage les formations sédimentaires primaires et même, dans la zone axiale, le noyau cristallin. Sur les versants, les terrains sédimentaires, plissés et disloqués, s'enfoncèrent progressivement sous les débris arrachés à la montagne.

LES PYRÉNÉES CENTRALES

La structure pyrénéenne se caractérise par la juxtaposition de grandes unités géologiques disposées longitudinalement.

Les Prépyrénées. — Les Petites Pyrénées et le Plantaurel résultent de plissements de style jurassien qui ont façonné ce paysage de crêtes calcaires alignées, coupées de «cluses» (défilés de Boussens sur la Garonne, de Labarre sur l'Ariège) ouvrant aux cours d'eau le chemin de la plaine.

Les contreforts. — Ces terrains d'ère secondaire, crétacés ou jurassiques, ont été plissés de façon plus violente. Les crêtes calcaires ou gréseuses, fortement disséquées, font place dans la région de Foix à des massifs cristallins de roches sombres détachés de la zone axiale, tels que le massif du St-Barthélemy.

La zone axiale. — Ce secteur constitue la véritable échine pyrénéenne. Parmi les sédiments primaires surgissent des noyaux granitiques reconnaissables surtout au modelé de leurs crêtes finement ciselées par l'érosion glaciaire. Les massifs granitiques sont les zones les plus riches en lacs de la montagne pyrénéenne.

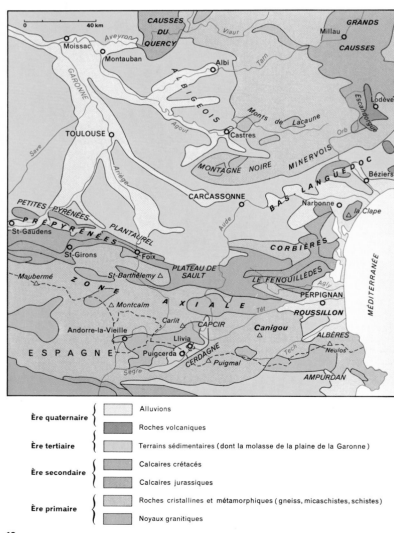

Ère quaternaire	Alluvions
	Roches volcaniques
Ère tertiaire	Terrains sédimentaires (dont la molasse de la plaine de la Garonne)
Ère secondaire	Calcaires crétacés
	Calcaires jurassiques
Ère primaire	Roches cristallines et métamorphiques (gneiss, micaschistes, schistes)
	Noyaux granitiques

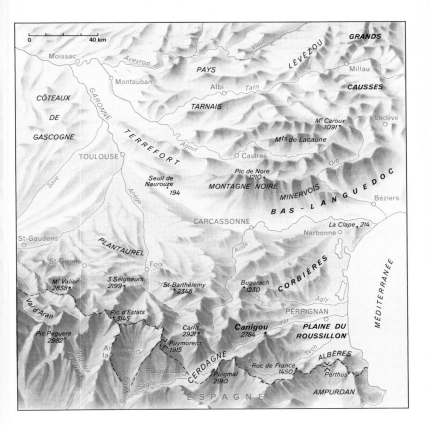

Vallées et sommets. — L'absence d'un grand sillon qui, à l'intérieur de la chaîne, relierait, parallèlement à la ligne de faîte, les vallées transversales, reste un obstacle aux communications internes, tributaires de cols impraticables en hiver. Chaque vallée transversale a longtemps pâti de ce cloisonnement qui a favorisé la survivance des modes de vie de petits « pays ».

Citadelles massives, les montagnes de l'Andorre et de la haute Ariège, taillées dans des gneiss très résistants, règnent sur un paysage rude et sévère (éboulis, rocaille). Des gorges, creusées par les glaciers quaternaires, font saillie et aboutissent souvent à des lacs. Ces pays isolés font transition entre les massifs occidentaux et les Pyrénées méditerranéennes.

LES PYRÉNÉES MÉDITERRANÉENNES

Les Pyrénées méditerranéennes, secteur le plus épanoui de la chaîne, sont épaulées au Nord par un massif annexe, les Corbières, dont l'avancée jusqu'en vue de la Montagne Noire, dernière ride méridionale du Massif Central, sépare le Bassin Aquitain des plaines du Languedoc méditerranéen.

Les montagnes. — Entre les Corbières et la zone axiale, les contreforts calcaires diffèrent, par plusieurs traits de relief et de paysage, de l'enveloppe sédimentaire Nord des Pyrénées centrales. Au **plateau de Sault** *(p. 120)*, sorte de causse forestier, succèdent des alignements de crêtes dont les silhouettes aiguës se redressent au-dessus du sillon du **Fenouillèdes** *(p. 75)*. L'Aude, née dans la zone axiale, creuse cette carapace de gorges grandioses.

Ces Pyrénées orientales, les plus fortement rehaussées par le soulèvement d'ensemble, ont été ramenées à des altitudes moindres que les Pyrénées centrales. Émergées les premières, elles ont subi plus longuement l'érosion et n'ont connu qu'une glaciation réduite, autour du massif du Carlit qui fut recouvert un moment d'une épaisse calotte de glace.

La **Cerdagne** *(p. 59)* et le **Capcir** *(p. 49)*, hauts bassins intérieurs évidés (1 200 m et 1 600 m), sont remplis d'argile, de marnes et de cailloutis accumulés à la fin de l'ère tertiaire. Ils regroupent villages et cultures.

À l'Est du Canigou (2 784 m), la montagne s'enfonce dans la fosse occupée par la Méditerranée. Les **Albères** *(p. 34)*, dernière avancée de roches cristallines de la chaîne, isolent deux compartiments affaissés : au Nord, le Roussillon, au Sud (en Espagne), l'Ampurdan.

Le Roussillon. — Les sillons parallèles de la Têt et du Tech mettent en valeur la masse du **Canigou** *(p. 52)*. Ils permettent aux influences méditerranéennes de pénétrer au cœur de la montagne. Luminosité, sécheresse, végétation (orangers et lauriers roses) font la réputation de leurs stations climatiques.

Les fleuves côtiers connaissent de brutales variations de régime. Les inondations de l'automne 1940 sont restées dans le souvenir : Amélie reçut entre le 16 et le 19 octobre presque autant d'eau (758 mm) qu'en une année normale entière. On put estimer que, durant ces trois journées, le Tech avait charrié, sur quelques kilomètres, 1/3 de plus que les transports totaux du Rhône en un an.

13

La plaine du Roussillon, qui s'étend sur 40 km, est un ancien golfe comblé (fin du tertiaire, début du quaternaire) par des débris arrachés aux massifs. Les terrasses cailllouteuses et sèches (les **Aspres**, *p. 48*), échancrées par de larges vallées et semées de buttes, sont le domaine des arbres fruitiers et de la vigne. Un cordon littoral sableux sépare la mer du secteur marécageux des **salanques**, où se sont accumulées plusieurs centaines de mètres d'épaisseur d'alluvions de l'Agly et de la Têt.

L'AVANT-PAYS LANGUEDOCIEN

Le Bas-Languedoc. −Entre les **Corbières** *(p. 65)*, dernier bastion calcaire des Pyrénées, et les marges de sédiments primaires du Massif Central s'étend la partie la plus méridionale du Bas-Languedoc. La plaine sablonneuse, couverte de vignes, trouée d'étangs en bordure de mer, ne porte que quelques collines calcaires (montagne de la Clape près de Narbonne), prolongement de la coulée basaltique de l'Escandorgue.

Les **barres** (ou **lidos**), qui séparent les étangs de la mer, ont été formées par le travail des vagues et des courants. Les graviers et les sables apportés par le Rhône à la mer, poussés vers les côtes languedociennes, ont entraîné la formation d'une barrière sableuse devant l'entrée des baies. La « barre » transforma chaque baie en une lagune peu profonde isolée de la pleine mer ; après quoi elle finit par émerger, transformant à son tour la lagune en étang d'eau saumâtre.

Le couloir de la Garonne. − La Garonne, fleuve au régime irrégulier et aux crues fréquentes, dessine, avec ses affluents, un vaste couloir de communication entre Aquitaine et Languedoc.

De part et d'autre, des massifs de collines ont été modelés dans l'épais substratum de **molasse** caractéristique de la région toulousaine. La molasse provient d'une superposition de couches de débris pyrénéens arrachés au milieu du tertiaire − sables, marnes, argiles, calcaires peu résistants −, un ensemble tendre dans lequel un réseau hydrographique s'est facilement inscrit.

A la périphérie, le relief ondule : au Sud, des graviers viennent soutenir de petites côtes au pied des Pyrénées, au Nord, plateau ancien et collines sédimentaires s'interpénètrent (le pays tarnais).

L'Albigeois géographique recouvre toute une partie des plateaux situés au Sud-Est du Bassin Aquitain. Le paysage est fait d'une alternance de collines molassiques (grès mous jaunâtres entrecoupés de lits calcaires et marneux discontinus) et de petits causses (Cordes, Blaye) ou de pitons (« puechs ») souvent couronnés d'un village.

TRADITION ET MODERNITÉ

A cheval sur deux régions de programme (Midi-Pyrénées et Languedoc-Roussillon), l'espace Pyrénées-Roussillon-Albigeois présente un jeu de contrastes où se côtoient la tradition et la modernité.

La montagne

La vie rurale traditionnelle. − Le terroir montagnard se divise en trois zones : en bas, champs cultivés et villages, au palier intermédiaire, forêts et prairies de fauche, tout en haut, pâturages de montagne. Blé, seigle et maïs sont encore cultivés dans le Haut Vallespir, en Cerdagne et en Conflent. La vigne et l'olivier remontaient jadis dans les vallées des Pyrénées méditerranéennes, ils en ont quasiment disparu. Les prés de fauche sont réservés aux versants les plus humides. S'insérant dans les finages, les bois de chêne vert, de pin sylvestre et de hêtre ont été rongés partiellement par les défrichements et cèdent ainsi la place à des landes de genêts ou des garrigues.

Ces vallées de montagne, où les villages se regroupent en communauté, ont l'allure d'un joli bocage ouvert.

En hauteur, les pâturages d'été accueillent des troupeaux de moins en moins nombreux (bovins de race rustique et Frisonnes, ovins). La transhumance et les habitations temporaires ne cessent de décliner, mettant fin à un pastoralisme séculaire.

La vie rurale traditionnelle ne tient plus qu'une faible place dans les activités de la montagne.

Le dépeuplement a frappé particulièrement les petites vallées en cul-de-sac, les villages isolés de soulanes où les friches et les landes ont remplacé peu à peu les cultures et les prairies.

Le renouveau. − La vocation industrielle des Pyrénées repose sur l'exploitation des ressources énergétiques.

Les antiques forges catalanes fonctionnaient au charbon de bois. Mais, dès 1901 débutait l'aménagement hydro-électrique de la montagne, qui s'est poursuivi jusqu'à nos jours (le complexe de l'Hospitalet date de 1960).

Hors de cela, on observe une assez grande variété industrielle (mines de talc de Luzenac, cimenteries, textile, aluminium, métallurgie différenciée, industrie du bois, etc...) qui maintient l'activité des vallées. Cependant, cette industrialisation reste limitée, elle ne suffit pas à enrayer le dépeuplement et, à cause de son ancienneté, connaît de sérieuses difficultés d'adaptation.

Les vallées les plus vivantes sont traversées par des routes fréquentées, elles concentrent la population et les équipements et misent beaucoup sur le tourisme pour accroître leur développement.

La capacité d'hébergement ne cesse de s'accroître sur les sites du thermalisme et des sports d'hiver. Ces mutations récentes ont provoqué un brassage de population, le départ des autochtones étant compensé par l'installation d'immigrés nationaux et étrangers.

Le littoral

Le jardin roussillonnais. — Avec ses immenses vergers, ses cultures maraîchères, ses vignes, le Roussillon ressemble à un jardin.

La création d'un réseau d'irrigation rationnellement organisé d'une part, l'utilisation des serres, abris et tunnels en plastique d'autre part ont permis d'augmenter considérablement la production.

Tomates primeurs, laitues d'hiver, céleris dominent parmi les légumes, tandis que parmi les fruits, les pêches et les nectarines — qui bénéficient de conditions idéales de sol et de climat dans les vergers du Bas-Conflent —, les abricots — qui prospèrent jusqu'à une altitude de 600 m, et qui sont associés habituellement au raisin — l'emportent largement.

On récolte aussi des cerises précoces dans les vergers du Céret, des pommes et des poires dans le Vallespir et dans tous les fonds de vallée de moyenne montagne, appelés **Ribéral.**

Si le mas est répandu sur les terres plates, l'habitat du Roussillon se groupe volontiers en villages. Les villes de Perpignan, Elne et Ille-sur-Têt vivent au rythme des marchés de gros.

Le vignoble. — La vigne couvre les coteaux de l'Agly, le glacis caillouteux des Aspres et borde la Côte Vermeille qui est la région la plus typique du littoral roussillonnais.

L'encépagement permet de produire une large gamme de vins de coteaux, des vins blancs « verts » ou rosés aux rouges capiteux (voir p. 31 « La Table »). Les **Côtes du Roussillon** viennent sur les marnes et les schistes brûlés de soleil du versant méridional des Corbières (p. 65), ainsi que sur les terrasses sèches des Aspres jusqu'aux Albères.

La plus grande partie de la production reste néanmoins celle des vins de table. Elle pose actuellement un douloureux problème de surproduction et de mévente, aggravé par l'extension du Marché Commun à l'Espagne et au Portugal.

La création d'une industrie vinicole offre quelques débouchés supplémentaires : apéritifs (Thuir), vermouths et liqueurs.

La pêche maritime. — Les ports de la Côte Vermeille, longtemps spécialisés dans la pêche du poisson bleu (sardines et anchois notamment), ont vu leur production décroître régulièrement. La pêche au thon rouge attire toujours une grande partie de la flottille méditerranéenne, principalement en automne ; elle se pratique au moyen d'une senne, filet tournant et coulissant.

La pêche de la sardine et de l'anchois utilise le procédé du **« lamparo »**, complété par l'emploi de lampes puissantes, qui, la nuit, attire le poisson autour du foyer lumineux. Une petite embarcation, appelée « bateau-feu », porte les lampes et le groupe électrogène.

La pêche au chalut se pratique enfin toute l'année au départ des principaux ports du quartier de Port-Vendres (où existent des ateliers de salaison).

La production des parcs à huîtres et à moules de l'étang de Leucate reste incomparablement moindre que celle de l'étang de Thau.

Les plages. — Depuis l'embouchure de l'Aude, la côte du golfe du Lion aligne 70 kilomètres de côte basse puis les découpures rocheuses de la Côte Vermeille, jusqu'à la frontière espagnole.

A la suite de l'aménagement du littoral Languedoc-Roussillon (voir p. 115), sont apparues des « unités touristiques » modernes plantées dans le sable qui contrastent avec les ports de la côte rocheuse, installés au fond de baies étroites et marqués par leur vocation antique de petites cités maritimes.

L'intérieur : entre Aude et Garonne

Des pays agricoles. — La polyculture traditionnelle (blé, maïs, vigne) s'inscrivait dans le cadre de la petite exploitation. Celle-ci a évolué sous le poids des contraintes techniques et de la nécessaire spécialisation. Les sols de culture se partagent entre les **terreforts**, argileux, lourds à travailler, mais fertiles, qui portent les céréales, et les **boulbènes**, plus légers et pauvres, composés de sable, de limons argileux et de cailloux.

Le Toulousain et le Lauragais passent pour des régions agricoles riches, le « grenier » du Midi, en dépit d'un exode rural qui a sévi fortement. Les plaines alluviales de la Garonne et du Tarn sont, par contre, le domaine des fruits (pommes goldens, poires, pêches, fraises). Le maraîchage tient également une place importante dans la vie agricole ; il peut être associé à l'élevage des volailles. Le vignoble, hormis les coteaux de Gaillac à l'Ouest, se concentre dans la région de Carcassonne et de Limoux.

La maison rurale change avec le paysage. En Lauragais et Toulousain, on construit des maisons basses en briques dont les différentes parties (habitation, écurie, grange, charretil) sont abritées par un même toit à faible pente. Dans le Bas-Languedoc en revanche, la maison s'élève : au rez-de-chaussée l'étable et la cave, à l'étage l'habitation (autrefois salle unique), au-dessus le grenier à foin.

La modernité industrielle. — L'industrialisation résulte, pour l'essentiel, du repli des industries stratégiques (aéronautique, armement) lors de la Seconde Guerre mondiale. Le dynamisme industriel de la région repose toujours sur la construction aéronautique alliée aux technologies de pointe, mais la chimie, l'électro-métallurgie, le textile, les industries agro-alimentaires contribuent aussi au développement local. Par contre, de sérieuses menaces pèsent sur l'exploitation du charbon (épuisement du gisement du bassin de Carmaux-Albi) et la sidérurgie.

Le canal du Midi (p. 102) ne joue quant à lui qu'un faible rôle dans les échanges économiques ; sa vocation devient de plus en plus touristique.

L'agglomération de Toulouse (près de 550 000 habitants) est le centre attractif de la région Midi-Pyrénées. Avec son fort potentiel de recherche, ses industries de pointe et ses services, elle rayonne bien au-delà des frontières régionales.

LES GROTTES

Sous l'impulsion d'Édouard-Alfred Martel et de Norbert Casteret, l'exploration et l'étude du monde souterrain a pris la dimension d'une science, la spéléologie.

Édouard-Alfred Martel se vit confier une mission hydrologique par le ministère de l'Agriculture et visita de nombreuses cavités, durant quatre mois de campagnes étalées de 1907 à 1909. Norbert Casteret franchit un siphon en plongée libre en 1922 et relata ses premières aventures dans de nombreux ouvrages.

Les grottes offrent un intérêt touristique multiple. Non seulement elles conduisent à la découverte de paysages naturels fantastiques, mais de plus elles recèlent d'impression-nantes traces de la préhistoire *(voir p. 19 et 20)*.

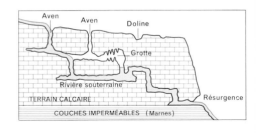

L'infiltration des eaux. — Sur les massifs calcaires très fissu-rés — comme on en rencontre dans les Pyrénées du bord de la Méditerranée (Font-Estramar) aux soubassements du Mont Perdu à près de 3 000 m d'alti-tude — les eaux de pluie ne circulent pas à la surface du sol ; elles s'infiltrent. Chargées d'a-cide carbonique, elles dissolvent le carbone de chaux contenu dans le calcaire. Alors se forment des dépressions généralement circulaires et de dimensions modestes appelées **dolines**. Si les eaux de pluie s'infiltrent plus profondément par les innombrables fissures qui fendillent la carapace calcaire, le creusement et la dissolution de la roche engendrent la formation de puits ou abîmes naturels : les **avens**. Peu à peu les avens s'agrandissent, se prolongent par des galeries souterraines qui se ramifient, communiquent entre elles et s'élargissent en grottes.

Rivières souterraines et résurgences. — Les eaux d'infiltration atteignant le niveau des couches de terrains imperméables (marnes ou argiles) sont à l'origine d'un véritable réseau de rivières souterraines dont le cours se développe parfois sur plusieurs kilomètres.

Les eaux se réunissent, finissent par forer des galeries, élargissent leur lit et se précipitent souvent en cascades. Lorsque la couche imperméable affleure au long d'une pente au flanc d'un versant, le cours réapparaît à l'air libre en source plus ou moins puissante, c'est une **résurgence**, comme la fontaine de Fontestorbes *(p. 121)*. Ce trajet souterrain d'une rivière entre sa pente en amont et sa résurgence porte le nom de **percée hydrogéologique**.

La circulation souterraine des eaux à travers les puits et les galeries est tout à fait instable car la fissuration de la roche affecte continuellement le drainage du sous-sol. Nombreux sont les anciens lits abandonnés au profit de galeries plus profondes qu'emprunte la rivière actuelle. L'exemple de Labouiche *(p. 84)* est remarquable à cet égard.

Lorsqu'elles s'écoulent lentement, les eaux forment de petits lacs délimités par des barrages naturels festonnés. Ce sont les **gours** dont les murettes sont édifiées peu à peu par dépôt du carbonate de chaux sur le bord des plaques d'eau qui en sont saturées.

Il arrive qu'au-dessus des nappes souterraines la dissolution de la croûte calcaire se poursuive : des blocs se détachent alors de la voûte, une coupole se forme, parfois immense comme à Lombrives *(p. 87)* dont la partie supé-rieure se rapproche de la surface du sol. Lorsque la voûte de cette coupole devient très mince, un éboulement découvre brusquement la cavité et ouvre un gouffre.

Formation des concrétions. — Au cours de sa circulation souterraine, l'eau abandonne le calcaire dont elle s'est chargée en pénétrant dans le sol. Elle édifie ainsi un certain nombre de concrétions aux formes fantastiques. Dans certaines cavernes, le suintement des eaux donne lieu à des dépôts de calcite (carbonate de chaux) qui constituent des pendeloques, des pyramides, des draperies, dont les représentations les plus connues sont les stalactites, les stalagmites *(schéma ci-contre)*, les excentriques.

Les **stalactites** se forment à la voûte de la grotte. Chaque gouttelette d'eau qui suinte au plafond y dépose, avant de tomber, une partie de la calcite dont elle s'est chargée. Peu à peu, s'édifie ainsi la concrétion le long de laquelle d'autres gouttes d'eau viendront déposer leur calcite.

Les **fistuleuses** sont des stalactites offrant l'aspect de longs macaronis effilés pendant aux voûtes.

Grotte à concrétions.
1. Stalactites. — 2. Stalagmites. —
3. Colonne en formation. — 4. Colonne formée.

Les **stalagmites** s'élèvent du sol vers le plafond : les gouttes d'eau tombant toujours au même endroit déposent leur calcite qui forme peu à peu un cierge. La rencontre d'une stalactite et d'une stalagmite constitue une **colonne**.

La formation de ces concrétions est extrêmement lente : elle est, actuellement, de l'ordre de 1 cm par siècle sous nos climats.

Les **excentriques**, très fines protubérances dépassant rarement 20 cm de longueur, se développent en tous sens sous forme de minces rayons ou d'éventails translucides. Des phénomènes complexes de cristallisation les libèrent des lois de la pesanteur.

QUELQUES FAITS HISTORIQUES

L'Antiquité

AVANT J.-C.

1800-50	Age des métaux
1800-700	Age du bronze. Fin de la civilisation mégalithique pyrénéenne.
1000-600	Bronze final et 1er âge du fer. Pénétration d'influences extérieures continentales puis méditerranéennes.
753	Fondation de Rome.
600-50	Influences celtiques (tribu des Volques-Tectosages). Développement de la métallurgie (forges catalanes). Apogée de l'influence grecque jusqu'au 2e s. Les Pyrénées orientales forment une mosaïque de petits peuples.
214	Passage d'Hannibal dans les Pyrénées et en Roussillon *(voir p. 119)*.
2e s.	Conquête romaine. Les Rutènes sont chassés de l'Albigeois.
118	Fondation de Narbonne au croisement de la voie domitienne et du chemin d'Aquitaine.
58-51	Conquête de la Gaule par César.
27	Organisation de la province de Narbonnaise. Début d'une longue période de prospérité, mais la montagne tend à rester à l'écart de la civilisation urbaine des plaines.

APRÈS J.-C.

Vers 250	Martyre de saint Sernin à Toulouse.
3e et 4e s.	Décadence de Narbonne et de Toulouse.
356	Concile de Béziers, hérésie arienne.

Les invasions, le Haut Moyen Age

5e s.	Arrivée des Vandales puis des Wisigoths. Toulouse devient la capitale du royaume wisigoth, lequel redonne un certain lustre à la civilisation gallo-romaine.
507	Bataille de Vouillé : défaite des Wisigoths dont le domaine se restreint à la Septimanie (Carcassonne, Narbonne, Elne, etc.).
719	Prise de Narbonne par les Sarrasins.
732	Charles Martel défait les Sarrasins à Poitiers.
737	Charles Martel enlève la Septimanie aux Wisigoths.
759	Pépin le Bref reprend Narbonne.
778	Massacre de l'arrière-garde de l'armée de Charlemagne à Roncevaux.
801	Charlemagne organise la marche d'Espagne, la Catalogne (Gothie) s'intègre à l'Empire en gardant son autonomie.
10e s.	La marche de Gothie tombe au pouvoir des hiérarchies féodales. Essor religieux avec le pèlerinage de St-Jacques-de-Compostelle.
955	Bataille de la Lechfeld. Fin des invasions en Europe.
11e s.	Renouveau démographique et économique en Occident. Affirmation de la puissance des comtes de Toulouse. Vague de constructions religieuses. Périple d'Urbain II en Languedoc.

Le rattachement au Royaume de France

12e-13e s.	Épanouissement de l'art des troubadours. Apparition des bastides.
1140-1200	Diffusion de l'hérésie cathare *(p. 21)*.
1152	Mariage d'Henri II Plantagenêt avec Eléonore d'Aquitaine.
1207	Excommunication de Raymond VI comte de Toulouse.
1208	Assassinat de Pierre de Castelnau, légat du pape Innocent III.
1209	Déclenchement de la croisade contre les Albigeois. Prise de Béziers et de Carcassonne par Simon de Montfort.

(Photo Giraudon)

Sceau de Raymond VI, comte de Toulouse.

1213	Bataille de Muret.
1214	Bataille de Bouvines.
1228	Nouvelle croisade : Louis VIII s'empare du Languedoc.
1229	Traité de Paris (ou de Meaux) : Saint Louis reçoit le Bas-Languedoc, Alphonse de Poitiers, son frère, épouse l'héritière du comté de Toulouse. Fondation de l'université de Toulouse.
1244	Chute de Montségur *(p. 96)*.
1250-1320	L'Inquisition réduit les derniers foyers du catharisme.
1258	Traité de Corbeil. Le Roi de France tient les cinq « fils de Carcassonne » *(p. 66)*.
1270	Mort de Saint Louis.
1290	Les comtes de Foix héritent du Béarn.

(Photo Arch. Snark/Edimedia)

Bataille de Muret.
Victoire de Simon de Montfort sur les Albigeois.

1331-1391	Vie de Gaston Fébus.
1350-1450	Les Pyrénées et le Languedoc connaissent une longue période de guerres, de troubles, de famines et d'épidémies.
1420	Charles VII fait son entrée à Toulouse.
1462	Intervention de Louis XI en Roussillon *(p. 105)*.

Luttes Franco-Espagnoles. Guerres de Religion

1484	Les Albret, « rois de Navarre », deviennent prépondérants dans les Pyrénées gasconnes (Foix, Béarn, Bigorre).
1512	Ferdinand le Catholique dépossède les Albrets.
1539	Édit de Villers-Cotterets instituant le français comme langue juridique.
1560-1598	Guerres de religion.
1598	Édit de Nantes, les protestants obtiennent des « places de sûreté » (Puylaurens, Montauban).
1607	Henri IV réunit à la France son propre domaine royal (Basse-Navarre et fiefs de Foix et de Béarn).
1610	Assassinat d'Henri IV.
1643-1715	Règne de Louis XIV.
1659	Traité des Pyrénées : rattachement du Roussillon et de la Cerdagne.
1666-1680	Construction du canal du Midi par Riquet.
1685	Révocation de l'édit de Nantes.

Naissance du Pyrénéisme

1746	La thèse de Th. de Bordeu sur les eaux minérales d'Aquitaine contribue à la spécialisation des stations de cure et à l'essor du thermalisme.
1787	Séjour à Barèges de Ramond de Carbonnières, premier « pyrénéiste ».
1804-1815	Premier Empire. Découverte de nouvelles sources thermales.
1852-1914	Second Empire et IIIe République. Développement du thermalisme, de l'escalade et de l'exploration scientifique de la montagne.
1901	Début de l'exploitation de l'hydro-électricité.
1907	Révolte du Midi viticole.

Le XXe Siècle

1920	Les Pyrénées se convertissent à la « houille blanche ». Réalisation d'importantes infrastructures touristiques sous l'impulsion de J.-R. Paul.
1940-44	Importance du réseau pyrénéen dans la Résistance.
1946	IVe République.
1951	Éruption du gaz de Lacq.
1958	Ve République.
1962	Accords d'Évian ; des rapatriés d'Algérie s'installent en Languedoc.
1963	Lancement du plan d'aménagement du littoral Languedoc-Roussillon.
1969	Premier vol de « Concorde 001 ».

LA PRÉHISTOIRE

L'ère quaternaire débuta il y a environ 2 millions d'années et fut marquée par le développement des glaciers qui envahirent les hautes montagnes (glaciations de Günz, de Mindel, de Riss, de Würm). L'événement capital de ces temps reculés reste cependant l'installation des premiers humains en Europe, notamment dans les Pyrénées.

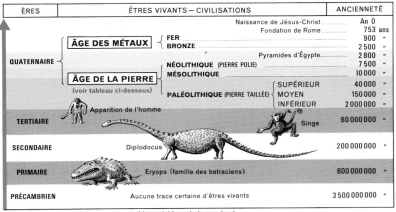

ÈRES	ÊTRES VIVANTS — CIVILISATIONS	ANCIENNETÉ
	Naissance de Jésus-Christ	An 0
	Fondation de Rome	753 ans
	FER	900 "
QUATERNAIRE { ÂGE DES MÉTAUX { **BRONZE**		2 500 "
	Pyramides d'Égypte	2 800 "
	NÉOLITHIQUE (PIERRE POLIE)	7 500 "
ÂGE DE LA PIERRE **MÉSOLITHIQUE**		10 000 "
(voir tableau ci-dessous) **PALÉOLITHIQUE** (PIERRE TAILLÉE) { SUPÉRIEUR		40 000 "
	MOYEN	150 000 "
	INFÉRIEUR	2 000 000 "
TERTIAIRE	Apparition de l'homme — Singe	60 000 000 "
SECONDAIRE	Diplodocus	200 000 000 "
PRIMAIRE	Eryops (famille des batraciens)	600 000 000 "
PRÉCAMBRIEN	Aucune trace certaine d'êtres vivants	3 500 000 000 "

Lire ce tableau de bas en haut

L'archéologie et les moyens scientifiques de datation ont permis de distinguer des phases d'évolution — paléolithique, mésolithique, néolithique —, elles-mêmes subdivisées en de multiples périodes dont les plus anciennes s'étendent sur plusieurs dizaines de milliers d'années. *Voir tableau ci-dessous.*

Le paléolithique inférieur. — Le paléolithique inférieur est représenté dans les Pyrénées par l'**« Homme de Tautavel »**, découvert en 1971 par l'équipe du professeur de Lumley dans une couche de sédiments très anciens de la Caune de l'Arago.

ÂGE DE LA PIERRE

PÉRIODES	CLIMATS	FAUNE	RACES HUMAINES	STADES DE CIVILISATION	SITES
-2 500 **NÉOLITHIQUE**				Pointes de flèches Haches en pierre polie	
-7 500	Période				
MÉSOLITHIQUE	chaude				
AZILIEN					Mas d'Azil
-10 000				Art des Vénus	
MAGDALÉNIEN	Glaciation		Race de Cro-Magnon	Aiguilles à chas Burins	Trois Frères
SOLUTRÉEN		Âge du renne		Harpons	Niaux
SUPÉRIEUR AURIGNACIEN	de Würm	Mammouth, Ours Hyène des cavernes		Lame à dos rabattu convexe Sagaies	Bédeilhac
PÉRIGORDIEN		Rhinocéros laineux Hippopotame	**Homo sapiens**	Outillage osseux varié	
-40 000 MOUSTÉRIEN				Éclats de forme ovale Lames, Disques	
MOYEN LEVALLOISIEN	Période chaude			Pointes, Racloirs Industrie du silex à " biface "	
-150 000 TAYACIEN		Âge du mammouth Éléphant	**Homme de Néandertal**		
ACHEULÉEN	Glaciation de Riss	Apparition du mammouth		Coups de poing taillés en silex ou en quartzite	
PALÉOLITHIQUE	Période	Bœuf Lion		Perçoirs Racloirs Scies	
	chaude	Bison Rhinocéros Tigre			
INFÉRIEUR	Glaciation de Mindel		Homme de Tautavel	Coups de poing Silex taillés sur les deux faces ou " bifaces "	Caune de l'Arago
CLACTONIEN		Hippopotame Rhinocéros			
ABBEVILLIEN (PEBBLE CULTURE)	Période chaude	Grand ours	Homme de Java Pithécanthrope (Insulinde)		
	Glaciation de Günz				
-2 millions					
			Lucie Australopithèque (Éthiopie) **Homo erectus**		
-3 millions					

Lire ce tableau de bas en haut

L'Homme de Tautavel, environ 450 000 ans, appartient au groupe de l'« homo erectus » dont les caractéristiques principales sont : un faible volume cérébral (750 à 1 250 cm^3), une stature droite de 1,40 m à 1,50 m, une durée de vie n'excédant pas 30 ans.

Les premiers chasseurs qui vinrent s'installer à la **Caune de l'Arago** utilisaient celle-ci à plusieurs fins : comme campement temporaire, comme lieu de dépeçage et comme atelier de fabrication de l'outillage. Ils ne domestiquaient pas encore le feu, aucune trace de foyer n'ayant été retrouvée.

Les paysages de la plaine de Tautavel étaient aussi variés que la faune. Si l'alternance climatique introduisit des changements (de la steppe aux bosquets d'arbres), on constate néanmoins que les plantes méditerranéennes (pins, chênes, noyers, platanes, vignes sauvages, etc.) se sont constamment maintenues. La région était très giboyeuse : on rencontrait aussi bien du petit gibier (lapins, pigeons, grives, perdrix, canards, etc.) que du gros (éléphants, aurochs, rhinocéros de la prairie, cerfs, daims, chevaux, bisons, ours, panthères, etc.). Les carnivores étaient recherchés pour leur fourrure, leur capture impliquait un minimum d'organisation entre chasseurs.

L'outillage retrouvé est en général de petite dimension (racloirs, encoches denticulés, grattoirs), les outils les plus grands étant des galets aménagés de 6 à 10 cm en moyenne. Les hommes se servaient des matériaux environnants tels que le quartz, le schiste, le silex, le calcaire et le jaspe. Ce matériel est conservé au musée de Tautavel *(p. 122)..*

Le paléolithique moyen. — L'existence de nombreux gisements moustériens montre que l'homme de Néanderthal parcourait les Pyrénées. D'une taille supérieure à celle de l'« homo erectus », il possédait une boîte crânienne très développée (1 700 cm^3). Il dut s'adapter aux conditions climatiques créées par la glaciation de Würm.

Les Néanderthaliens perfectionnèrent et spécialisèrent l'outillage. Ils taillaient de nombreux bifaces, des couteaux à bord abattu courbe, des burins, des grattoirs, des perçoirs et toutes sortes de pièces à encoches. L'évolution se manifeste aussi par la construction de vastes habitats et surtout par l'aménagement de sépultures.

Le paléolithique supérieur. — Avec l'« homo sapiens », une présence humaine importante est attestée dans les Pyrénées. L'outillage lithique s'adjoint, à la période aurignacienne, l'os et la corne. L'apparition des sagaies, des poinçons, des spatules, dénote aussi un perfectionnement technique qui s'accentue en phase solutréenne et magdalénienne.

La fin de la dernière glaciation (Würm IV) entraîne une transformation du paysage et de la faune, désormais dominée par le cerf et le sanglier. A côté de la chasse, l'homme pratique la cueillette des fruits de mer.

La révolution fondamentale reste cependant la naissance de l'art. Les représentations humaines sculptées (les « vénus » aurignaciennes) et l'art rupestre présentent un intérêt exceptionnel. Les images animales, peintes en rouge ou noir, de la grotte de **Niaux** *(p. 104)* expriment un naturalisme saisissant.

Le mésolithique. — La disparition du climat glaciaire fixe le paysage historique des Pyrénées. En fait, le mésolithique est une phase intermédiaire pendant laquelle se dessine une multitude de civilisations.

La culture azilienne (du nom de la grotte du **Mas d'Azil**, *p. 89*), qui s'esquisse à la fin du paléolithique supérieur, fait apparaître l'importance du harpon tandis que l'art se limite aux énigmatiques galets à signes.

Le néolithique. — L'utilisation régulière de la technique du polissage de la pierre et l'emploi de la céramique indiquent le passage au niveau néolithique. Cette évolution s'accompagne d'une mutation décisive dans les formes d'économie et les genres de vie. Toutefois, dans les Pyrénées orientales et en Ariège, les changements sont plus lents, car on note une permanence de la population post-paléolithique locale à laquelle se sont joints quelques groupes extrapyrénéens : la grotte continue à servir d'habitation et la céramique n'est connue que tardivement.

Plus au Nord, l'abri de Font-Juvénal, entre l'Aude et la Montagne Noire, a livré de précieux renseignements ethnologiques. L'agriculture et l'élevage, dès le 4e millénaire, sont devenus des moyens de subsistance : on cultive des variétés de blé et d'orge. Parallèlement, l'aménagement de l'habitat obéit à des préoccupations domestiques de plus en plus élaborées, ce que révèle la découverte de foyers à plat pour la cuisson, de trous à combustion pour l'obtention de températures élevées, de structures de maintien (poteaux et dallages) et de silos de conservation.

En Narbonnais, des communautés rurales aux activités spécialisées, utilisant un outillage très élaboré, se mettent à pratiquer l'échange ou le commerce, entre elles. L'ère des villages stables commence...

Les constructions mégalithiques (dolmens et tumulus) parviennent aux Pyrénées par la zone occidentale au cours du 3e millénaire. La moyenne montagne est alors la plus densément peuplée. On y pratique l'élevage tandis que l'armement accomplit des progrès décisifs (flèches, haches et couteaux) et que se répandent les parures (colliers et bracelets) et les poteries (jattes et vases). En pays catalan, la culture mégalithique se prolonge encore à l'âge du bronze.

Les dolmens pyrénéens (2 500-1 500 avant J.-C.). — Découverts au siècle dernier, les premiers dolmens donnèrent lieu à des interprétations « romantiques » qui voyaient en eux des autels druidiques voués aux sacrifices humains.

Les trois quarts des **dolmens** se situent à des altitudes comprises entre 600 et 1 000 m. A l'origine, ils étaient recouverts d'un **tumulus** (sorte de galerie d'accès) de terre, ou d'un amas de pierre, dont la dimension maximale ne dépassait pas 20 m. Un cercle de pierres pouvait entourer le tumulus. Les plus importants dolmens, érigés dans les zones de peuplement stable, contiennent les restes de centaines d'individus. Dans les parties élevées de la montagne, sur les hauts pâturages, ils sont plus petits et ont été remplacés plus tard par des **cistes** (coffres de pierre), sépultures individuelles de bergers décédés l'été.

LES CATHARES

La répression du mouvement cathare, au 13ᵉ s., a profondément marqué l'histoire du Languedoc qui devint, dès lors, commune avec celle du royaume de France.

La doctrine cathare. — Les origines du catharisme se perdent dans un labyrinthe d'influences orientales complexes et lointaines, qui se propagèrent en Europe aux 11ᵉ et 12ᵉ s. et s'installèrent solidement en Languedoc vers 1160. En 1167, au concile cathare (mot grec signifiant « pur ») de St-Félix-Lauragais, l'évêque Nicétas de Constantinople fondait une contre-Église dont la doctrine, le dualisme radical, était inspirée du bogomilisme (secte puissante de Bulgarie).
Le catharisme pose comme principe fondamental la séparation du Bien et du Mal : au Dieu bon qui règne sur un monde spirituel de lumière et de beauté, s'oppose le monde matériel gouverné par Satan ; aussi l'homme n'est-il qu'un esprit enfermé dans la matière, par suite d'une ruse du Malin. Les cathares, hantés par l'angoisse du mal, veulent donc libérer l'homme de la matière et lui rendre sa pureté divine. Interprétant à leur façon les textes bibliques, ils se mettent en contradiction totale avec l'orthodoxie chrétienne, niant par exemple la divinité du Christ qu'ils s'efforcent toutefois d'imiter.

L'Église cathare. — Cette nouvelle Église a quatre évêques à sa tête : celui d'Albi (primauté à l'origine du nom d'« Albigeois »), ceux de Toulouse, Carcassonne et Agen. Plus importante est la hiérarchie des vocations distinguant entre **Parfaits** et **Croyants.**
En réaction contre le relâchement du clergé catholique, les Parfaits se doivent de mener une vie austère : leur idéal ascétique les conduit à privilégier la pauvreté, la chasteté, la patience et l'humilité. Hommes de Dieu déjà ramenés à la lumière, ils sont l'objet de la vénération et des soins des Croyants, simples fidèles.
L'Église cathare n'administre qu'un sacrement, le **consolamentum,** dont le rite varie selon qu'il s'agit de l'ordination d'un Parfait ou de la bénédiction réservée aux Croyants à l'article de la mort, qui seule peut leur ouvrir les portes du monde de lumière. D'autres usages liturgiques rassemblent les fidèles : réunions de prière, confessions publiques, etc.
Les convictions, les règles de vie et les rites pratiqués par les cathares heurtaient la mentalité catholique. Le refus des sacrements traditionnels du baptême et du mariage, une certaine liberté de mœurs et d'attitudes (notamment vis-à-vis de l'argent et du commerce) soulevèrent de violentes polémiques avec les clercs.

Un milieu favorable. — L'hérésie remporte des succès dans les villes, foyers de culture et d'échanges, pour essaimer ensuite dans le plat pays. « Est-ce un hasard si la terre d'élection du catharisme, entre Carcassonne et Toulouse, Foix et Limoux, Castres et Cordes, correspond exactement à la grande région de la draperie languedocienne, exportant par Narbonne vers le Levant ? » (E. Le Roy Ladurie). Les **Bonshommes** (Parfaits) appartiennent en effet, le plus souvent, au milieu de l'artisanat et du négoce textiles. De grands seigneurs tels que Roger Trencavel, vicomte de Béziers et de Carcassonne, Raymond Roger, comte de Foix, protègent l'hérésie. Les femmes, loin d'être exclues, fondent de leur côté des communautés de Parfaites.

LA LANGUE D'OC

De la fusion du latin vulgaire avec le vieux fond linguistique gaulois est né un groupe de langues « romanes », scindé en langue d'Oïl et langue d'Oc, ainsi nommées pour la façon dont on disait « oui » en chacune d'elles. La limite entre les deux passait au Nord du Massif Central, si bien que l'occitan se composait de plusieurs grands dialectes : le languedocien, le gascon, le limousin, l'auvergnat et le provençal.

La langue des troubadours. — La langue d'Oc est avant tout la langue des troubadours. Poètes « trouvant » eux-mêmes leurs chansons, les troubadours, qui distrayent, en compagnie des jongleurs, les cours méridionales, chantent les amours raffinées d'une belle et de son soupirant. Cette poésie courtoise évolue : de la lyrique païenne du 12ᵉ s., teintée d'érotisme, on passe à une conception purement spirituelle de l'amour agrémentée de références à la Vierge Marie. Parallèlement, la satire politique tient une place à part dans la littérature occitane ; elle s'exerce essentiellement contre Rome et le clergé.
Parmi les troubadours célèbres, retenons : Bernard de Ventadour, limousin d'origine mais installé à la cour de Raymond V de Toulouse ; Arnaut de Mareuil, amoureux de l'épouse du vicomte de Béziers ; Peire Vidal, qui promena ses extravagances de la Provence à la terre sainte ; Jaufré Rudel, Guiraut Riquier... Leur influence se fit sentir jusqu'en Allemagne et en Italie où Dante hésita entre le provençal et le toscan pour écrire sa Divine Comédie.
L'intégration au royaume de France porta un coup fatal à la langue d'Oc. Au 16ᵉ s., le français devint la seule langue officielle. Ce n'est qu'en 1819, avec la publication par Rochegude des poésies originales des troubadours, que s'amorça une renaissance. En 1854, le Félibrige, en réformant l'orthographe du provençal, entraîna un renouveau occitan *(voir le guide Vert Michelin Provence).*
L'« Escola Occitana » (créée en 1919) et l'Institut d'Études Occitanes de Toulouse (créé en 1945) se sont fixé pour but la diffusion d'une réforme linguistique concrétisée par une orthographe normalisée compatible avec tous les parlers d'Oc.

Le catalan. — Le catalan est très proche de l'occitan. Son aire géographique s'étend de Salses en Roussillon à Valence en Espagne, limitée à l'Ouest par l'Andorre et le Capcir. L'apogée du catalan se situe au 13ᵉ s., époque à laquelle l'écrivain et philosophe Ramon Llull lui donne ses lettres de noblesse. Comme pour la langue d'Oc, le 16ᵉ s. est celui du déclin ; la monarchie centralisatrice de Philippe II impose le castillan au détriment des langues régionales.
Tandis que le parler catalan se perpétue dans l'usage quotidien, la renaissance littéraire engagée au siècle dernier contribue à l'affirmation de l'identité culturelle du Roussillon.

L'ART

ABC D'ARCHITECTURE

A l'intention des lecteurs peu familiarisés avec la terminologie employée en architecture, nous donnons ci-après quelques indications générales sur l'architecture religieuse et militaire, suivies d'une liste alphabétique des termes d'art employés pour la description des monuments dans ce guide.

Architecture religieuse

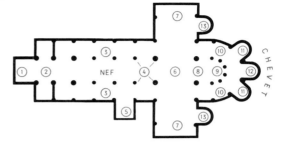

illustration I ►

Plan-type d'une église : il est en forme de croix latine, les deux bras de la croix formant le transept.
① Porche – ② Narthex ③ Collatéraux ou bas-côtés (parfois doubles) – ④ Travée (division transversale de la nef comprise entre deux piliers) ⑤ Chapelle latérale (souvent postérieure à l'ensemble de l'édifice) – ⑥ Croisée du transept – ⑦ Croisillons ou bras du transept, saillants ou non,
comportant souvent un portail latéral – ⑧ Chœur, presque toujours « orienté » c'est-à-dire tourné vers l'Est ; très vaste et réservé aux moines dans les églises abbatiales – ⑨ Rond-point du chœur ⑩ Déambulatoire : prolongement des bas-côtés autour du chœur permettant de défiler devant les reliques dans les églises de pèlerinage – ⑪ Chapelles rayonnantes ou absidioles – ⑫ Chapelle absidale ou axiale. Dans les églises non dédiées à la Vierge, cette chapelle, dans l'axe du monument, lui est souvent consacrée ⑬ Chapelle orientée.

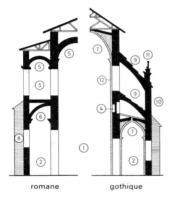

romane   gothique

◄ illustration II

Coupe d'une église : ① Nef – ② Bas-côté – ③ Tribune – ④ Triforium – ⑤ Voûte en berceau – ⑥ Voûte en demi-berceau – ⑦ Voûte d'ogive – ⑧ Contrefort étayant la base du mur – ⑨ Arc-boutant – ⑩ Culée d'arc-boutant – ⑪ Pinacle équilibrant la culée – ⑫ Fenêtre haute.

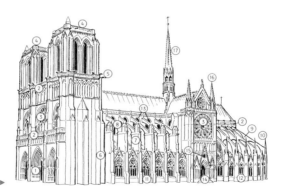

illustration III ►

Cathédrale gothique : ① Portail – ② Galerie – ③ Grande rose – ④ Tour-clocher quelquefois terminée par une flèche – ⑤ Gargouille servant à l'écoulement des eaux de pluie – ⑥ Contrefort – ⑦ Culée d'arc-boutant ⑧ Volée d'arc-boutant – ⑨ Arc-boutant à double volée – ⑩ Pinacle – ⑪ Chapelle latérale – ⑫ Chapelle rayonnante – ⑬ Fenêtre haute – ⑭ Portail latéral – ⑮ Gâble – ⑯ Clocheton – ⑰ Flèche (ici, placée sur la croisée du transept).

◄ illustration IV

Voûte d'arêtes :
① Grande arcade
② Arête – ③ Doubleau.

illustration V ►

Voûte en cul de four : elle termine les absides des nefs voûtées en berceau.

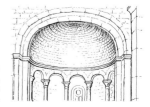

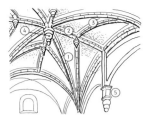

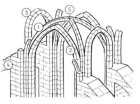

illustration VI

Voûte à clef pendante :
① Ogive – ② Lierne
③ Tierceron – ④ Clef pendante
⑤ Cul de lampe.

illustration VII

Voûte sur croisée d'ogives
① Arc diagonal – ② Doubleau
③ Formeret – ④ Arc-boutant
⑤ Clef de voûte.

▼ illustration VIII

Portail : ① Archivolte ; elle peut être en plein cintre, en arc brisé, en anse de panier, en accolade, quelquefois ornée d'un gâble – ② Voussures (en cordons, moulurées, sculptées ou ornées de statues) formant l'archivolte ③ Tympan – ④ Linteau – ⑤ Piédroit ou jambage – ⑥ Ébrasements, quelquefois ornés de statues – ⑦ Trumeau (auquel est généralement adossé une statue) – ⑧ Pentures.

illustration IX ▶

Arcs et piliers : ① Nervures ② Tailloir ou abaque – ③ Chapiteau – ④ Fût ou colonne – ⑤ Base – ⑥ Colonne engagée – ⑦ Dosseret – ⑧ Linteau – ⑨ Arc de décharge – ⑩ Frise.

Architecture militaire

illustration X

Enceinte fortifiée : ① Hourd (galerie en bois) – ② Mâchicoulis (créneaux en encorbellement) – ③ Bretèche ④ Donjon – ⑤ Chemin de ronde couvert – ⑥ Courtine – ⑦ Enceinte extérieure – ⑧ Poterne.

illustration XI

Tours et courtines : ① Hourd ② Créneau – ③ Merlon ④ Meurtrière ou archère ⑤ Courtine – ⑥ Pont dit « dormant » (fixe) par opposition au pont-levis (mobile).

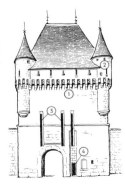

◀ illustration XII

Porte fortifiée : ① Mâchicoulis ② Échauguette (pour le guet) – ③ Logement des bras du pont-levis – ④ Poterne : petite porte dérobée, facile à défendre en cas de siège.

illustration XIII ▶

Fortifications classiques :
1 Entrée – 2 Pont-levis
3 Glacis – 4 Demi-lune
5 Fossé – 6 Bastion – 7 Tourelle de guet – 8 Ville – 9 Place d'Armes.

TERMES D'ART EMPLOYÉS DANS CE GUIDE

Abside : extrémité arrondie d'une église, derrière l'autel. Sa partie extérieure s'appelle le chevet.

Absidiole : illustration I.

Acrotère : ornement posé aux extrémités des frontons.

Ajour : ouverture, percement, qui laisse passer le jour.

Anse de panier : arc aplati, très utilisé au Moyen Age et à la Renaissance.

Appareil : taille et agencement des matériaux constituant une maçonnerie.

Arc de décharge : illustration IX.

Arc diaphragme : arc transversal séparant les travées dont l'objet est de soulager les murs latéraux ou les fermes des combles.

Arc en accolade : arc formé de quatre portions de cercle.

Arc en mitre : arc qui se compose de deux lignes droites se coupant et qui se rencontre fréquemment dans les clochers du Languedoc.

Arc-boutant : illustration II.

Arc triomphal : terme qui désigne la grande arcade à l'entrée du chœur.

Archivolte : illustration VIII.

Baldaquin : dais d'architecture élevé au-dessus du maître-autel.

Bandes lombardes : contreforts plats dont les têtes sont reliées par de petits arceaux.

Barbacane : ouvrage de défense avancé, pour protéger un point important (porte de ville, tête de pont, château fort...).

Bas-côté : illustration I.

Bas-relief : sculpture en faible saillie sur un fond.

Berceau (voûte en) : illustration II.

Bossage : saillie « en bosse » dépassant le nu d'un mur et encadrée de ciselures profondes ou refends.

Bourdon : grosse cloche.

Campanile : clocher isolé ou lanterne en charpente surmontant le comble d'un édifice et abritant la cloche de l'horloge.

Chapelle orientée, chapelle rayonnante : illustration I.

Chapiteau : illustration IX.

Châsse : cercueil renfermant un corps saint.

Chevet : illustration I.

Claustra : grilles de pierre à barreaux verticaux.

Claveau : l'une des pierres formant un arc ou une voûte.

Clef de voûte : illustration VII.

Collatéral : illustration I.

Colombage : charpente de mur apparente.

Colonne engagée : illustration IX.

Colonnes géminées : colonnes groupées par deux.

Contrefort : illustrations II et III.

◄ illustration XIV
Coupoles sur trompes :
① Coupole octogonale —
② Trompe — ③ Arcade du carré du transept.

illustration XV ►
Coupole sur pendentifs :
① Coupole circulaire —
② Pendentif — ③ Arcade du carré du transept.

Coupole : voûte hémisphérique surmontant un édifice (on appelle dôme l'enveloppe extérieure d'une coupole). Illustrations XIV et XV.

Courtine : illustration X.

Créneau : illustration XI.

Croisée d'ogive : illustration VII.

Croisillon : illustration I.

Crypte : église souterraine.

Cul-de-four : illustration V.

Déambulatoire : illustration I.

Donjon : illustration X.

Échauguette : illustration XII.

Écoinçon : coin, encoignure.

Encorbellement : construction en porte-à-faux.

Enfeu : niche funéraire à fond plat pratiquée à l'intérieur ou à l'extérieur des églises pour recevoir des tombes.

Éperon (ou bec) : ouvrage en saillie ou en pointe servant d'appui.

Ex-voto : objet déposé dans une église ou inscription gravée sur une tablette de marbre pour relater l'accomplissement d'un vœu.

Flamboyant : style décoratif de la fin de l'époque gothique (15e s.), ainsi nommé pour ses découpures en forme de flammèches aux remplages des baies.

Flèche : illustration III. Les ornements de feuillages décoratifs qui décorent les arêtes sont appelés crochets.

Fresque : peinture murale appliquée sur l'enduit frais.

Gargouille : illustration III.

Gisant : effigie funéraire couchée.

Gloire : auréole entourant un personnage.

Haut-relief : sculpture au relief très saillant, sans toutefois se détacher du fond (intermédiaire entre le bas-relief et la ronde-bosse).

Hourd : illustrations X et XI.

Intaille : pierre fine gravée en creux (par opposition à camée : pierre fine gravée en relief).

Jacquemart : figure d'homme armée d'un marteau et frappant automatiquement les heures, sur le timbre d'une horloge.

Jouée : parement latéral d'une baie, cloison latérale d'une stalle de chœur. Illustration XVII.

Jubé : tribune transversale en forme de galerie, élevée entre la nef et le chœur dans certaines églises (ex. Albi). Illustration XVI.

Lambris : revêtement de murs (en bois, en stuc, en marbre...) servant à la fois de protection et de parure.

Lancette : arc en tiers-point surhaussé de forme allongée.

illustration XVI — **Jubé**

Lierne : illustration VI.

Linteau : illustration VIII.

Lobe : découpure d'un arc en segment de cercle.

Lutrin : pupitre généralement pivotant, servant à supporter les livres liturgiques.

Mâchicoulis : illustration XII.

Meneau : croisillon de pierre divisant une baie.

Méplat : plan intermédiaire formant transition entre deux surfaces.

Merlon : illustration XI.

Meurtrière : illustration XI.

Miséricorde : petit appui placé sous le siège mobile d'une stalle, permettant de s'appuyer tout en ayant l'air d'être debout. Illustration XVII.

Modillon : ornement en forme de console renversée appliqué à un mur pour servir de support à un buste, à un vase...

Monogramme : chiffre composé d'une lettre unique empruntée à l'initiale d'un nom, ou de plusieurs lettres juxtaposées ou entrelacées en un seul caractère.

Narthex : illustration I.

Oculus : fenêtre ronde, appelée aussi œil-de-bœuf.

Ogive : arc diagonal soutenant une voûte. Illustrations VI et VII.

Palmette : motif d'ornement formé de petites palmes.

Pendentif : triangle sphérique ménagé entre les grands arcs qui supportent une coupole et permettant de passer du plan carré au plan circulaire. Illustration XV.

Penture : ferrure ouvragée clouée sur le vantail d'une porte. Illustration VIII.

Péristyle : colonnes disposées autour ou en façade d'un édifice.

Piédroit : illustration VIII.

Pietà : mot italien désignant le groupe de la Vierge tenant sur ses genoux le Christ mort ; on dit aussi Vierge de Pitié.

Pignon : partie supérieure, en forme de triangle, du mur qui soutient les deux pentes du toit.

Pilastre : pilier plat engagé dans un mur.

Pinacle : illustrations II et III.

Plein cintre : en demi-circonférence, en demi-cercle.

Polylobé : arc festonné en plusieurs lobes.

Poterne : illustration XII.

Prédelle : base d'un retable, divisée en petits panneaux. Illustration XVIII.

Remplage : réseau léger de pierre découpée garnissant tout ou partie d'une baie, une rose ou la partie haute d'une fenêtre.

Retable : architecture de marbre, de pierre ou de bois qui compose la décoration d'un autel, au-dessus de la table et en arrière. Illustration XVIII.

Rinceau : ornement courant de sculpture ou de peinture empruntée au règne végétal et servant à la décoration des frises et des pilastres. Illustration XIX.

Stalle : siège de bois à dossier élevé, garnissant les deux côtés du chœur. C'est là que se tiennent les chanoines et les moines. Illustration XVII.

Illustration XVII ▼

Stalles : ① Dossier haut —
② Pare-close —
③ Jouée — ④ Miséricorde.

Autel avec retable. — ① Retable — ② Prédelle — ③ Couronne — ④ Table d'autel — ⑤ Devant d'autel. Certains retables baroques englobaient plusieurs autels ; la liturgie contemporaine tend à les faire disparaître.

illustration XVIII ▶

Ornementations Renaissance.
① Coquille — ② Vase —
③ Rinceaux — ④ Dragon —
⑤ Enfant nu — ⑥ Amour —
⑦ Corne d'abondance — ⑧ Satyre.

Tierceron : illustration VI.

Tiers-point (arc en) : arc brisé inscrit dans un triangle équilatéral.

Toit en poivrière : toit cônique.

Transept : illustration I.

Travée : illustration I.

Tribune : illustration II.

Triforium : galerie voûtée desservant les parties hautes d'un édifice ; on l'appelle coursière si elle est étroite, tribune si elle surmonte toute la largeur du bas-côté.

Triptyque : ouvrage de peinture ou de sculpture composé de trois panneaux articulés pouvant se refermer.

Trompe : section de voûte formant saillie et supportant la poussée verticale d'un élément de construction en encorbellement (tourelle, échauguette...) ; ou bien arc diagonal bandé dans chaque angle d'une tour carrée : les quatre trompes d'angle permettent de passer du plan carré au plan octogonal. Illustration XIV.

Trumeau : illustration VIII.

Tympan : illustration VIII.

Vaisseau : nef d'église.

Vantail : battant de porte, de fenêtre ; panneau mobile.

Verrière : baie garnie de vitraux ou grand vitrail.

Volute : ornement d'architecture, enroulement sculpté en spirale : le centre de cet enroulement s'appelle œil.

Voussure : arc constituant un élément de l'archivolte d'un portail. Illustration VIII.

Voûtain : compartiment d'une voûte d'ogive.

Voûte en berceau : voûte demi-cylindrique engendrée par un arc en plein cintre indéfiniment prolongé ; les absides des nefs voûtées en berceau sont terminées par une voûte en cul-de-four : illustration V.

Pour tout ce qui fait l'objet d'un texte dans ce guide
(villes, sites, curiosités, rubriques d'histoire ou de géographie, etc.),
reportez-vous à l'index,
à la fin du volume.

PRINCIPAUX MONUMENTS DÉCRITS DANS CE GUIDE

Roman

★★★	Basilique St-Sernin de **Toulouse**	★★	Cloître de l'abbaye de **Moissac**
★★★	Portail de l'église St-Pierre de l'abbaye de **Moissac**	★★	Prieuré de **Serrabone**
★★	Église St-Pierre de l'abbaye de **Moissac**	★★	Abbaye de **St-Martin-du-Canigou**
		★	Abbaye de **St-Michel-de-Cuxa**

Gothique

★★★ Cathédrale Ste-Cécile d'**Albi**
★★ Cathédrale St-Just de **Narbonne**
★★ Abbaye de **Fontfroide**
★★ Cloître de la cathédrale Ste-Eulalie et Ste-Julie d'**Elne**
★★ Les Jacobins de **Toulouse**
★ Cathédrale St-Étienne de **Toulouse**

Renaissance

★ Hôtel d'Assézat de **Toulouse**

Classique

★ Capitole de **Toulouse**

PRINCIPALES BASTIDES

★★★ Cité de **Carcassonne** (1260)
★ **Montauban** (1144)
Lisle-sur-Tarn (1248)
Alan (1270)
Mirepoix (1279)
Grenade (1290)

(Photo A. Allemand/Artephot)
Toulouse. — Chapiteau de St-Sernin.

L'ARCHITECTURE MILITAIRE

Les illustrations p. 23 donnent quelques indications générales sur l'architecture militaire. Pour la définition des termes d'art employés dans ce guide, voir p. 24 à 26.

L'effondrement de la puissance publique et l'émiettement de l'autorité princière ou comtale aboutirent, aux 10e et 11e s., à une multiplication des points fortifiés.

Durant les 12e et 13e s., le roi et les grands féodaux reprirent le contrôle des châteaux, objets de fréquentes rivalités dans ce Languedoc qui suscitait tellement de convoitises frontalières.

Les châteaux. — En dehors des cités, dont la défense pouvait être assurée par la consolidation et le renforcement de l'enceinte gallo-romaine (comme à Carcassonne, *voir p. 54*), des fortifications se dressèrent sur les hauteurs. Assez grossières à l'origine, les **mottes** du 10e s. — éminences naturelles ou élevées par l'homme, qui suffisaient pour un simple refuge — se multiplièrent en rase campagne ; elles ne cessèrent de se perfectionner pour devenir d'inaccessibles citadelles, à l'instar des châteaux cathares dont la vocation était purement militaire.

A la fin du 11e s., apparaissent des **donjons** défensifs en pierre, rectangulaires (Peyrepertuse) ou arrondis (Catalogne), qui se caractérisent par l'épaisseur de leurs murs et l'exiguïté de leurs ouvertures. L'intérieur se divise en plusieurs étages : le rez-de-chaussée, obscur et voûté, sert de magasin ; les étages supérieurs peuvent tenir lieu de salle de réunion ou de pièces d'habitation. L'accès se fait uniquement par le 1er étage au moyen d'une échelle ou d'une passerelle escamotable.

Les fonctions résidentielles des donjons sont réduites. Nombre d'entre eux ne ressemblent d'ailleurs qu'à de simples tours de défense abritant une garnison. Le seigneur préfère s'installer dans un bâtiment plus vaste de la **basse-cour,** soit accolé au donjon soit séparé.

Progressivement, au cours des 13e et 14e s., l'habitabilité s'améliore par l'extension du corps de logis. Le donjon s'engage alors dans la masse des autres bâtiments et il est enveloppé d'une ou plusieurs enceintes ponctuées de tours. Le château de Puilaurens *(p. 113)*, avec son enceinte et ses quatre tours d'angle, offre ainsi un bel exemple de cette évolution, tandis que le donjon d'Arques *(p. 67)* reste un spécimen remarquable de la construction militaire au 13e s.

Les tours de guet. — Nombreuses surtout dans les Corbières, le Fenouillèdes, le Vallespir et les Albères, elles portaient le nom d'**atalayes, guardias, farahons,** etc. Elles assuraient, au moyen de feux la nuit et de fumées le jour, les « transmissions » de l'époque. Un code de signaux permettait de préciser la nature et l'importance du danger.

La chaîne de ces postes de télégraphie optique a pu être reconstituée dans la montagne catalane : elle aboutissait dans les Aspres au château de Castelnou *(p. 108)* au temps des comtés catalans du haut Moyen Age, à Perpignan à l'époque des rois d'Aragon.

Les églises fortifiées. — Dès la fin du 10e s., l'usage de fortifier des églises se répand dans les régions méridionales.

Traditionnel lieu d'asile — l'aire d'inviolabilité proclamée par les trêves de Dieu *(voir p. 108 à Toulouges)* s'étend à 30 pas autour de l'édifice —, l'église représente, avec son architecture robuste et son clocher tout désigné comme poste de guet, un refuge pour les populations.

Des **mâchicoulis,** classiques sur corbeaux ou ménagés sur des arcs bandés entre les contreforts comme à Beaumont-de-Lomagne *(voir guide Vert Michelin Pyrénées Aquitaine Côte Basque),* seraient apparus pour la première fois en France à la fin du 12e s. sur des églises languedociennes.

Toutefois, une réglementation sévère des fortifications d'églises fut édictée au moment de la guerre contre les Albigeois. On reprochait en effet au comte de Toulouse et à ses vassaux de s'être livrés à de nombreux abus en la matière. Les évêques regagnèrent ainsi un monopole qui leur avait longtemps échappé.

Le 13e s. qui marque pour le Languedoc l'intégration au domaine royal et le triomphe de l'orthodoxie sur l'hérésie donna une impulsion à la construction des grandes églises de brique du gothique toulousain, dont le plan et l'élévation répondaient surtout à un souci défensif.

En 1282, Bernard de Castanet, évêque d'Albi, posait la première pierre de la cathédrale Ste-Cécile : la sévérité de ses murs puissants, hauts de 40 m, et de son clocher-donjon lui conféraient l'allure massive d'une forteresse plantée au cœur d'un pays cathare désormais soumis *(voir également p. 37).*

Églises et villages fortifiés bien conservés subsistent dans les hautes vallées pyrénéennes : l'église des Stes-Juste-et-Ruffine à Prats-de-Mollo présente une curieuse imbrication de toitures et de fortifications *(p. 112).*

L'un des plus beaux ensembles est constitué par Villefranche-de-Conflent et ses remparts réaménagés sous Vauban *(p. 136).*

La guerre de siège

A défaut d'une attaque surprise, la conquête des châteaux nécessitait souvent de longs sièges.

Les forteresses cathares furent sans doute les plus décourageantes pour l'assaillant. Juchées sur des éperons rocheux, surplombant de vertigineuses parois à pic, elles ne permettaient pas l'emploi de toutes les techniques de siège.

En 1210, ce sont la soif et la maladie qui vinrent seules à bout du château de Termes *(p. 122)* et, en 1255, ce n'est qu'à la suite d'une trahison que tomba le dernier bastion cathare de Quéribus *(p. 113).*

L'investissement. — Le premier soin de l'assiégeant est d'investir la place. Les fortifications qu'il élève (fossés, palissades, tours, ouvrages appelés bastilles) sont dirigées à la fois contre une sortie éventuelle des assiégés et contre l'attaque d'une armée de secours.

Dans les sièges importants qui durent de longs mois, c'est une véritable ville fortifiée qui s'élève autour de la place à conquérir.

Pour ébrécher la muraille, les sapeurs creusent des galeries de mine (l'incendie des étais entraînera leur effondrement), les béliers sont mis en action. Les « engeigneurs » dirigent la construction de machines dont les croisades ont constitué le dernier banc d'essai.

Les engins. — Les machines de jet adoptent le principe de la catapulte ou de la fronde et ne diffèrent pas sensiblement des machines de guerre romaines.

Le Moyen Age préfère aux engins à tir tendu dérivés de la catapulte (arbalète à tour) l'artillerie trébuchante qui n'encombre pas les convois. Le

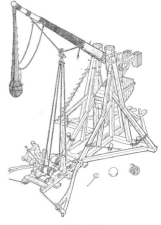

Trébuchet.

trébuchet ou **pierrière**, employé tant par les assiégeants que par les assiégés, peut en effet être construit sur place, pour peu que les charpentiers — l'époque en fut prodigue et compta des virtuoses — trouvent à proximité des arbres de haute futaie. C'est un engin à tir courbe, lançant des blocs de pierre, mis en action par un contrepoids et le déclenchement d'une énorme fronde. La pierrière fut la principale arme utilisée contre les forteresses cathares, notamment à Montségur *(p. 96).*

La **tour roulante** ou beffroi est l'engin d'assaut le plus perfectionné. Construit en bois, recouvert de peaux fraîches — protection contre les projectiles enflammés — cet édifice mesure jusqu'à 50 m de hauteur et abrite des centaines d'hommes. Pour l'amener à pied d'œuvre, il faut combler le fossé sur une partie de sa longueur, ménager un chemin de roulement en bois. L'énorme construction est ensuite placée sur rouleaux et déplacée au moyen de palans. Huit à dix de ces tours sont parfois utilisées au cours d'un siège important. Elles permettent d'opérer des diversions là où il n'a pas été fait de brèche.

L'assaut. — Les ponts-levis des tours roulantes s'abaissent sur les remparts et, par cette passerelle, les soldats, montés par la face arrière de la tour, se ruent sur les courtines ; d'autres franchissent les brèches. On dresse des échelles : certaines ont 20 m de haut. Des échafaudages volants sont montés en un clin d'œil par des charpentiers virtuoses.

Les assiégés font pleuvoir les flèches et les projectiles, s'acharnent à renverser les échelles, à couper les cordes, à verser de la poix bouillante ou de la chaux vive ; ils cherchent à brûler les troupes d'assaut. Si, dans le farouche corps à corps qui

Tour roulante.

s'engage, l'assaillant a le dessus, s'il pénètre dans la place, il lui reste encore à réduire les ouvrages autonomes (donjon, portes, grosses tours). Chacun de ces ouvrages a plusieurs étages qui ne peuvent être enlevés que successivement. Escaliers étroits et tortueux, fausses portes, souricières, chicanes, ponts-levis piétonniers, meurtrières et mâchicoulis intérieurs permettent à des défenseurs résolus une longue résistance.

L'ère du canon

La bombarde primitive se perfectionne. Vers le milieu du 15e s., l'artillerie royale, sous l'impulsion de deux canonniers de génie, les frères Bureau, devient la première du monde. Aucune forteresse féodale ne peut désormais lui résister. En un an, Charles VII reprend aux Anglais soixante places dont ils n'avaient pu s'emparer qu'après des sièges de quatre à dix mois. L'architecture militaire subit une complète transformation : les tours deviennent des bastions bas et très épais, les courtines s'abaissent et s'élargissent jusqu'à 12 m d'épaisseur.

Au 17e s., **Vauban** améliore considérablement ces nouvelles défenses.

Le fort de Salses résume à la perfection les mutations engendrées par l'artillerie. A demi-enterré, présentant un dispositif ingénieux de courtines à crêtes arrondies, il n'offre qu'une faible prise aux boulets et à l'escalade *(p. 119).*

L'ART ROMAN EN LANGUEDOC ET EN ROUSSILLON

Le berceau catalan. — Un art original mêlant des influences mozarabes et carolingiennes apparaît dans les Pyrénées catalanes dès le milieu du 10e s. L'abbatiale **St-Michel-de-Cuxa** *(p. 118)*, en Conflent, fait jouer des apports variés — transept étroit et bas, chœur allongé avec absides, collatéraux, voûtement complet en berceau — qui lui confèrent un aspect complexe typique du premier art roman. Le modèle plus simple de **St-Martin-du-Canigou** *(p. 117)* se répand au 11e s. On retrouve ainsi, dans l'architecture de nombreux monuments de cette génération, la nef voûtée en berceau et reposant sur des colonnes. L'étape suivante est celle des églises voûtées en berceau sur doubleaux (Arles-sur-Tech, Elne) tandis que s'enrichissent les formes décoratives. A cela vient s'ajouter l'emploi de la coupole sur trompes, une des réalisations les plus remarquables de l'art catalan.

Les sanctuaires de montagne, souvent restés à l'écart des grandes voies de passage, grossièrement bâtis en pierre éclatée, doivent leur distinction à leur belle tour carrée ornée d'arcatures et allégée de « bandes lombardes » dont l'usage s'est maintenu jusqu'au 13e s.

La sculpture tire parti des marbres gris ou roses des carrières du Conflent et du Roussillon.

Chapiteaux à décor floral simplifié, puis historiés, tables d'autel, sortent en nombre croissant des ateliers pyrénéens. Au 12e s., la décoration du prieuré de **Serrabone** *(p. 121)*, en particulier la tribune qui servait de chœur aux moines, représente sans doute la plus belle réalisation artistique romane du Roussillon.

La peinture murale, sur parois lisses le plus souvent, parcimonieusement percées, tient une grande place dans l'art de cette époque. Les décors d'absides reprennent les motifs du Christ en gloire, de l'Apocalypse et du Jugement dernier, invitant, tout comme les portails languedociens, les fidèles à œuvrer pour le salut de leur âme.

Moissac. — Importante étape sur la route de Compostelle, l'abbaye de Moissac rayonne sur tout le Languedoc aux 11e et 12e s. Son portail et son cloître sont de purs chefs-d'œuvre de l'art roman.

Le **tympan**, transposition en pierre d'une enluminure, a fait école. Il représente un Christ de majesté entouré des symboles des quatre évangélistes. La composition, notamment l'expression du visage, outre son allure sauvage et inquiétante, laisse percer une influence orientale, via l'Espagne, à peine dissimulée. De même, des arcatures tréflées et polylobées rappellent l'art mozarabe.

La richesse de la décoration se retrouve dans les harmonieuses sculptures du **cloître**. Les apôtres sculptés sur les piliers d'angle (revêtus de plaques de marbre blanc) apparaissent le corps de face et la tête de profil. Les chapiteaux des galeries offrent une grande variété de motifs géométriques, végétaux et animaux, et de scènes historiées. Le style de Moissac n'est pas sans rapport avec celui de Toulouse, autre berceau de la sculpture romane médiévale.

(Photo Yan/Dieuzaide)

Moissac. — Le cloître.

Toulouse. — Toulouse fut le centre resplendissant de l'école romane languedocienne à son apogée.

Grand centre de pèlerinage, l'église St-Sernin — la plus vaste basilique romane d'Occident — s'élève sur un plan grandiose. Mêlant subtilement pierre et brique, elle est complètement voûtée en faisant appel aux différents dispositifs romans : voûtes en berceau plein cintre sur doubleaux pour la nef principale, voûtes en demi-berceau dans les tribunes, voûtes d'arêtes aux collatéraux, coupole à la croisée du transept.

La décoration sculptée fut menée à bien en moins de 40 ans (de 1080 à 1118) par l'atelier de Bernard Gilduin. Les scènes représentées sur les portails, par leur symbolisme et leur ordonnance, manifestent une foi profonde et cultivée, puisée directement aux sources de l'Ancien et du Nouveau Testament. La **porte Miègeville**, située dans le bas-côté méridional de l'édifice, est achevée en 1100 : elle révèle d'intéressantes influences espagnoles des ateliers de Jaca et de Compostelle (le roi David représenté à gauche dans le linteau se retrouve sur le portail des Orfèvres à St-Jacques-de-Compostelle, de même que la figure de saint Jacques à gauche du tympan).

La taille des chapiteaux retient l'attention par son caractère original reprenant le schéma antique, corinthien, tout en lui intégrant un décor animalier ou historié. Malheureusement, les trois cloîtres de l'abbaye St-Sernin, du monastère de la Daurade et de la cathédrale St-Étienne ont été détruits au 19e s. (des vestiges de chapiteaux sont exposés au musée des Augustins).

LE GOTHIQUE DU MIDI

Le Midi de la France n'a pas adopté les principes de l'art gothique septentrional, l'art nouveau restant étroitement lié aux traditions romanes. Il n'y a guère que le chœur de la cathédrale de Narbonne qui ait été construit en style gothique « français ».

Le style languedocien. — Au 13e s. un art gothique proprement languedocien se développe, caractérisé par l'emploi de la brique et souvent la présence d'un clocher-mur ou d'un clocher ajouré d'arcs en mître inspiré par celui de N.-D.-du-Taur de Toulouse et par les étages supérieurs de celui de la basilique St-Sernin. En l'absence d'arcs-boutants, la butée des voûtes est assurée par des contreforts massifs entre lesquels se logent des chapelles.

A l'intérieur, la nef unique est relativement sombre, presque aussi large que haute et terminée par une abside polygonale plus étroite. Son ampleur convenait au rassemblement des foules, très sollicitées par la prédication après la croisade contre les Albigeois. Les surfaces murales aveugles appellent une décoration peinte.

La légèreté de la brique permet aussi de voûter des édifices primitivement couverts de charpente.

La cathédrale d'Albi. — Cette cathédrale constitue l'exemple le plus achevé de l'art gothique méridional. Puissant vaisseau d'une seule nef à douze travées, longue de 100 m et haute de 30 m, soutenue par des contreforts et

(D'après photo G. Sioen / C.E.D.R.I.)
Toulouse. — Clocher-mur de N.-D.-du-Taur.

percée d'ouvertures étroites, elle affiche, malgré ses allures de forteresse, une grande pureté de lignes. Dépourvue de bas-côtés, de transept et de déambulatoire, elle privilégie l'équilibre des masses. Commencée en 1282 *(voir p. 37)*, elle ne sera achevée que deux siècles plus tard. En 1500, le style flamboyant fait naturellement son apparition avec la clôture du chœur et le **jubé**, tandis que sont édifiés, sur la tour carrée, les trois derniers étages du clocher. En 1533, un porche en forme de baldaquin complète l'imposante physionomie du monument.

Les ordres mendiants. — Les Dominicains ou « Jacobins » élèvent le premier couvent de leur ordre à Toulouse en 1216. Les Cordeliers (Franciscains) s'y installent, également du vivant de leur fondateur, saint François d'Assise, en 1222 (l'église a disparu, incendiée en 1871).

L'audacieuse voûte de l'église des Jacobins et ses colonnes en palmier, l'austère cloître aux frêles colonnettes jumelées, font de cet édifice un ensemble gracieux d'où se dégage l'impression d'une haute spiritualité.

Les églises de bastide. — Succédant aux **sauvetés** (établissements créés généralement par les Templiers), apparurent, aux 12e et 13e s., des villes nouvelles, créées par de puissants seigneurs désireux d'étendre leur influence politique et de contrôler leurs frontières. Ces **bastides**, au plan régulier, tranchaient avec l'urbanisme anarchique des bourgs anciens.

Elles donnèrent lieu à de nombreux chantiers d'églises, qui s'ouvraient à la périphérie ou à proximité de l'unique place centrale réservée aux marchés et entourée de **couverts** (ceux de Mirepoix sont les mieux conservés — *voir p. 89).* Le gothique méridional y trouva d'autant plus naturellement sa place qu'il devait s'intégrer dans un espace limité.

L'église St-Jacques de Montauban, bien que souvent modifiée au cours des siècles, se rattache à l'école languedocienne par sa nef unique et son clocher octogonal en brique. L'église de Grenade s'inspire des Jacobins de Toulouse.

(Photo Apa/Pix)
Albi. — Jubé de Ste-Cécile.

GASTRONOMIE

La cuisine

Le cassoulet. — Il existe trois sortes de cassoulet : celui de Castelnaudary (l'« authenti-que »), celui de Toulouse et celui de Carcassonne. C'est un ragoût à base de haricots blancs auxquels on ajoute des morceaux d'oie ou de canard ainsi que de la charcuterie.

Le choix des ingrédients est primordial. Le haricot blanc ou « mongette », cultivé en Lau-ragais autour de Castelnaudary, a un grain long, charnu, onctueux et une peau fine qui facilite l'imprégnation du parfum des autres composants : le confit d'oie ou de canard (cuisses ou ailes conservées dans la graisse de leur cuisson) et la saucisse fermière de Tou-louse.

La cuisson, à feu doux, se fait dans une casserole en terre rouge (« cassolo » ou « tou-pin ») où se mélangent les arômes subtils du cassoulet.

Les recettes locales. — A Castelnaudary, on fabrique des petits gâteaux sans crème appe-lés « alleluias » et « glorias ». A Carcassonne, en dehors du foie gras et du cassoulet, on déguste de délicieux fruits confits. A Limoux, la fricassée, les gâteaux au poivre et les nougats font le régal des gourmets.

Dans la montagne ariègeoise, la charcuterie traditionnelle — saucissons enveloppés d'une gangue de poivre, jambons safranés — côtoie les excellents fromages de brebis à croûte noire.

(Photo P. Lejeune/Vloo)

Le cassoulet.

La cuisine catalane. — On retrouve ici le domaine méditerranéen, avec la cuisine à l'huile, l'aïoli (en catalan all y oli), l'anchoïade (el pa y all), etc.

La **bouillinade** — bouillabaisse locale —, le civet de langouste au Banyuls (le Banyuls sec se prête admirablement à la cuisine et le vin doux aux entremets ou salades de fruits), font un digne cortège aux anchois de Collioure. Dans les Aspres, l'**escalade** est une soupe parfumée au thym, à l'ail, à l'huile et aux œufs.

Les bolets frits à l'huile arrosés d'une sauce aux olives accompagnent aisément le gibier (perdreaux et lièvres). La charcuterie catalane garde son authenticité : boudin (boutifare), saucisson de foie de cochon et, surtout, jambons et saucissons secs de la montagne cerdane.

La **cargolade**, grillade de « petits gris » de la garrigue, à la braise de sarments de vigne, donnait leur note d'allégresse aux repas champêtres pris après les dévotions aux ermitages.

Les vins

Le vin de Gaillac. — Le vignoble de Gaillac *(p. 80)* s'étend à l'Ouest d'Albi sur des coteaux bénéficiant d'une Appellation d'Origine Contrôlée *(voir p. 81)*.

La blanquette de Limoux. — Mûrissant sur les coteaux du Limouxin, les raisins de Mauzac et de Clairette donnent un vin blanc mousseux et pétillant dont le succès atteste la qualité *(voir p. 86)*.

Les vins du Roussillon et des Corbières. — Le vignoble du Roussillon se caractérise par ses vins doux et naturels de qualité, ses Appellations d'Origine Contrôlées **Côtes du Roussillon** et **Côtes du Roussillon Village**, ainsi que par ses vins de pays assez corsés et charnus.

Les vins doux naturels représentent l'essentiel de la production française de cette catégorie. Les cépages utilisés : Grenache, Maccabeu, Carignan, Malvoisie entre autres, gratifient ces vins de leur chaleur et de leur bouquet.

La température et l'exposition privilégiée permettent d'atteindre une maturité parfaite et une richesse naturelle en sucre très élevée. Les crus les plus fameux sont le **Banyuls**, le **Maury**, le **Muscat de Rivesaltes** et le **Rivesaltes**.

L'Appellation d'Origine Contrôlée **« Fitou »** est réservée au meilleur vin rouge des Corbières. Le degré minimum ne doit pas être inférieur à 12º, le rendement à l'hectare est limité à 30 hectolitres, et un vieillissement en cave d'au moins neuf mois est imposé. Les vins de Fitou, issus de cépages de choix, ont beaucoup de force et de corps.

Le **« Corbières »** proprement dit est un Vin De Qualité Supérieure en pleine évolution, en passe de devenir une Appellation d'Origine Contrôlée d'ici quelques années, le vignoble améliorant sans cesse sa qualité. Outre les vins rouges, fins et bouquetés, on trouve les vins rosés, fruités, et quelques vins blancs secs.

*Chaque année, le **guide Michelin France***
révise, pour les gourmets, sa sélection d'étoiles de bonne table
avec indications de spécialités culinaires et de vins locaux ;
et propose un choix de restaurants plus simples, à menus soignés
de type régional... et de prix modéré.

Tout compte fait, le guide de l'année, c'est une économie.

Légende

Curiosités

★★★ **Vaut le voyage**
★★ **Mérite un détour**
★ **Intéressant**

Itinéraire décrit, point de départ de la visite

sur la route	en ville

		Château - Ruines		Édifice religieux : catholique - protestant
		Calvaire - Fontaine		Bâtiment (avec entrée principale)
		Panorama - Vue		Remparts - Tour
		Phare - Moulin		Porte de ville
		Barrage - Usine		Statue - Petit bâtiment
		Fort - Carrière		Jardin, parc, bois
	▲	Curiosités diverses	B	Lettre identifiant une curiosité

Autres symboles

	Autoroute (ou assimilée)		Bâtiment public
❶ ❷	Échangeur complet, partiel, numéro		Hôpital - Marché couvert
	Grand axe de circulation		Gendarmerie - Caserne
	Voie à chaussées séparées		Cimetière
	Voie en escalier - Sentier		Synagogue
	Voie piétonne - impraticable		Hippodrome - Golf
1429	Col - Altitude		Piscine de plein air, couverte
	Gare - Gare routière		Patinoire - Table d'orientation
	Transport maritime : Voitures et passagers Passagers seulement		Port de plaisance
			Tour, pylône de télécommunications
	Aéroport		Stade - Château d'eau
			Bac - Pont mobile
③	Numéro de sortie de ville, identique sur les plans et les cartes MICHELIN		Bureau principal de poste restante
			Information touristique
			Parc de stationnement

Dans les guides MICHELIN, sur les plans de villes et les cartes, le Nord est toujours en haut. Les voies commerçantes sont imprimées en couleur dans les listes de rues.

Abréviations

A	Chambre d'Agriculture	J	Palais de Justice	POL.	Police
C	Chambre de Commerce	M	Musée	T	Théâtre
H	Hôtel de ville	P	Préfecture, Sous-préfecture	U	Université

ⓥ Sigle concernant les conditions de visite : voir nos explications en fin de volume.

Dans ce guide
les plans de ville indiquent essentiellement les rues principales
et les accès aux curiosités,
les schémas mettent en évidence les grandes routes et l'itinéraire de visite.

CURIOSITÉS

description
par ordre alphabétique

(Photo S. Marmounier / C.E.D.R.I.)

Ille-sur-Têt. — Les Orgues.

ALBÈRES (Route des)

Carte Michelin n° 🎵 plis 19, 20.

Le massif des Albères constitue la dernière avancée de roches cristallines de la chaîne pyrénéenne, à l'Est. Cette montagne, à peine découpée, avant de s'engloutir dans la fosse occupée par la Méditerranée, isole deux compartiments affaissés : au Nord, le Roussillon, au Midi (en Espagne) l'Ampurdan, anciens golfes remblayés par des alluvions tertiaires sur plusieurs centaines de mètres (800 m dans le Roussillon). Le point culminant, le pic Neulos, atteint 1 256 m.

De charmantes petites routes conduisent le touriste vers les modestes sommets ou au fond des petites vallées sauvages, à travers une végétation où tous les verts sont mêlés, ou bien encore le long de flancs dépouillés, animés par quelques chèvres à clochettes et agrémentés de ruisseaux et de cascades.

DE CÉRET A COLLIOURE

84 km — environ 3 h — schéma ci-dessous et p. 35

★ **Céret.** — *Page 62.*

> *Quitter Céret au Sud-Ouest par le D13^F, route de Fontfrède.*

La route, pittoresque et agréable, s'élève à travers les châtaigniers, offrant de multiples échappées.

Laissant la route des Illas au col de la Brousse (alt. 860 m), prendre à droite une route en sous-bois, très sinueuse. On atteint le col de Fontfrède (stèle juin 1940-juin 1944 : par cette montagne les évadés de France rejoignirent l'armée de la Libération), puis la fontaine (coin de pique-nique).

> *Par un large chemin en lacet, on peut aller en voiture jusqu'au sommet du pic de Fontfrède.*

Pic de Fontfrède. — Alt. 1 093 m. Il offre une **vue**★ sur le Roussillon, à gauche, la Méditerranée, à droite, visible de part et d'autre de l'échine des Albères (baie de Rosas, en Espagne), le Canigou à la triple cime, et le rempart des Corbières.

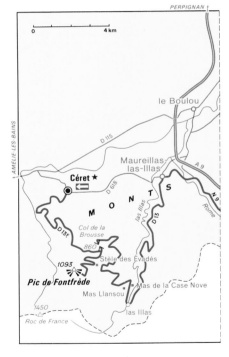

> *Revenir au col de la Brousse et prendre à droite vers las Illas.*

La route serpente à travers une végétation touffue. Puis des jardins en terrasses, des fermes éparpillées à flanc de pente, chacune avec leur petit chemin d'accès, des troupeaux de chèvres à clarines signalent la présence humaine à chaque tournant. Le mas de la Case Nove, sur la gauche de la route, dans un grand virage, puis le mas Llansou, tout de suite après, sur la droite, sont caractéristiques de l'habitat traditionnel des Albères.

Après la traversée de las Illas, la route suit la rivière du même nom, parcours en corniche offrant de bonnes vues sur les gorges. La végétation a recouvert toutes les surfaces rocheuses, en faisant un pays verdoyant.

> *Par Maureillas-las-Illas, on atteint la N 9 que l'on prend à droite.*

La route s'élève tout doucement vers le col du Perthus, face aux Albères. Le parcours, toujours sinueux, est encore agréable. On franchit la Rome au poste de douane française.

Le Perthus. — *Page 109.*

> *Au Nord du Perthus, prendre le D71 vers le col de l'Ouillat.*

D'abord ombragée de châtaigniers, la route s'attarde un instant sur le replat cultivé (seigle) de St-Martin-d'Albère (magnifiques chênes). La vue se dégage sur le Canigou et le versant Sud des Albères ; au Nord, la montagne St-Christophe dessine un profil humain regardant le ciel.

Dans un virage à droite, vue sur le pic des 3 Termes.

★ **Col de l'Ouillat.** — Alt. 936 m. Lieu de halte en lisière de la forêt domaniale — bien peignée — de pins laricio de Laroque-des-Albères, dans un site frais. Terrasse-belvédère.

Passant dans la zone du hêtre puis du pin, la route débouche au pied d'un pointement rocheux, le pic des 3 Termes.

★★ **Pic des 3 Termes.** — Alt. 1 129 m. **Panorama** sur les crêtes et les ravins des Albères, la plaine du Roussillon et son chapelet d'étangs côtiers, les coupures du Conflent et du Vallespir.

Du côté de l'Espagne vue sur la Costa Brava, au-delà du Cap de Creus, jusqu'à la courbe de la baie de Rosas.

Prendre vers Sorède une route non revêtue.

A l'altitude 1 200, depuis la table d'orientation — dont il ne reste que le socle — **vue**★ au premier plan, sur la forêt de Sorède, derrière sur la plaine du Roussillon avec, de droite à gauche, la Méditerranée, Argelès-sur-Mer, Argelès-Plage, Elne, Perpignan ; derrière la languette du Roussillon, on aperçoit les Aspres.

La route continue en corniche, à travers la forêt. A la sortie de celle-ci s'amorce la descente vers Sorède.

Remarquer la différence entre le versant Ouest du col, humanisé, et le versant Est, zone de forêts domaniales privée d'habitation.

Gagner Sorède par le chemin à droite, juste après le sentier menant au col des 3 Hêtres.

On entre dans une région d'élevage. Des intrusions de granits métamorphisés sont bien visibles le long du parcours.

Sorède. — 1 896 h. Paisible petite ville de plaine, à la lisière de la forêt, qui bénéficie de la proximité de la mer comme de celle de la montagne.

Dans Sorède, prendre à droite le D2 vers Argelès-sur-Mer où le D114 conduit à Collioure.

Avant l'arrivée à Argelès la route longe le pied des Albères ; de vieilles tours à signaux : tour de la Massane, tour Madeloc, apparaissent sur les crêtes.

★★ **Collioure.** — *Page 63.*

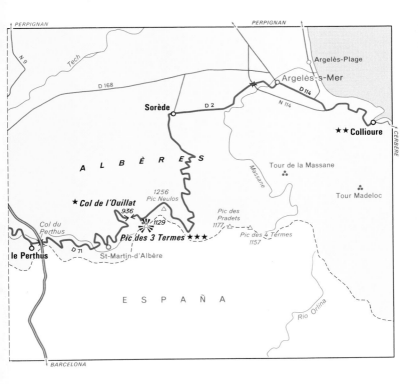

Carte Michelin n° 🔲🔲 pli 11 ou n° 🔲🔲 pli 10.

Dominée par la fantastique silhouette de sa cathédrale-forteresse, « Albi la Rouge », bâtie en brique, s'étend au bord du Tarn nonchalant qui vient d'abandonner les derniers contreforts du Massif Central. Séduisante et accueillante, elle offre de merveilleux spectacles depuis son **Pont Vieux★** (**Y**) (11ᵉ s.), sur sa vaste place Ste-Cécile et le long des ruelles tortueuses du Vieil Albi, bordées de maisons anciennes.

À côté, la cité moderne présente des avenues bien tracées. Les places du Vigan et Jean-Jaurès fort animées évoquent l'activité commerciale d'Albi, son rôle de marché agricole qui fut particulièrement important à la grande époque du pastel. Ses industries (aciéries, textiles artificiels, électronique) furent longtemps liées au bassin houiller de Carmaux.

La Verrerie Ouvrière, spécialisée dans le verre d'emballage, doit sa célébrité aux circonstances de sa création en 1896 : Jean-Jaurès avait alors incité les ouvriers des verreries de Carmaux en grève à fonder leur propre usine.

Albi « en saison ». — Les festivals s'y succèdent : théâtre dans le Palais de la Berbie en juillet, cinéma et musique. En été, le musée Toulouse-Lautrec présente des expositions. Un grandiose spectacle en multivision « Albi, une cité ... Lautrec, un regard » évoque le passé de la ville.

Des courses automobiles sont organisées sur le circuit du Séquestre, à l'Ouest de la ville.

Le Tarn. — Dans le cadre de ce guide, le Tarn ne figure que pour la partie inférieure de son cours, d'Albi à son confluent avec la Garonne, en aval de Moissac. Dans l'Albigeois, il traverse le vignoble qui produit les « Côtes du Tarn » *(voir p. 81)*. En aval de Rabastens, il entre dans la zone du Bas-Quercy, là se rejoignent l'Aveyron, le Tarn et la Garonne, dont l'ampleur des vallées est le caractère le plus marquant. Délimitée par deux zones de collines, la plaine alluviale s'étale majestueusement ; sur ces terres d'une exceptionnelle fertilité, alternent les cultures les plus variées : blé, maïs, tabac, primeurs, arbres fruitiers, vigne également.

ALBI

Lices G. Pompidou   **YZ**
Malroux (R. A.)   **Y** 18
Mariès (R.)   **Y**
Ste-Cécile (R.)   Z 38
Timbal (R.)   Z 44
Verdusse (R. de)   Z 47
Vigan (Pl. du)   **Z**

Andrieu (Bd Ed.)   Z 2
Archevêché (Pl. de l')   Y 3
Casteviel (R. du)   Y 5
Choiseul (Quai)   Y 6
Croix-Blanche (R. de la)   Z 8
Dr. L. Camboulives (R. du)   Z 9
Gambetta (Av.)   Z 10
Genève (R. de)   Z 12
Hôtel-de-Ville (R. de l')   Z 13
Nobles (R. des)   Z 19
Oulmet (R. de l')   Z 20
Palais (Pl. du)   Z 21
Palais (R. du)   Z 22
Pénitents (R. des)   Z 23
Peyrolières (R.)   YZ 24
Porte-Neuve (R. de la)   Z 26
Puech-Berenguier (R.)   Z 28
Rivière (R. de la)   Y 29
Roquelaure (R.)   Z 30
St-Afric (R.)   Y 32
St Clair (R.)   Z 33
St Julien (R.)   Y 35
Ste-Cécile (Pl.)   Y 36
Ste-Claire (R.)   Y 37
Savary (R. H.)   Z 40
Sel (R. du)   Z 42
Teyssier (Av. Col.)   Z 43
Toulouse-Lautrec (R. H. de)   Z 46
Visitation (R. de la)   Y 48

*Les plans de villes
sont toujours orientés
le Nord en haut.*

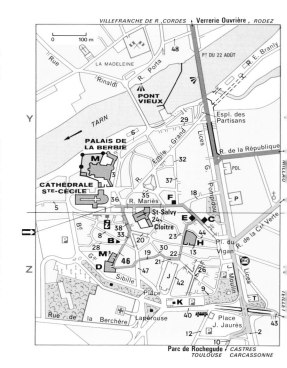

VILLEFRANCHE DE R., CORDES   **Verrerie Ouvrière** , RODEZ

Parc de Rochegude / CASTRES
TOULOUSE   CARCASSONNE

UN PEU D'HISTOIRE

Capitale religieuse. — Les pouvoirs temporels des évêques croissent à mesure que se développe l'hérésie albigeoise.

Après le concile de Lombers réuni en 1176 pour condamner la doctrine cathare, la croisade des Albigeois déclenchée en 1209, le traité conclu à Meaux en 1229, l'établissement de l'Inquisition, ces évêques deviennent de véritables... seigneurs, sans cesse en guerre ou en procès, mais aussi grands mécènes. **Bernard de Combret**, évêque de 1254 à 1271, commence l'édification du palais épiscopal de la Berbie, **Bernard de Castanet** (1276-1308) entreprend celle de la cathédrale Ste-Cécile. Ce dernier scandalise le pape par ses abus de pouvoir et doit se retirer dans un couvent. Plus tard, **Louis d'Ambroise** (1473-1502), au terme d'un règne fastueux, doit abdiquer à la suite de querelles incessantes avec ses administrés.

En 1678, Albi est érigée en archevêché.

Les « Albigeois ». – Ce nom désigna au 12ᵉ s. les adeptes de la religion cathare – terme savant inconnu à l'époque – parce qu'ils trouvèrent d'abord refuge à Albi ; peut-être aussi cette appellation est-elle due à un épisode survenu à Albi, au cours duquel le peuple sauva quelques hérétiques du bûcher. *Sur la doctrine cathare : voir p. 22.*

La croisade. – Quand Giovanni Lotario monte sur le trône pontifical (1198), sous le nom d'**Innocent III**, il décide d'extirper cette hérésie de « purs », jugée dangereuse pour le dogme et pour les institutions. Des représentants du Saint Siège sillonnent le pays en essayant de démontrer l'erreur cathare ; des prêtres, des évêques, dont les mœurs dissolues servent les théories hérétiques, sont renvoyés. Saint Dominique prêche, accomplit des miracles, se détache des biens matériels, comme les « Parfaits ». Cependant le catharisme se propage en Languedoc. Les humbles comme les seigneurs, les artisans, les commerçants se convertissent. Or en 1208, l'envoyé du pape, Pierre de Castelnau, est assassiné près de St-Gilles. Innocent III excommunie le comte de Toulouse accusé de complicité et lève une armée de Croisés pour réduire les hérétiques.

Béziers est d'abord pillée et sa population massacrée, puis Carcassonne tombe. En 1209, **Simon de Montfort** est élu chef de la croisade. Bram, Minerve, Lavaur seront à leur tour le théâtre de tueries effroyables. Enfin, le **traité de Meaux** (ou de Paris), en 1229, met fin à l'expédition et place le Languedoc sous l'autorité royale. Ces vingt années sanglantes n'ont pas réussi à abattre les Albigeois. Il faudra l'instauration de l'Inquisition et surtout le bûcher de Montségur, en 1244, pour mettre un terme à leur action.

Henri de Toulouse-Lautrec. – Fils du comte Alphonse de Toulouse-Lautrec Montfa et d'Adèle Tapié de Celeyran, sa cousine germaine, il naquit en 1864 en l'hôtel du Bosc *(voir p. 40)*. Son enfance marquée par deux accidents, en 1878 et en 1879, le privent de l'usage normal de ses jambes. Un corps d'homme sur des jambes atrophiées, telle sera la silhouette difforme du comte de Toulouse-Lautrec, un de nos plus grands peintres de mœurs.

En 1882, il s'installe à Montmartre et se mêle au monde de la misère et de la débauche. Fasciné par les personnages qu'il rencontre, s'attachant à rendre le caractère qui les personnalise, il croque ses modèles dans leurs lieux familiers : maisons closes, champs de course, cirques, cabarets. A partir de 1891, ses talents de lithographe lui apportent la célébrité et les murs de Paris se couvrent de ses affiches. Prématurément usé par l'alcool et une vie dépravée, il doit être interné dans une maison de santé de Neuilly, en 1899. Rétabli, il retourne à ses habitudes malgré la vigilance de son ami Paul Viaud. En 1901, à la dernière extrémité, il quitte la capitale et meurt le 9 septembre au château familial de Malromé, près de Langon (Gironde). Il repose au cimetière de Verdelais.

★★★ CATHÉDRALE STE-CÉCILE (Y) *visite : 1 h*

Au lendemain de la croisade contre les Albigeois, il faut que l'autorité catholique apparaisse définitivement rétablie. L'évêque Bernard de Combret a commencé l'édification du palais épiscopal en 1265, Bernard de Castanet entreprend en 1282 la construction d'une cathédrale. Elle devra être le symbole de la grandeur retrouvée et de la puissance de l'Église puisque les événements viennent de prouver que la foi a quelquefois besoin de la force pour être entendue. Aussi la cathédrale Ste-Cécile a-t-elle été conçue comme une forteresse. En un siècle, la construction du gros œuvre est achevée ; les évêques contribueront successivement aux travaux de finition.

EXTÉRIEUR

Il est difficile de prendre suffisamment de recul pour apprécier pleinement la masse formidable de cet édifice de brique rouge. Le simple toit de tuiles qui le couvrait au ras des fenêtres et reposait directement sur les voûtes a été remplacé en 1843 par un bandeau à faux mâchicoulis et chemin de ronde, surmonté de clochetons. L'architecte Daly avait dû imaginer cette nouvelle couverture afin de préserver l'intégrité des peintures de la nef.

Entre les fenêtres, chaque demi-tourelle engagée prolonge un contrefort intérieur.

Porche et baldaquin. – L'entrée principale s'ouvre au milieu du flanc Sud. On y accède par une porte construite au début du 15ᵉ s. qui unit l'édifice à une ancienne tour de défense. Un escalier conduit majestueusement au porche en forme de baldaquin entièrement en pierre. On doit cette œuvre à l'initiative de Louis Iᵉʳ d'Amboise (1520). Sa décoration exubérante et foisonnante contraste fortement avec le sobre appareil de brique de la façade.

Clocher. – Sur la tour carrée à l'allure de donjon qui ne dépassait pas la hauteur de la nef, Louis Iᵉʳ d'Amboise a fait édifier, au 15ᵉ s., trois étages qui s'adossent aux deux tourelles orientales, tandis qu'à l'Ouest celles-ci s'arrêtent à hauteur du premier étage. D'où la silhouette cambrée caractéristique du monument.

INTÉRIEUR

On se représentera la cathédrale originale en se plaçant à droite du grand orgue : imaginons l'édifice sans le jubé et sans la galerie qui, ajoutée au 15ᵉ s., est venue interrompre l'élan des chapelles. On est alors en présence d'un vaste vaisseau voûté d'ogives, sans transept, épaulé de contreforts intérieurs séparés de chapelles.

Chœur et jubé. – L'église fut consacrée en 1480. Vers cette époque Louis Iᵉʳ d'Amboise décide l'érection du chœur, clos par un **jubé** souvent comparé à une dentelle. L'art flamboyant finissant déploie ici toute sa technique. Ce ne sont que motifs enlacés, pinacles et arcs savamment mêlés, voûtes aux clés richement décorées.

Au-dessus de l'entrée du jubé, remarquer, à la voûte, les effigies de sainte Cécile et de saint Valérien *(autres détails sur la Grande voûte p. 39)*.

La porte principale est un modèle d'élégance et les serrures sont des chefs-d'œuvre. Des quatre-vingt-seize statues qui ont paré ce jubé jusqu'à la Révolution, il ne reste que la Vierge à la droite du Christ en croix, saint Jean à sa gauche et, au-dessous, Adam et Eve.

Vu du chœur, l'**orgue** monumental, construit entre 1734 et 1736 par Christophe Moucherel, est admirable. Il se compose en fait de deux parties superposées, soutenues par des atlantes. Le buffet, très raffiné, est décoré de chérubins jouant de différents instruments de musique et, au-dessus, des statues de sainte Cécile et de saint Valérien.

Le chœur, aux vastes proportions, occupe la moitié du vaisseau et témoigne de la solennité dont s'accompagnaient les fonctions du chapitre.

La clôture extérieure est faite d'arcs en accolade à remplages où s'inscrit le monogramme du Christ. Les piliers qui séparent ces arcs portent chacun une statue représentant un personnage de l'Ancien Testament. Avec la statuaire de la clôture du chœur d'Albi, le naturalisme de la sculpture gothique atteint son apogée ; l'influence bourguignonne est manifeste dans l'expression réaliste des visages, les drapés un peu lourds des vêtements, l'allure souvent trapue des personnages. Sont particulièrement remarquables Judith (1), les prophètes Sophonie (2), Isaïe (3) et Jérémie (4) et, côté Nord, Esther (5).

CATHÉDRALE STE-CÉCILE

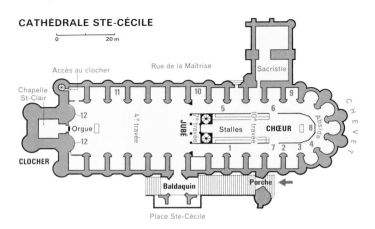

A l'intérieur du chœur, les statues de Charlemagne (6) et de Constantin (7) trônent au-dessus des deux portes latérales. Il faut se placer face au maître-autel pour voir resplendir les peintures des chapelles à travers les ajours des arcades. Sur le sanctuaire proprement dit, règne la Vierge à l'Enfant (8) entourée d'anges. Aux piliers, les douze apôtres.

Autour du chœur, courent deux rangées de stalles, magnifiquement sculptées. Au-dessus, une frise d'angelots apparaît dans un décor d'arabesques peint sur la pierre.

Les vitraux des cinq fenêtres hautes de l'abside sont du 14e s., restaurés au 19e s.

Les chapelles latérales présentent un intérêt inégal. Il faut remarquer surtout celle de la Sainte-Croix (9), celle située à l'entrée Nord du chœur (10) qui abrite un tableau de la Sainte Famille (16e s.) et, enfin, la chapelle du Rosaire (11) qui contient un précieux triptyque de l'école siennoise.

Le Jugement dernier (12). — Il s'agit de l'immense peinture sur enduit qui orne la paroi occidentale (sous le grand orgue), exécutée à la fin du 15e s. et malheureusement mutilée en 1693 par le percement de la chapelle St-Clair qui entraîna la disparition de la figure centrale du Christ.

La paroi de brique qui supporte cette composition, et où vient jouer la lumière, lui donne une belle apparence de légèreté et de transparence.

On peut penser que cette peinture murale supplée à l'absence de sculpture sur la façade Ouest, traditionnellement réservée au Jugement dernier dans les cathédrales.

Au sommet, une assemblée d'anges figure le ciel.

Au-dessous et à la droite du Christ disparu, deux rangées d'élus : les apôtres, vêtus de blanc et nimbés d'or, et des personnages de haut rang, déjà jugés et admis au ciel.

Au-dessous d'eux, les ressuscités se dirigent vers le juge suprême, le livre de leur vie ouvert devant eux.

A gauche du Christ et occupant la dernière partie de la fresque, les pécheurs sont précipités dans les ténèbres de l'enfer où sont dépeints les sept châtiments correspondant aux sept péchés capitaux. La nature des tourments est inspirée des vices qui ont corrompu la vie de ces damnés. On reconnaît de gauche à droite : les orgueilleux, les envieux, les coléreux, les paresseux, les avaricieux, les gourmands et les luxurieux. Cette œuvre achevée, les artistes français abandonnèrent Ste-Cécile et Louis II d'Amboise, succédant à son oncle, fit appel à des Italiens pour décorer les parois et la voûte.

La Grande voûte. — Les artistes bolonais qui ont paré l'austère nef de la cathédrale d'Albi de peintures éblouissantes se sont souvenus des splendeurs du Quattrocento (15e s.), le grand siècle de la Renaissance italienne. Sur un fond d'azur, les blancs et les gris des rinceaux, rehaussés d'ors, produisent le plus bel effet.

La Grande voûte est décorée de multiples portraits de saints et de personnages de l'Ancien Testament. Parmi les douze travées, remarquer la quatrième en partant du clocher : dans le voûtain Ouest, le Christ montre ses plaies à Thomas ; à l'Est, la Transfiguration. A la septième travée, dans le compartiment Ouest, sainte Cécile et saint Valérien, son époux ; à l'Est, l'Annonciation. Enfin, la dixième travée est la plus richement décorée : à l'Ouest, parabole des Vierges sages et des Vierges folles ; à l'opposé : le Christ, dans une auréole de lumière, couronne la Vierge.

A droite du maître-autel actuel, un escalier conduit au sommet du clocher : la **vue** s'étend amplement sur les toits d'Albi d'où émergent encore quelques anciennes tours de guet, sur la vallée du Tarn et la campagne environnante.

★ PALAIS DE LA BERBIE (Y) *visite : 1 h 1/2*

C'est à Bernard de Combret que revient l'initiative d'avoir commencé vers 1265 la construction d'une résidence épiscopale, près de la cathédrale du 12e s., aujourd'hui disparue. Le nom de Berbie est une transformation de bisbia, « évêché » en dialecte local. Bernard de Castanet transforma l'œuvre initiale en forteresse, avec donjon massif et enceinte fortifiée : on appréciera son importance depuis la terrasse aménagée au bord du Tarn. Cette muraille, primitivement destinée à préserver l'accès au donjon, s'est transformée au cours des siècles. A la fin du 17e s., la cour jadis occupée par les hommes d'armes a été transformée en parterres fleuris et la tour occidentale a été coiffée d'un toit hexagonal. Le chemin de ronde a été changé en promenade ombragée, bordée des statues de marbre représentant Bacchus et les Saisons (18e s.).

Le corps de logis oriental, couvert d'ardoise, date de la fin du 15e s. Louis Ier d'Amboise fit surmonter les tourelles de toits en poivrières ajourés d'élégantes lucarnes en pierre dont il ne subsiste qu'un exemple.

Après la promulgation de l'édit de Nantes en 1598, la Berbie perdit toute fonction de citadelle. Les tours furent arasées, l'enceinte occidentale démantelée, la tour Nord du donjon écrêtée. Par la suite, les prélats s'attachèrent surtout à aménager l'intérieur du château. Depuis 1922, le musée Toulouse-Lautrec créé par Maurice Joyant, fidèle ami du peintre, occupe les bâtiments.

★★ Musée Toulouse-Lautrec (Y M). — L'escalier majestueux, construit au 17e s., conduit au premier étage où l'on visite la galerie d'archéologie (1) et la chapelle Notre-Dame, du

13e s., voûtée d'ogives et décorée par le Marseillais Antoine Lombard. L'évêque Le Goux de la Berchère (1687-1703) y introduisit les sept tableaux marqués à ses armes.

La suite des nombreuses salles que l'on visite a été aménagée au 17e s. Beaux plafonds, dans le vaste Salon doré (2) qui renferme un tableau de Guardi.

Le Salon carré (3) inaugure l'exposition des **collections Toulouse-Lautrec**, les plus complètes de cet artiste, léguées à la ville d'Albi en 1922 par la comtesse de Toulouse-Lautrec, sa mère, et complétées par d'autres donations de la famille.

Parmi les portraits consacrés à l'artiste, celui exécuté par Javal traduit bien la noblesse dont Toulouse-Lautrec

MUSÉE TOULOUSE-LAUTREC
1er étage
0   20 m
Terrasse
JARDINS
vers salles d'art contemporain
DONJON
Aile des Suffragants
14 13   12 11 10 9 8   7 4
                              3
15   Cour   1 2
6
5
Chapelle Notre-Dame

ne s'est jamais départi sous son apparente déchéance. Dans la salle Toulouse-Lautrec (4) l'« Artilleur sellant son cheval » a été exécuté par le peintre à 16 ans. La galerie Amboise (5) abrite des œuvres de jeunesse évoquant les séjours au domaine maternel de Celeyran. On notera, tout au long de la visite, la diversité des signatures : Henri de Toulouse, Lautrec, Montfa, des initiales : H.L. ou H.T.L. ; Tréclau, anagramme de Lautrec, écrit dans un éléphant, une souris ou un chat.

La vaste salle suivante, le Salon Rose (6), renferme des portraits célèbres et des œuvres illustrant principalement sa vie parisienne. « L'Anglaise du Star » est un souvenir du Havre : avant de s'embarquer pour Bordeaux, il a voulu fixer le sourire de la blonde Miss Doly, rencontrée dans un café-concert du port. La « Modiste » frappe par son atmosphère de clair-obscur. Le docteur Gabriel Tapié de Celeyran, son cousin, est là aussi, qui le soutenait de son amitié vigilante. De là, on accède à la terrasse : belle vue sur le Tarn, le Vieux Pont et les jardins à la française du Palais de la Berbie.

Dans le Salon Empire (**7**) et dans l'aile Nord du palais, dite « des Suffragants » (salles **8** à **12**), où logeaient les évêques en visite, remarquer l'étude pour l'affiche de la « Revue blanche » (1895), œuvre au fusain rehaussée de couleurs, hommage à la beauté de Missia Godebski, épouse d'un des frères Natanson, directeurs de la Revue blanche. Dans la salle **9** domine une des œuvres les plus connues : « Au salon de la rue des Moulins ». L'étude au pastel et le tableau de 1894 sont exposés face à face. Dessinateur incomparable, l'artiste observe et reproduit impitoyablement ; il laisse toujours apparaître le trait sous la peinture.

Puis défilent les personnages de music-hall et de théâtre dont il allait chaque soir faire de nombreux portraits : Valentin le Désossé qui venait au Moulin de la Galette pour danser avec la Goulue ; le chansonnier Aristide Bruant qui chantait en argot dans son cabaret « Le Mirliton » ; Caudieux, l'artiste de café-concert ; Jane Avril, surnommée « La Mélinite » pour ses danses frénétiques, dont Lautrec a maintes fois évoqué les expressions délicates et les attitudes distinguées ; la chanteuse Yvette Guilbert, poursuivie avec acharnement par le peintre à qui elle interdisait de divulguer ses portraits qu'elle trouvait désobligeants.

(Photo Lavros/Giraudon)
Portrait de M. Désiré Dihau,
par Toulouse-Lautrec.

Dans le donjon (salles **13** à **15**) sont exposés d'innombrables dessins, affiches et lithographies ainsi que la canne évidée que l'artiste utilisait à sa sortie de la maison de repos de Neuilly : il pouvait la remplir de cognac, mystifiant son ami et gardien Paul Viaud.

La série des 39 dessins « Au cirque » est une reproduction de ceux exécutés de mémoire pendant les soixante-quinze jours que dura son internement en 1899.

De la salle **12** un escalier à vis du 14e s. conduit aux deuxième et troisième étages qui abritent des œuvres d'art contemporain.

★ LE VIEIL ALBI *visite : 1 h*

De la place Ste-Cécile, prendre la rue du même nom et tourner dans la rue St-Clair (2e à droite).

Ce nom évoque le premier évêque d'Albi.

Maison du vieil Alby (**Z B**). — Restaurée selon les plans d'une maison médiévale, cette demeure en brique et bois avec un étage en encorbellement occupe la fourche entre les rues très pittoresques de la Croix Blanche et Puech Berenguier. La maison du vieil Alby sert de cadre à des expositions d'artisanat et présente des documents sur la ville.

Rue Toulouse-Lautrec (**Z 46**). — Sur la droite de la rue se succèdent la maison Lapérouse où est installé le **musée de Cires** *(voir p. 41)* et l'Hôtel du Bosc, **maison natale de Toulouse-Lautrec** *(voir p. 41)*.

Suivre les rues des Nobles, du Palais (le palais de justice est installé dans l'ancien couvent des Carmes du 16e s.) et des Pénitents. Remarquer l'hôtel de ville (**Z H**) belle construction Renaissance.

Hôtel de Reynès (**Z C**). — *Siège de la Chambre de Commerce et d'Industrie*. Cette demeure Renaissance en brique et pierre appartenait à une famille de riches marchands. La cour est décorée de deux galeries superposées accolées à une tour d'angle du 14e s. Les meneaux des fenêtres représentent des formes féminines mais l'aspect le plus remarquable de cet hôtel sont les deux bustes de François Ier et Éléonore d'Autriche.

Pharmacie des Pénitents (ou **Maison Enjalbert**) (**Z E**). — Cette construction du 16e s. est typique du style albigeois avec ses briques entrecroisées et ses colombages.

Prendre la rue Mariès, remarquer au no 6 (**Z F**) une belle maison du 15e s. en brique et bois.

Église Saint-Salvy (**YZ**). — Saint Salvy, d'abord avocat, devint moine puis évêque d'Albi au 6e s. et implanta le christianisme dans la région. Il fut enterré à l'emplacement actuel de l'église. Celle-ci eut une histoire mouvementée : ses plans et fondations sont carolingiens ; au 11e s. on édifia une église et un cloître roman, puis les travaux, interrompus par la croisade des Albigeois, reprirent au 13e s. dans le style gothique. La variété de styles est reconnaissable sur le clocher massif qui s'élève sur le côté Nord de l'édifice. La tour romane en pierre (11e s.), à bandes lombardes, est surmontée d'un étage gothique (12e s.) et terminée par une construction en brique du 15e s. : la tourelle crénelée qui la flanque, « la Gacholle », où l'on discerne le blason de la ville d'Albi à côté de celui du chapitre, servait de tour de guet.

Pénétrer dans l'église par le flanc Nord. Du portail roman, défiguré par une adjonction de style classique, il ne reste que l'archivolte, les voussures et deux chapiteaux. Les quatre premières travées sont romanes et ont conservé leurs chapiteaux du 12e s. D'une première campagne de construction subsistent deux absidioles du chœur, non alignées dans l'axe des bas-côtés.

Le chœur, de même que les autres travées, est de style gothique flamboyant. Il renferme six statues représentant les prêtres, scribes et anciens du peuple du Sanhédrin (tribunal siégeant à Jérusalem).

Dans la première chapelle latérale droite, remarquer un Christ à la colonne du 15e s. et une Mise au tombeau, beau tableau primitif sur bois.

La sacristie abrite une pietà en pierre du 15e s. et une statue en bois de saint Salvy du 12e s. dont une copie est placée au-dessus du portail d'entrée de l'église et une autre au-dessus du maître-autel.

Le **cloître** *(accès par une porte percée dans le flanc Sud)* a été reconstruit au 13e s. par Vidal de Malvesi. Il n'en subsiste que la galerie orientale qui présente des chapiteaux romans historiés et des chapiteaux gothiques à feuillages.

L'artiste et son frère reposent dans un mausolée avec enfeu adossé à l'église.

Revenir à la place Ste-Cécile.

AUTRES CURIOSITÉS

Maison natale de Toulouse-Lautrec (Z D). – Henri de Toulouse-Lautrec naquit dans cet hôtel particulier du Bosc situé à l'emplacement des fortifications du 14e s. (il en subsiste deux tours et une partie du chemin de ronde).

A l'intérieur on voit le salon où se produisit en 1878 le premier accident du jeune Henri, puis une suite de pièces que décorent de nombreux meubles et objets de valeur. Des souvenirs d'enfance et la collection particulière des propriétaires (huiles, dessins, aquarelles) permettent d'imaginer la jeunesse de Henri de Toulouse-Lautrec dans son cadre familial.

Musée de Cires (Z M¹). – Installés dans les caves d'une maison qui avait été achetée par le navigateur Lapérouse, les dioramas avec des personnages en cire évoquent les Albigeois célèbres ainsi que les épisodes qui marquèrent l'histoire de la ville. On y retrouve Henri de Toulouse-Lautrec, saint Salvy, Simon de Montfort, Bertrand de Castanet, Lapérouse... et la représentation d'activités comme l'exploitation des mines et du pastel.

Statue de Lapérouse (Z K). – Illustre enfant d'Albi, l'amiral Jean-François de Galaup de Lapérouse périt en mer en 1788, lors du naufrage de « l'Astrolabe » devant l'île de Vanikoro, au Nord des Nouvelles-Hébrides, dans l'océan Pacifique.

Parc Rochegude *(par l'Avenue Gambetta au Sud du plan)*. – Henri de Rochegude, né à Albi en 1741, fut navigateur, député à la Convention et érudit. Dans l'hôtel de Rochegude, les archives et la bibliothèque municipale ont été installées. Dans le parc, très agréable, a été placée la **fontaine du Griffoul,** vaste cuve en plomb (13e s.) ornée de bas-reliefs et d'un motif central en bronze, du 16e s.

EXCURSIONS

★ **Église St-Michel de Lescure.** – *5 km au Nord-Est du plan. Prendre la direction Carmaux-Rodez puis tourner à droite au panneau Lescure.* L'église est située dans le cimetière de Lescure.

Cette ancienne église priorale fut édifiée au 11e s. par les moines bénédictins de l'abbaye de Gaillac. Son portail roman surtout, du début du 12e s., est digne d'intérêt. Quatre de ses chapiteaux sont historiés et représentent, à gauche, la tentation d'Adam et Eve et le sacrifice d'Abraham ; à droite, le premier retrace la damnation de l'usurier tandis que le suivant est orné de deux scènes figurant le mauvais riche châtié et Lazare, le pauvre, récompensé. Par ses chapiteaux, St-Michel s'apparente à la basilique St-Sernin de Toulouse et à l'église St-Pierre de Moissac.

A l'intérieur, le **musée de la carte postale** présente des expositions de photos et de cartes postales sur la région, dont le thème change chaque année.

Castelnau-de-Lévis. – 1 145 h. *7 km. Quitter Albi par la route de Cordes, puis, dans un virage, prendre à gauche le D 1 vers Castelnau-de-Lévis.*

De la forteresse du 13e s., il ne reste que l'étroite tour carrée et quelques ruines. La vue s'étend amplement sur Albi, dominée par sa cathédrale, et sur la vallée du Tarn.

LES GUIDES VERTS MICHELIN

Paysages
Monuments
Routes touristiques
Géographie, Économie
Histoire, Art
Itinéraires de visite
Lieux de séjour
Plans de villes et de monuments

Une collection de guides régionaux sur la France.

ALET-LES-BAINS

543 h. (les Aletois)

Carte Michelin n° 86 pli 7 — 8 km au Sud de Limoux — Schéma p. 66.

A l'entrée de l'étroit d'Alet, dernier défilé de l'Aude, la ville est favorisée d'un climat privilégié par un site bien abrité. D'une abbaye considérable, le pape Jean XXII avait fait en 1318 un siège épiscopal qu'illustra, de 1637 à 1677, Nicolas Pavillon, disciple de Vincent de Paul et ami de Port-Royal.

Ruines de la cathédrale. — De style roman, élevée au 11e s., cette abbatiale fut ruinée par les Huguenots en 1577. Les importants vestiges, en belle pierre dorée, dominés par un unique pan de la tour Nord, se distinguent par l'élégance de leur décoration romane où reviennent surtout les motifs ronds : oves, perles, demi-boules, etc. En s'approchant du chevet roman polygonal, remarquer les bases du déambulatoire gothique, resté sans doute inachevé. Les colonnes engagées du chevet sont surmontées de chapiteaux corinthiens incorporés dans une corniche continue, très riche, à deux rangs de modillons.

A l'intérieur de l'abside court pareillement une corniche, plus légère, reliant les chapiteaux, également corinthiens, faisant saillie à la base de l'arc triomphal.

★ AMÉLIE-LES-BAINS-PALALDA

3 779 h. (les Améliens)

Carte Michelin n° 86 plis 18, 19 — Lieu de séjour p. 8 — Plan dans le guide Michelin France.

La station hydrominérale d'**Amélie-les-Bains,** jumelée administrativement avec le vieux bourg de **Palalda,** dont les toits patinés s'étagent au-dessus du Tech, s'est développée au débouché du défilé du Mondony. La végétation méditerranéenne de ses jardins — mimosas, lauriers-roses, palmiers, agaves — illustre la douceur de son climat.

Amélie, qui s'appelait autrefois Bains-d'Arles, doit son nom à la reine Amélie, femme de Louis-Philippe, et sa vogue au général de Castellane qui fit ouvrir l'hôpital militaire en 1854 et tracer des sentiers promenades sur les pentes environnantes.

Amélie possède un établissement militaire et deux civils : les Thermes Pujade, établis à la sortie des gorges du Mondony, et les Thermes romains, qui abritent une piscine romaine restaurée. Ces derniers sont alimentés par les mêmes sources. Les eaux sont employées dans le traitement des maladies des voies respiratoires et des rhumatismes (cures toute l'année).

Gorges du Mondony. — *1/2 h à pied AR. Partir des Thermes romains et, longeant l'hôtel des Gorges, atteindre la terrasse dominant la sortie des gorges. On suit alors le sentier en corniche et les galeries accrochées à l'escarpement.* Fraîche promenade.

EXCURSION

★ **Vallée du Mondony.** — *6 km jusqu'à Mas Pagris. Parcours de corniche impressionnant (garages de croisement sur les 2 derniers kilomètres).* Se détachant de l'avenue du Vallespir à la sortie amont de la localité, la route, signalée Montalba, s'élève sur les pentes du piton du Fort-les-Bains et évite par les hauteurs les gorges du Mondony. Tracée ensuite en palier, en vue des découpures du Roc St-Sauveur, elle domine la vallée déserte, boisée uniformément de chênes verts. Laissant à gauche l'antenne de Montalba, poursuivre dans des gorges granitiques jusqu'au petit bassin de Mas Pagris, base de promenades dans le haut vallon du Terme.

★★ L'ANDORRE

Carte Michelin n° 86 plis 14, 15.

Formalités douanières. — Un passeport (périmé depuis moins de 5 ans) ou la carte d'identité (validité : 10 ans) suffisent. Les enfants mineurs doivent posséder une carte d'identité et, s'il y a lieu, une autorisation parentale.

La « carte verte » est exigée à la frontière.

Renseignements auprès des compagnies d'assurances.

Monnaie. — L'argent français et l'argent espagnol ont cours indifféremment dans les magasins et les hôtels.

Régime postal. — A Andorre-la-Vieille coexistent les administrations postales française et espagnole.

L'Andorre, territoire de 464 km², attire de nombreux touristes intéressés par les beautés rudes de ses paysages et la réputation de ses coutumes patriarcales.

En moins d'un demi-siècle, l'Andorre a connu une évolution surprenante dans ses modes de vie ; les premières voies carrossables permettant une liaison avec le monde extérieur furent ouvertes, du côté espagnol en 1913 et, du côté français, en 1931 seulement. Aussi le petit État donne-t-il des signes d'une croissance parfois désordonnée, tels que la prolifération d'immeubles résidentiels et commerciaux dans la vallée du Gran Valira.

L'intérêt se porte maintenant sur les hauts plateaux ou les vallées latérales, desservies par de petites routes de montagne qui permettent encore un « voyage dans le temps ».

La principauté d'Andorre compte 42 712 habitants (1985), en majorité de langue catalane répartis dans sept « paroisses » ou communes : Canillo, Encamp, Ordino, La Massana, Andorre, Sant Juliá de Loria et Escaldes-Engordany.

La fille de Charlemagne. — « Le grand Charlemagne, mon père, des Arabes me délivra ». C'est par ces mots que débute l'hymne andorran qui, fièrement, poursuit : « Seule, je reste l'unique fille de l'empereur Charlemagne. Croyante et libre, onze siècles, croyante et libre je veux être entre mes deux vaillants tuteurs et mes deux princes protecteurs ».

La co-principauté d'Andorre vit toujours sous le régime du paréage hérité du monde féodal. Dans un tel contrat, deux seigneurs voisins délimitaient leurs pouvoirs et leurs droits sur un territoire qu'ils tenaient en fief, en commun. La particularité de l'Andorre réside dans le fait que ses seigneurs, étant devenus étrangers l'un à l'autre par la nationalité, ont laissé survivre, conformément au droit féodal, le statut d'un territoire dont aucun des deux partenaires ne pouvait revendiquer la possession.

La « constitution » andorrane comporte désormais des lois codifiées. Le Manual Digest, coutumier manuscrit rédigé en 1748, et le Politar, qui date de 1763, demeurent la base du droit-civil andorran.

L'acte de paréage, signé en 1278 par l'évêque d'Urgel et Roger-Bernard III, comte de Foix, instituait comme co-princes l'évêque d'Urgel et le comte de Foix. Les évêques d'Urgel restent toujours co-princes mais la suzeraineté des comtes de Foix, par l'intermédiaire de Henri IV, a été transmise au chef de l'État français, en la personne du président de la République. Pour le représenter dans les Vallées, chaque co-prince désigne un viguier qui a pour suppléant un bayle faisant aussi fonction de juge de paix ; il dispose aussi de délégués permanents.

Le goût de la liberté. — Les Andorrans sont avant tout « avides, fiers, jaloux » de leur liberté et de leur indépendance. Habitués de longue date au régime représentatif, vivant en paix depuis onze siècles, ils n'ont guère modifié leur système administratif. Tous les deux ans, en décembre, chaque paroisse élit pour quatre ans la moitié des membres du conseil de paroisse ou « comù ». Le conseil général, appelé avant 1866 « Conseil de la Terre », tient une session par mois à la « Casa de la Vall » et est élu tous les quatre ans. Les conseillers, le syndic général et le vice-syndic élisent eux-mêmes le chef du gouvernement chef de l'exécutif, à la tête d'un cabinet ministériel composé de quatre à six membres.

Les Andorrans ne sont soumis ni aux impôts directs ni au service militaire ; ils bénéficient de la franchise postale en régime intérieur. La propriété privée de la terre demeure très réduite, vu l'importance des biens communaux.

Les travaux et les jours. — La vie, toute patriarcale, était naguère consacrée en grande partie à l'élevage et à la culture ; la contrebande y jouait parfois un rôle d'appoint.

Entre les hauts pâturages d'été et les hameaux subsistent les « cortals » formés de granges ou bordes, dont les accès sont rendus, peu à peu, carrossables. Sur les soulanes *(voir p. 59)* subsistent des cultures en terrasses. Les plantations de tabac se maintiennent jusqu'à 1 600 m d'altitude ; elles constituent la culture dominante dans la vallée de San Juliá de Lória, centre commercial proche de la frontière espagnole.

L'enracinement de la Foi se manifeste dans le choix de la solennité de N.-D.-de-Meritxell (8 septembre) comme fête nationale. La messe se déroule en présence du clergé du pays et des autorités. Comme tout « aplec » catalan (pèlerinage) elle est suivie de repas champêtres sur les prairies d'alentour.

Le développement de l'équipement hydro-électrique, les opérations d'« urbanizaciòn » (lotissements touristiques), l'afflux des visiteurs étrangers ont bouleversé la vie andorrane.

ANDORRE-LA-VIEILLE (ANDORRA LA VELLA) — 16 524 h. (les Andorrans)

Capitale des Vallées d'Andorre, la « ville », massée à l'étroit sur une terrasse au bord escarpé dominant le Gran Valira, est une métropole du négoce. L'agglomération se soude, à l'Est, au-delà du pont sur le torrent, à la commune non moins animée des Escaldes, établie plus au large dans la petite plaine où confluent les deux rameaux supérieurs du cours d'eau. A l'écart des voies de traversée, le noyau d'Andorre garde ses ruelles et sa Maison des Vallées, où se discutent toujours les intérêts du pays.

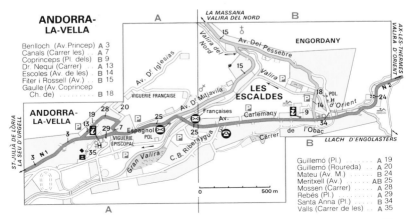

ANDORRA-LA-VELLA

Benlloch (Av. Princep) A 3
Canals (Carrer les) . . A 7
Coprinceps (Pl. dels) B 9
Dr. Nequi (Carrer) . . A 13
Escoles (Av. de les) . B 14
Fiter i Rossell (Av.) . B 15
Gaulle (Av. Coprincep
   Ch. de) . . . . . . B 18

Guillemó (Pl.) . . . . . . A 19
Guillemó (Roureda) . . A 20
Mateu (Av. M.) . . . . . B 24
Meritxell (Av.) . . . . . AB 25
Mossen (Carrer) . . . . A 28
Rebés (Pl.) . . . . A 29
Santa Anna (Pl.) . . . . B 34
Valls (Carrer de les) . . A 35

⊙ **Maison des Vallées (Casa de la Vall) (A B)**. — Elle est à la fois le Parlement et le palais de Justice des Vallées. Le « Très illustre Conseil général » y tient ses séances.

Cette construction massive doit son allure d'ensemble à des aménagements du 16e s. mais a été fortement restaurée en 1963, son appareil défensif ayant alors été complété par une deuxième échauguette d'angle, au Midi. Le portail s'ouvre sous de longs et lourds claveaux caractéristiques des constructions nobles aragonaises. Les armes des Vallées apposées en 1761 illustrent le régime de co-principauté : à gauche, la mitre et la crosse d'Urgel et les quatre « pals » de gueules de la Catalogne *(voir p. 106)* ; à droite, les trois « pals » du comté de Foix et les deux « vaches passantes » du Béarn. L'intérieur doit sa noblesse à ses plafonds et ses lambris.

On montre au 1er étage la salle de réception, jadis réfectoire, ornée de peintures murales du 16e s. La salle du Conseil conserve la fameuse « armoire aux sept clés » munie de sept serrures différentes (chacune des paroisses détient une clé) qui abrite les archives.

★ 1 VALLÉE DU VALIRA DEL ORIENT
D'Andorre-la-Vieille à la route du Puymorens
36 km — environ 1 h 1/2 — schéma ci-dessous

Le port d'Envalira peut être obstrué par la neige, mais sa réouverture est en principe assurée dans les 24 h. Par temps de tourmente, l'issue, par la route du Puymorens, risque de n'être ouverte que sur le versant Sud, vers Porté et la Cerdagne.

Se dégageant, aux Escaldes, de l'agglomération, la route remonte la vallée continuellement rude. Elle laisse en arrière le bâtiment des machines de Radio-Andorre, flanqué d'un clocher néo-roman inattendu.

Après Encamp, par un raidillon, on surmonte le verrou des **Bons, site★** d'un hameau bien groupé sous la ruine du château qui défendait le passage et la chapelle Sant Roma. A droite s'élève la chapelle **N.-D. de Meritxell**, sanctuaire national de l'Andorre, reconstruite en 1976.

Canillo. — 506 h. L'église collée au rocher est surmontée du plus haut clocher d'Andorre. A côté se détache, en blanc, l'ossuaire (dont les cellules abritent les caveaux funéraires), construction fréquente dans les pays de civilisation ibérique.

Sant Joan de Caselles. — L'église, isolée, est un des types les plus accomplis d'édifice roman d'Andorre, avec son clocher à trois étages de baies. A l'intérieur, derrière la pittoresque grille de fer forgé et découpé du chœur, apparaît un retable peint, œuvre du Maître de Canillo (1525) : la Vie de saint Jean et les visions apocalyptiques de l'apôtre. Lors de la dernière restauration (1963) on a pu rétablir une **crucifixion★** romane : les morceaux épars d'un Christ en stuc ont été recollés sur le mur, à leur emplacement d'origine, après dégagement de la fresque complétant la scène du calvaire (le soleil, la lune, Longin, le soldat porte-lance, et Stéphaton, le soldat présentant l'éponge).

La route décrit une boucle dans le beau vallon pastoral d'Inclès.

Soldeu. — 265 h. Lieu de séjour p. 8. Ce hameau, situé à 1 826 m d'altitude, est un bon centre de ski.

Au cours de la montée au port d'Envalira, on découvre, s'épanouissant au Sud-Ouest, le cirque des Pessons aux replats d'origine glaciaire. A droite se détache le chemin du centre de ski de Grau Roig.

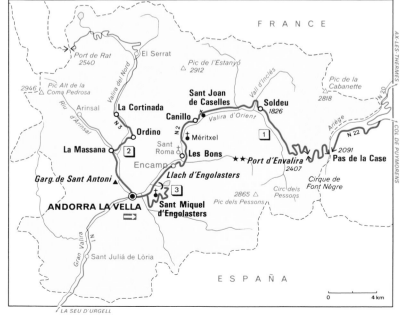

★★ **Port d'Envalira.** — Alt. 2 407 m. C'est le plus haut col pyrénéen franchi par une bonne route. Il marque la ligne de partage des eaux entre la Méditerranée (Valira) et l'Océan (Ariège) et offre un **panorama** sur les montagnes de l'Andorre, atteignant 2 946 m, dans le lointain à l'Ouest, à la Coma Pedrosa.

La descente vers le Pas de la Case offre de très belles vues sur l'étang et le **cirque de Font-Nègre.**

Pas de la Case. — 1 295 h. Alt. 2 091 m. Simple poste-frontière, ce village, le plus élevé d'Andorre, est devenu un centre important de ski.

La N 22 se déroule à travers un paysage désolé et se rattache à la N 20, route du Puymorens.

★ ② VALLÉE DU VALIRA DEL NORD
D'Andorre-la-Vieille à la Cortinada *9 km — schéma p. 44*

Fraîche vallée où l'on trouve encore des témoins de la vie montagnarde.

Par une rampe, la route se dégage rapidement de l'agglomération d'Andorre-les-Escaldes.

Gorges de Sant Antoni. — D'un pont sur le Valira del Nord, on aperçoit à droite le vieux pont en dos d'âne qu'utilisait l'ancien chemin muletier de la vallée.

A la sortie de cet étranglement, la vallée s'épanouit, radieuse, sur un fond de montagnes arides. Par la vallée d'Arinsal, belle vue sur les sommets du groupe de la Coma Pedrosa.

La Massana. — 1 711 h. Lieu de séjour p. 8.

Ordino. — 523 h. *Laisser la voiture dans le village haut sur la place près de l'église.* Bourg pittoresque dont on parcourra les ruelles en contrebas de l'église. L'église a gardé de belles grilles de fer forgé et découpé, que l'on découvre encore dans plusieurs sanctuaires proches des anciennes « forges catalanes ». Une autre réalisation de ferronnerie ancienne s'observe près de l'église : le balcon, long de 18 m, de la « maison de Don Guillem », jadis propriété d'un maître de forges.

La Cortinada. — Site agréable ; champs de tabac. En contrebas de l'église et du cimetière à ossuaire, voir une ancienne maison de notable à galeries extérieures et à pigeonnier.

La route se poursuit vers le Nord. Elle doit un jour établir, par le port de Rat (alt. 2 540 m), une liaison avec le Vicdessos (p. 86).

③ LAC D'ENGOLASTERS
9 km puis 1/2 h à pied AR — schéma p. 44

Sortir des Escaldes, à l'Est d'Andorre, par la route de France ; à la sortie de l'agglomération, tourner à droite en arrière dans la route de montagne d'Engolasters.

Sur le plateau de pâturages d'Engolasters, annexe sportive d'Andorre-la-Vieille, se dresse la fine tour romane de l'**église St-Michel.**

Du terminus de la route, franchir la crête, sous les pins, pour redescendre aussitôt (à pied) au barrage. L'ouvrage a élevé de 10 m le niveau du lac (alt. 1 616 m), reflétant la forêt sombre. A l'extrémité opposée se dressent les antennes de Radio-Andorre.

*Chaque année, le **guide Michelin France**
indique (avec adresse et n° de téléphone)
les réparateurs, concessionnaires, spécialistes du pneu
et les garagistes assurant, la nuit, les réparations courantes...
Tout compte fait, le guide de l'année, c'est une économie.*

★ ARIÈGE (Haute vallée de l')

Cartes Michelin n° 🗗🗗 pli 18 et 🗗🗗 plis 4, 5 et 15.

L'Ariège prend naissance aux confins de l'Andorre dans le cirque de Font-Nègre et rejoint la Garonne peu avant Toulouse, après un parcours de 170 km.

Dans son cours supérieur, elle suit un sillon glaciaire qui s'élargit et change de direction à hauteur d'Ax. Les traces de l'ancien glacier sont particulièrement remarquables de part et d'autre de Tarascon. Par le défilé de Labarre, l'Ariège tranche les chaînes calcaires du Plantaurel et, gagnant la plaine de Pamiers que ses alluvions ont constituée, s'évade du domaine pyrénéen.

Un musée minéralogique. — La diversité des affleurements géologiques et des filons minéraux fait du département de l'Ariège un pays minier dont les ressources ont été tantôt exploitées, tantôt abandonnées, suivant les cours des marchés mondiaux. Le fer, la bauxite, le zinc, le manganèse sont relativement répandus, mais, à l'heure actuelle, seules les carrières de talc de Luzenac *(p. 88)* et les mines de tungstène de Salau (production annuelle : 600 t) se classent parmi les industries extractives d'importance nationale.

★ DU COL DE PUYMORENS A TARASCON-SUR-ARIÈGE

54 km — environ une demi-journée

La route du Puymorens établit une liaison directe, parfois précaire en hiver, entre la Cerdagne, la Catalogne, les Pyrénées ariégeoises, Foix et Toulouse.

★ **Col de Puymorens.** — Alt. 1 915 m. Les champs de neige sont desservis par la route, dégagée au moins sur le versant Sud, ou par les remontées de Porté-Puymorens. La N 20 descend vers l'Ariège dont la « soulane » de la rive gauche appartient à l'Andorre mais est louée chaque année aux communes de Mérens et de l'Hospitalet. On descend par l'ancien tracé de la route – à sens unique – fréquentée par les troupeaux de chevaux en liberté, pour atteindre l'Hospitalet, premier village de la vallée de l'Ariège, à 1 436 m d'altitude. Le paysage dépouillé, dégradé, sévère, devient de moins en moins âpre au cours de la descente.

⊙ **Centrale de Mérens.** — Alt. 1 100 m. Cette usine automatique constitue le palier intermédiaire de l'aménagement du même nom, rendu possible par la surélévation de l'étang de Lanoux. Ce captage, dérivant dans le bassin de la Garonne des eaux tributaires du Sègre (bassin de l'Èbre) a donné lieu à un accord avec l'Espagne, compensant la perte d'eau subie.

Une table d'orientation permet d'identifier les sommets du fond de la vallée.

Mérens-les-Vals. — 143 h. Le village s'est reconstitué le long de la route après l'incendie de Mérens-d'en-Haut, allumé par les Miquelets (irréguliers espagnols craints depuis le 16e s.) en 1811, au cours de la guerre napoléonienne d'Espagne.

La race chevaline de Mérens, de petite taille, à robe noire uniforme, a pour souche l'une des plus antiques races européennes. Elle est encore préservée dans sa pureté, à l'initiative du haras de Tarbes.

La route longe les ouvrages d'art de la ligne transpyrénéenne, l'une des plus élevées d'Europe. Elle pénètre dans les gorges de Mérens où s'élève la station inférieure du téléphérique du Saquet. On descend la haute vallée de l'Ariège, encadrée de superbes forêts. Sur la droite, on aperçoit la Dent d'Orlu.

★ **Ax-les-Thermes.** — *Page 50.*

A la sortie d'Ax, on longe la rive gauche de l'Ariège. L'église d'Unac, au beau clocher roman, est campée sur l'autre rive.

Luzenac. — *Page 88.*

Le contraste entre le versant ensoleillé, où s'étalent cultures et habitations, et le versant d'ombre, couvert de forêts, devient frappant. Sur les plus proches promontoires se détachent successivement les ruines du château de Lordat et de l'ermitage St-Pierre. A droite, se dégage le pic de St-Barthélémy (alt. 2 348 m). A la sortie du bassin des Cabannes, débouché de la vallée de l'Aston, la route pénètre en Sabarthès, dont les escarpements, criblés de grottes, constituent le Val d'Ariège, ancienne auge glaciaire profonde et régulière à cet endroit.

Grotte de Lombrives. — *Page 87.*

Tarascon-sur-Ariège. — *Page 122.*

DE TARASCON-SUR-ARIÈGE A PAMIERS

37 km — environ une demi-journée — schéma p. 78

Tarascon-sur-Ariège. — *Page 122.*

En début de parcours dans le bassin de Tarascon, remarquer, à gauche, d'importants amas morainiques semés de blocs erratiques correspondant à l'un des stades de retrait de la langue terminale du glacier : deux de ces blocs sont bien visibles près de la route avant d'arriver à Bompas. Sur la gauche, on aperçoit le Roc de Soudour (alt. 1 070 m). L'église romane de **Mercus**, isolée dans son cimetière, est élevée sur une bosse rocheuse. D'autres pitons, sur la rive opposée, au fond de la vallée, donnent au paysage un aspect désordonné et accidenté.

Le Pont du Diable. — On y accède au départ de la N 20, par un passage à niveau suivi d'une descente très rapide au fond de la gorge (trois lacets très serrés). Laisser la voiture sur la rive gauche, après avoir passé le pont.

Pittoresque ouvrage jeté sur l'Ariège au flot puissant et silencieux. Le ressaut inférieur de l'arche maîtresse atteste au moins une surélévation effectuée au 14e s. Jeter un coup d'œil sur le dispositif fortifié de la construction, du côté rive gauche (porte et chambre inférieure). Ce pont inspirait la terreur aux populations du comté : on le recommença plus de dix fois... les travaux effectués le jour s'effondraient la nuit, dit la légende. D'où son nom.

Après le Pont du Diable, on distingue, sur la rive opposée, le rebord de la terrasse de matériaux morainiques, dans laquelle l'Ariège s'est enfoncée d'une cinquantaine de mètres. Plus loin, on observe les traces laissées par l'ancien glacier de l'Ariège qui a pu atteindre là une épaisseur de 100 à 400 m. Après l'embranchement vers Lavelanet, apparaît, en avant, le **Pain de Sucre**, piton qui domine le village de Montgaillard.

★ **Foix.** — *Page 76.*

Dans Foix, prendre la direction de Vernajoul (D 1) où tourner à gauche.

★ **Rivière souterraine de Labouiche.** — *Page 84.*

Entre Foix et Varilhes, la route longe l'Ariège qui traverse les monts du Plantaurel. Elle court ensuite à travers la plaine pour atteindre Pamiers.

Pamiers. — *Page 104.*

ARIFAT (Cascade d')

Carte Michelin n° 🔳🔳 pli 1 — 16 km à l'Est de Réalmont.

Par un sentier en sous-bois, on gagne cette cascade *(1/2 h à pied AR)* sur un affluent du Dadou. Jolie vue sur le rocher d'Arifat où s'accroche le village.
Poursuivant au Nord-Est, par le D 11 et le D 57, on peut atteindre le **barrage de Rassisse** (alt. 360 m) — aux versants boisés — qui retient les eaux de Dadou. D'une superficie de 149 ha, il constitue un but agréable de promenade et est aménagé pour la voile.

ARLES-SUR-TECH   2 921 h. (les Arlésiens)

Carte Michelin n° 🔳🔳 pli 18.

Foyer de traditions religieuses et folkloriques en Haut-Vallespir, Arles s'est bâtie autour d'une abbaye installée au bord du Tech vers l'an 900, dont subsistent l'église et le cloître. Outre l'exploitation du minerai de fer extrait à Batère, la ville consacre une part de son activité à la fabrication de tissus catalans traditionnels.

Église. — *Visite : 1/2 h.* Au tympan, remarquer un Christ en majesté inscrit dans une croix grecque dont les bras portent, dans des médaillons, les symboles des évangélistes (1re moitié du 11e s. comme l'ensemble de la façade). Avant de pénétrer dans l'église, on verra, à gauche de l'entrée principale, derrière une grille, un sarcophage en marbre blanc du 4e s., la **sainte Tombe**, d'où suintent chaque année plusieurs centaines de litres d'une eau limpide incorruptible. Aucune explication scientifique n'a, jusqu'à présent, rendu compte de ce phénomène. Au-dessus, belle statue funéraire (début du 13e s.) de Guillaume Gaucelme de Taillet.

Intérieur. — La nef surprend par sa hauteur sous voûte (17 m). En progressant dans le vaisseau, remarquer le dispositif des arcades témoignant de deux chantiers : les arcades basses, à jour, correspondent à l'édifice du 11e s. couvert d'une charpente relativement légère. Quand l'église fut voûtée, au 12e s., la pesée des voûtes exigea le renforcement des supports : les piles furent alors doublées, intérieurement, et on lança le long des murs de la nef de hautes arcades aveugles.
Dans la 1re chapelle à droite, le grand retable baroque des saints Abdon et Sennen, vénérés jadis dans tout le Roussillon comme protecteurs en cas de calamités, retrace en 13 panneaux le martyre de ces jeunes princes kurdes et la translation de leurs reliques d'abord en bateau, puis dans des barils chargés à dos de mulet. La 2e chapelle réunit trois représentations du Christ (dans l'attente, sur la croix, étendu dans une châsse de verre) dont le réalisme laisse pressentir la proximité de la Catalogne. Ces effigies, appelées « misteris », sont portées par les Pénitents lors de la procession nocturne du Vendredi Saint.

Cloître. — *Porte d'accès au bas du bas-côté gauche.* Cloître gothique (13e s.).

EXCURSIONS

1 **Coustouges.** — *20 km au Sud — 3/4 h environ — schéma ci-dessus* — *Quitter Arles à l'Ouest par le D 115 et prendre à gauche le D 3.*
La route traverse le Tech et s'élève sur la rive droite du torrent, au milieu des châtaigneraies, pour s'engager ensuite dans la vallée affluente de la Quéra. A droite, une curieuse montagne pyramidale porte la tour de Cos (alt. 1 116 m). Un virage dans un ravin offre ensuite une bonne vue, à droite, sur Montferrer et Corsavy.

A la Forge-del-Mitg, continuer tout droit vers Coustouges.

Coustouges. — *Page 73.*

2 **Circuit de 36 km.** — *environ 2 h — schéma ci-dessus.*
A la sortie d'Arles, la route (D 43) en forte montée entre la fraîche vallée du Riuferrer et l'encoche supérieure des gorges de la Fou, adopte un tracé de crête.
On aperçoit bientôt les ruines de l'ancienne église paroissiale du village de Corsavy. La route descend doucement et traverse Corsavy. A droite, ancienne tour de guet. Prendre le D 44 qui remonte et bientôt traverse le ruisseau de la Fou (très belle vue). Dans un virage à droite, au point culminant de la route (860 m), le panorama prend toute son ampleur sur le massif du Canigou, les Albères, Le Roussillon et la Méditerranée.

Monferrer. — 226 h. L'église a un joli clocher roman. A gauche, ruines d'un château.

Le Tech. — *Page 134.*

> *Prendre le D 115 à gauche. La route longe le Tech. Avant de regagner Arles, laisser la voiture près du sentier qui mène, à gauche, dans les belles gorges de la Fou.*

★★ **Gorges de la Fou.** — *1 h 1/2 à pied AR (parcours de 1 200 m le long de passerelles bien entretenues).*

La première exploration de ces gorges ne date que de 1928. La fissure n'atteint pas 3 m de largeur par endroits pour une hauteur de plus de 100 m. Les parties où grondent les cataractes, chutant de marmite en marmite, alternent avec des passages plus lumineux où le chant des oiseaux se fait entendre. Remarquer plusieurs blocs coincés.

★ LES ASPRES

Carte Michelin n° 86 pli 18.

On appelle ainsi la région délimitée au Nord par la vallée de la Têt, au Sud par celle du Tech, à l'Est par la plaine perpignanaise et à l'Ouest par le massif du Canigou. Pays sauvage et silencieux parce que peu peuplé, couvert de bois d'oliviers et de chênes-lièges, il réserve au visiteur la beauté de ses paysages méditerranéens sur fond de schiste ou de granit et la découverte du prieuré de Serrabone isolé dans un paysage austère.

D'ILLE-SUR-TÊT A AMÉLIE-LES-BAINS
56 km — environ 3 h

Ille-sur-Têt. — *Page 109.*

> *Quitter Ille-sur-Têt au Sud (D 2) pour rejoindre Bouleternère par le D 16.*

Le D 618, pris à gauche, au sortir des vergers de la vallée de la Têt, s'enfonce dans les garrigues, le long des gorges du Boulès.

> *A 7,5 km, prendre à droite vers Serrabone.*

★★ **Prieuré de Serrabone.** — *Page 121.*

Col Fourtou. — Alt. 646 m. Vue en arrière sur le Bugarach, point culminant des Corbières (alt. 1 230 m), en avant sur les monts frontière du Vallespir : Roc de France et, plus à droite, Pilon de Belmatx, à l'arête dentelée. A droite apparaît le Canigou.

Chapelle de la Trinité. — Église romane s'ouvrant par une porte à pentures à volutes. A l'intérieur, Christ habillé du 12e s. et retable baroque de la trinité, représentant le Saint-Esprit sous l'aspect d'un adolescent, à côté du Christ, adulte, et du Père Éternel, vieillard.

Château de Belpuig. — *De la Trinité, 1/2 h à pied AR à travers la lande.* Ruines sombres très bien situées sur un piton commandant un vaste **panorama**★ : Canigou, Albères, Côte du Roussillon et du Languedoc, Corbières (pic de Bugarach).

Après le col Xatard, la route en descente vers Amélie, jalonnée par les seuls villages de St-Marsal et de Taulis, contourne le bassin supérieur de l'Ample, sur des pentes où foisonnent les chênes verts et les châtaigniers.

★ **Amélie-les-Bains.** — *Page 42.*

★★ AUDE (Haute vallée de l')

Carte Michelin n° 86 plis 7, 16, 17.

L'Aude prend naissance sur le versant Est du Carlit et coule d'abord parallèlement à la Têt puis s'oriente au Nord. Le col de la Quillane (alt. 1 714 m) marque la ligne de partage des eaux. L'Aude traverse ensuite la haute plaine du Capcir que des montagnes boisées, longuement enneigées, isolent. Moins abrité des vents du Nord que la Cerdagne, le Capcir connaît des températures hivernales sévères. Mais la pureté du ciel, l'intensité de l'ensoleillement y favorisent les séjours d'altitude.

Le torrent est soumis à des crues considérables ; la pluie et la fonte des neiges modifient son débit dans la proportion de 1 à 1 000. Il charrie des masses énormes de limon arrachées au cours de sa descente. L'abondance du torrent, au moment de la fonte des neiges, a justifié l'aménagement de deux barrages réservoirs — Matemale et Puyvalador — régularisant le flot destiné à un escalier de centrales hydro-électriques dont les usines de Nantilla et de St-Georges marquent les paliers inférieurs.

Les forêts du bassin supérieur de l'Aude. — Le département des Pyrénées-Orientales possède de très belles forêts. Les pins sylvestres de la forêt de la Matte sont parmi les plus beaux de France. Les fûts, longs et réguliers, dépassent souvent 20 m. Le D 118 et le D 32, entre Formiguères et Matemale, permettent de les admirer.

Recouvrant des versants plus ou moins accidentés, les autres massifs boisés du Capcir peuplés de pins à crochets, pins sylvestres ou sapins, sont desservis par des routes forestières, revêtues ou précaires, offrant d'intéressants itinéraires d'excursions : étangs de Balcère en forêt des Angles, étangs de Campoureils, à plus de 2 200 m d'altitude, route du col de Sansa par le col de Creu, en forêt de Matemale.

Plus au Nord, règne l'association sapin-hêtre, si majestueuse et impressionnante : forêts du Carcanet et des Hares, en pays de Donézan, forêts de la région de Quillan et, surtout, forêts du Plateau de Sault *(p. 120).*

La chapellerie. — En 1804, quelques habitants de Bugarach, dans les Corbières, à leur retour de captivité en Haute-Silésie, cherchèrent à développer chez eux l'industrie qu'ils avaient apprise là-bas. En 1820, attirés par l'eau, ils s'installèrent à Espéraza, puis fondèrent d'autres fabriques à Quillan, Couiza et Chalabre. Au début, les ressources locales en laine et en poil de lapin suffirent, mais bientôt les centres chapeliers importèrent leurs matières premières et exportèrent des chapeaux finis et des «cloches» (chapeaux semi-finis).

Cependant l'abandon du port du chapeau par les jeunes générations a provoqué une régression dans la fabrication. Une seule usine reste en service à Montazels ; la plupart des autres ont été converties en fabriques de chaussures, de meubles, de mousse plastique (Espéraza) ou de panneaux décoratifs lamifiés (revêtement « Formica »).

★ LE CAPCIR

de Mont-Louis à Usson *36 km — environ 1 h*

Mont-Louis. — *Page 96.*

> *Quitter Mont-Louis au Nord, par le D 118.*

S'élevant en légère montée, la route offre une jolie vue sur la citadelle, émergeant d'une couronne de bois, devant le massif du Cambras d'Azé, évidé d'un ancien cirque glaciaire. On atteint la ligne de partage des eaux au col de la Quillane où l'on pénètre dans le Capcir. Le paysage y est largement épanoui mais l'empreinte d'un climat rigoureux se marque dans les bourgs aux maisons basses couvertes de schiste patiné de tons rouille. Cependant les terrains labourés y sont nombreux. Le lac artificiel de Matemale occupe le fond du bassin. A gauche s'étend la forêt de pins de la Matte.

Après Formiguères, l'un des villages, surveillant l'entrée du défilé de l'Aude, au-dessus du second barrage, mérite bien son nom de Puyvalador, «montagne sentinelle».

Laisser la route de droite qui serpente dans la forêt du Carcanet (sapins, hêtres, ormes) pour prendre à gauche le D 32, vers Quérigut.

Le Donézan. — Le pays du Donézan (altitude des villages : 1 200 m environ), l'un des plus sauvages des Pyrénées, a pour cadre un bassin évidé dans les granits des plateaux du Quérigut et versant ses eaux dans l'Aude. Le Donézan faisait partie du comté de Foix, qui devint l'Ariège.

Usson-les-Bains. — Les ruines imposantes du château, perché à gauche sur un rocher isolé, signalent le confluent de la Bruyante, descendue du Pays du Donézan.

★★ LES GORGES

d'Usson-les-Bains à Quillan

30 km — environ 1 h (visite des grottes de l'Aguzou non comprise)

Usson-les-Bains. — *Description ci-dessus.*

La route pittoresque longe le rebord du plateau de Sault.

⊙ **Grottes de l'Aguzou.** — Riche réseau souterrain découvert en 1965.

Dans les **gorges de l'Aude**, sillon d'une dizaine de kilomètres, le torrent bouillonne entre de hautes murailles couvertes d'une abondante végétation. La centrale de Nantilla, alimentée par conduites forcées, marque le palier inférieur de l'aménagement hydro-électrique le plus puissant de la haute Aude.

★ **Gorges de St-Georges.** — Taillées verticalement dans le roc nu, ce sont les gorges les plus étroites de la haute vallée de l'Aude.

★ **Défilé de Pierre-Lys.** — Passage impressionnant entre des falaises où s'accrochent quelques buissons. Le dernier tunnel, le **trou du Curé**, rappelle le souvenir de l'abbé Félix Armand (1742-1823), curé de St-Martin-Lys, qui fit ouvrir le passage au pic et à la pioche.

Quillan. — *Page 114.*

LE PAYS DE RAZÈS

de Quillan à Limoux *27 km — environ 1 h*

Belle route ombragée de platanes, mais très fréquentée.

Quillan. — *Page 114.*

En aval de Quillan, la vallée se poursuit, dans une région plus déprimée : l'antique pays de Razès, dont les Wisigoths avaient fait l'un de leurs foyers de fixation en Gaule narbonnaise, avec l'oppidum de Rennes-le-Château pour capitale.

⊙ **Couiza.** — 1 283 h. Ville industrielle (chaussures). L'ancien **château** des ducs de Joyeuse, du milieu du 16e s., cantonné de tours rondes, se distingue par sa silhouette, commune à nombre d'édifices du Languedoc et des Cévennes, et par son bon état d'entretien. Par un portail à bossages on pénètre dans la cour à la sobre architecture Renaissance ; seule la galerie au revers du portail montre un décor de colonnes et d'entablements superposés. On visite aussi des salles ornées de cheminées.

Alet-les-Bains. — *Page 42.*

A la sortie d'Alet, l'Aude écorne un pli du massif des Corbières et la vallée s'encaisse à nouveau : c'est l'**Étroit d'Alet**.

Limoux. — *Page 86.*

AVIGNONET-LAURAGAIS

931 h (les Avignonetains)

Carte Michelin n° 82 pli 19 — 7 km au Sud-Est de Villefranche-de-Lauragais.

Régulièrement ordonnée à flanc de pente à proximité du seuil de Naurouze, Avignonet domine du haut de ses vestiges d'enceinte la N 113. Son clocher marque, lorsque l'on vient du pays des églises de brique toulousaines, la réapparition des monuments de pierre.
Au 14e s., Avignonet compte 5 000 habitants ; la culture du pastel lui apporte la prospérité. Au 19e s., la commune s'oriente définitivement vers sa vocation agricole.

Église N.-D.-des-Miracles. — Commencée en 1385, sa construction, en grès appareillé, dura un siècle.
L'église dresse sur une souche carrée décorée d'arcatures aveugles son clocher octogonal flanqué d'une élégante tourelle d'escalier et couronné par une flèche gothique à crochets. A l'intérieur, un tableau (1631) placé au fond de l'église évoque le massacre perpétré le 28 mai 1242 par des conjurés du Lauragais, des membres du tribunal de l'Inquisition au château d'Avignonet, disparu depuis. Une petite troupe descendue de Montségur avait permis le succès de l'opération qui devait décider les autorités à réduire la citadelle cathare *(voir p. 96).*

★ AX-LES-THERMES

1 510 h. (les Axéens)

Carte Michelin n° 86 pli 15 — Lieu de séjour p. 8.

Dans la vallée de l'Ariège, au débouché de l'Oriège et de la Lauze, Ax est à la fois une station thermale, une villégiature estivale et une station de sports d'hiver.
Ses quatre-vingts sources, aux températures variant de 18 à 78°, alimentent trois établissements : le Couloubret, le Modèle et le Teich. On y soigne surtout les rhumatismes, les affections des muqueuses respiratoires et certaines dermatoses.
Le centre de la station est la promenade du Couloubret.

Bassin des Ladres. — Sur la place du Breilh, un dégagement de vapeur signale ce bassin d'eau chaude empli le matin et pouvant servir alors de lavoir public. Saint Louis l'avait fait établir pour les soldats lépreux qui revenaient des Croisades.
L'hôpital St-Louis (1846), reconnaissable à son clocheton, est un témoin de style « thermal » du 19e s.

EXCURSIONS

★**Vallée d'Orlu.** — 8,5 km — *schéma ci-contre. Sortir d'Ax par la route du Puymorens ; la quitter aussitôt avant le pont sur l'Oriège ; rester sur la rive droite du torrent.*
La route longe la retenue du barrage d'Orgeix où se reflète le manoir d'Orgeix. L'ancienne forge d'Orlu est entourée d'escarpements rocheux où ruissellent des eaux vives.

★**Plateau de Bonascre.** — 9,5 km — *schéma ci-dessus. Sortir d'Ax par la N 20 vers Tarascon ; la quitter aussitôt pour le D 820, à gauche.*
La route s'élève rapidement en lacet, en vue des trois vallées convergeant vers Ax : Val d'Ariège (vers Tarascon), vallée d'Orlu dominée par la Dent d'Orlu, vallée de la haute Ariège. On atteint le plateau de Bonascre, site de la station de ski d'**Ax 1400**. Le télécabine conduisant au **plateau du Saquet** (alt. 2 030 m) en constitue l'équipement de base.
Poursuivre, en voiture, au-delà de la maison de vacances de « Sup-Aéro » ; appuyer à gauche dans la route forestière des Campels, tracée à flanc de montagne ; la suivre sur 1 500 m : **vue★★** d'enfilade superbe sur le sillon de la haute Ariège jusqu'aux montagnes frontière de l'Andorre. Remarquer les tracés enchevêtrés de la route et de la voie ferrée.

★**Col du Pradel.** — 30 km — *schéma ci-dessus. Quitter Ax à l'Est par la route de Quillan ; à 3,5 km, prendre à droite vers Ascou, puis 3,5 km plus loin, à gauche le D 22. L'étroite route du col du Pradel est fermée du 15 novembre au 14 mai.*
La Dent d'Orlu (alt. 2 222 m), sommet pointu caractéristique de la haute Ariège, se dessine au Sud-Est. Par maints lacets serrés à travers prés, on atteint le col (alt. 1 680 m). Belle vue sur les montagnes qui encadrent le bassin supérieur de l'Ariège.

Du col du Pradel, on peut atteindre le pic de Sérembarre (1 h 1/2 à pied AR).

★★**Pic de Sérembarre.** — Alt. 1 851 m. Du sommet un **panorama** se développe au Sud sur la chaîne des Pyrénées du Pic Carlit à gauche, aux montagnes de l'Andorre, aux Pyrénées centrales (massif de la Maladeta) jusqu'au Pic du Midi de Bigorre à droite ; à l'Est et au Nord sur les Corbières et le plateau de Sault.

★ Signal de Chioula. − *Circuit de 38 km − environ 3 h − schéma p. 50. Sortir d'Ax au Nord par le D 613, tracé en lacet au-dessus du Val d'Ariège.*

Au col de Chioula, une large piste *(3/4 h à pied AR)* conduit au Signal (alt. 1 507 m). Belvédère sur les sommets de la haute Ariège.

Au col de Marmare, prendre le D 2. Dans le lacet de Cos, la vue se dégage à nouveau sur le Val d'Ariège. Aux abords de Caussou, village situé dans un paysage de cultures en terrasses, remarquer des croix de fer, produits de l'ancienne métallurgie ariégeoise.

Le D 2 regagne le fond de la vallée de l'Ariège.

Luzenac. − *Page 88.*

La N 20 ramène à Ax.

BAGES et de SIGEAN (Étang de)

Carte Michelin n⁰ 🆀🆀 pli 10.

L'étang de Bages et de Sigean ne communique avec la mer qu'au grau de la Nouvelle. Dans l'Antiquité, du temps de la province Narbonnaise, et jusqu'au 14ᵉ s., cet étang était relié à celui de Gruissan formant une vaste lagune où l'Aude, détournée par une digue, venait se jeter. Narbonne était alors un port très actif. De nombreux vestiges archéologiques découverts autour de ces lagunes témoignent de l'importance économique de cette côte à l'époque romaine. Plus tard, infestés par le paludisme, ces étangs et leurs rives furent longtemps désertés.

DE NARBONNE A PORT-LA-NOUVELLE

29 km − environ 5 h

★ Narbonne. − *Page 98.*

> *Prendre la N 9 vers Perpignan. Après 2 km, en face de Montplaisir, prendre à gauche le D 105 vers Bages.*

Bages. − 547 h. Bâti sur une éminence rocheuse cernée par l'étang, ce village aux ruelles étroites a vu s'installer quelques artisans.

> *Poursuivre vers Peyriac-de-Mer.*

La route se faufile entre les vignes, les rochers, et longe la lagune d'où émergent les roseaux. En approchant de Peyriac on voit quelques salines.

Peyriac-de-Mer. − 727 h. Du matériel provenant des fouilles effectuées à l'oppidum ⊘ du Moulin (au sommet de la colline) est exposé dans le **musée archéologique**.

> *Rejoindre la N 9 et suivre la signalisation vers la Réserve africaine de Sigean.*

★ Réserve africaine de Sigean. − *Page 122.*

Sigean. − 3 140 h. Les fouilles de l'oppidum de Pech de Mau à proximité de Sigean ont révélé une occupation hellénistique.

Port-la-Nouvelle. − 4 472 h. Construit à l'entrée du grau au débouché du canal de la Robine de Narbonne, Port-la-Nouvelle est, entre Sète et Port-Vendres, la seule ville côtière du golfe du Lion à conserver une activité soutenue hors saison, grâce à son port de commerce, base de redistribution des hydrocarbures dans tout le Sud-Ouest.
On peut y observer le trafic des cargos et des pétroliers.
Port-la-Nouvelle est également bien aménagée pour la navigation de plaisance.

BANYULS-SUR-MER   4 250 h. (les Banyulencs)

Carte Michelin n⁰ 🆀🆀 pli 20 − Schéma p. 72 − Lieu de séjour p. 9.

Banyuls, station balnéaire la plus méridionale de France, dotée d'un charmant port de plaisance (voile), se développe harmonieusement, dans son décor de vignoble, autour d'une baie divisée en deux anses par le promontoire de la vieille ville. A l'abri de la tramontane, le site a permis l'acclimatation en France d'essences exotiques (caroubier, eucalyptus, palmiers divers) introduites par le biologiste Charles-Victor Naudin (1815-1899) et propagées, de là, sur la Côte d'Azur.

La mer. − Les eaux littorales de la Côte Vermeille, profondes, claires et poissonneuses, ont attiré l'attention des scientifiques pour leur richesse biologique, justifiant l'installation à Banyuls du laboratoire Arago (Université de Paris VI), centre de recherches et d'enseignement en océanographie, biologie marine et écologie terrestre. Une réserve naturelle a été créée entre Banyuls et Cerbère.
La plage principale (sable et galets) s'abrite dans l'anse fermée, à l'Est, par l'île Petite et l'île Grosse (monument aux Morts, par Maillol), reliées à la terre par une digue.

⊘ **Aquarium.** − Spécimens de la faune méditerranéenne, présentés avec clarté.

Le vignoble et la montagne. − Le vignoble règne sur les derniers flancs des Albères, couvrant les extrêmes promontoires des Pyrénées ou les versants raides du bassin de la Baillaury. Les pentes schisteuses, découpées en terrasses soutenues par des murettes, sont défendues contre le ruissellement dans les zones les plus exposées, par un système de rigoles entrecroisées en X.
Les raisins sont vinifiés selon les méthodes ancestrales mises au point par les Templiers. Après un long vieillissement en cuve de chêne dans des celliers ou dans des parcs de vieillissement à l'air libre, on obtient un cru fameux : le **Banyuls**. De type

doux, sec ou demi-sec, il a sa place sur les meilleures tables, à l'apéritif comme au dessert et aussi en accompagnement de certains mets : foies gras, fromages forts, gibiers...

On peut visiter, sur la route du balcon de Madeloc, la grande cave Templers et la cave souterraine du Mas Reig.

Tombeau de Maillol. — *4 km au Sud-Ouest. Quitter Banyuls vers les Arènes. Après un mas d'artisanat, prendre à gauche, à angle droit.* La route longe le vallon de la Baillaury. Enfant de Banyuls, **Aristide Maillol** (1861-1944), « monté » à Paris à 20 ans, s'initie à la peinture et surtout, suivant la tendance du cercle « nabi », à la renaissance de l'artisanat d'art : céramique, tapisserie. La quarantaine passée, il affirme son génie dans la sculpture, tirant de ses cartons d'esquisses les éléments de ses compositions de nus robustes. Si le peintre et dessinateur travaillait d'après modèles, le sculpteur, grâce à son observation constante, à sa recherche du mouvement équilibré, à son sens de la grandeur, a laissé des compositions remarquables : ses statues sont tout aussi gracieuses que puissantes.

L'artiste aimait se retirer dans ce petit mas au fond d'un vallon torride et poussiéreux en été. Il se fit enterrer dans le jardin (bronze : « La Pensée », 1905).

★★★ Le CANIGOU

Carte Michelin n° 86 plis 17, 18.

Le Canigou, mont révéré des Catalans de France et d'Espagne qui viennent aujourd'hui allumer à son sommet le premier des feux de la Saint-Jean, dresse au-dessus des vergers du Roussillon sa cime longtemps enneigée, parfaitement dégagée sur trois faces par la coupure de la Têt (Conflent), la plaine d'effondrement du Roussillon, la vallée du Tech (Vallespir).

Dès le règne de Louis XIV, les géographes chargés de déterminer le méridien de Paris avaient reconnu que le Canigou jalonnait, à quelques minutes d'angle près (7'48'' à l'Est), ce méridien et avaient calculé son altitude par rapport au niveau de la mer. En l'absence de relevés aussi précis dans les autres massifs, le Canigou usurpa un temps le rang de point culminant des Pyrénées.

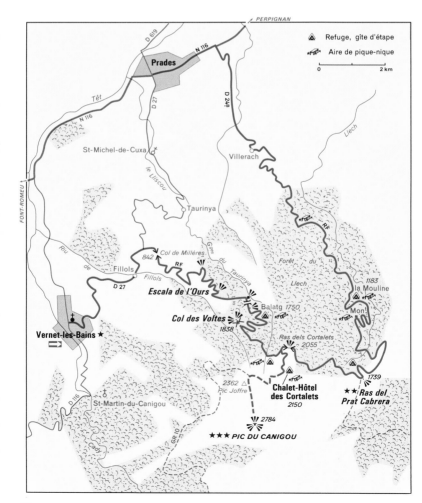

Prouesses en tout genre. — Depuis la première ascension, faite, d'après la chronique, en 1285, par le roi Pierre III d'Aragon, les sportifs catalans se sont plu à vaincre le Canigou par tous les moyens disponibles. Le chalet des Cortalets fut atteint en 1901 à bicyclette, en 1903 en skis, puis à bord d'une voiture automobile Gladiator 10 CV. En 1907, un lieutenant de gendarmerie monte au sommet à cheval sans mettre pied à terre. Le projet d'un chemin de fer à crémaillère sombra en raison de la guerre 1914-1918. Seules des routes forestières relient Vernet-les-Bains et Prats-de-Mollo.

★★★ ROUTES DU CANIGOU

Montée : de Vernet-les-Bains au chalet-hôtel des Cortalets
23 km — environ 1 h 1/2 — schéma p. 52

La vieille route des Cortalets, construite en 1899 pour le Club Alpin par l'administration des Eaux et Forêts, est un chemin de montagne pittoresque mais accidenté.

Praticable l'été seulement. La difficulté de cette route forestière n'est pas liée à son tracé mais à la dégradation de sa chaussée. La partie la plus délicate : pente à 21 %, très étroite, est bordée d'un parapet. Elle compte 31 lacets.

★ **Vernet-les-Bains.** — *Page 135.*

Prendre le D27 vers Prades. Après Fillols et le col de Millères, tourner à droite.

Dès le départ du col (alt. 842 m) la route monte en lacets très rapprochés le long de la crête rocailleuse séparant les vallées de Fillols et de Taurinya. Sur la gauche, des vues se dégagent sur Prades et St-Michel-de-Cuxa. La route adopte un tracé hardi parmi les pins laricio et les chaos rocheux. Dans un grand lacet à gauche, vue grandiose sur la Cerdagne et le Fenouillèdes. Prades disparaît de plus en plus, dans le lointain. La route grimpe en forte montée à travers de magnifiques sous-bois (très beaux fûts).

Escala de l'Ours. — Parcours en haute corniche, le plus spectaculaire du tracé. La route franchit un passage rocheux, étroit, sous voûte, dominant de plusieurs centaines de mètres les gorges du Taurinya (rochers-belvédères de part et d'autre du tunnel). Après le refuge forestier de Balatg, les arbres sont de moins en moins denses, de plus en plus pelés (pins arolles). La route pénètre dans l'étage pastoral des prairies.

Col des Voltes. — Alt. 1 838 m. Vue sur le versant Nord du massif du Canigou et sur le bassin du Cady.

Au ras (col) dels Cortalets (alt. 2 055 m), aire de pique-nique, laisser la route des gorges du Llech et prendre à droite.

Chalet-hôtel des Cortalets. — Il se dresse à 2 150 m d'altitude au débouché du cirque formé par le Canigou et ses deux contreforts Nord : le pic Joffre et le pic Barbet.

Du chalet des Cortalets au sommet *3 h 1/2 à pied AR*

Prendre à l'Ouest du chalet le sentier jalonné de marques blanches et rouges, longeant un étang puis s'élevant sur le versant Est du pic Joffre. Abandonner ce sentier lorsqu'il redescend vers Vernet et continuer la montée à gauche sous la crête. Un sentier en lacet parmi les rochers permet l'ascension de la cime.

★★★ **Pic du Canigou.** — Alt. 2 784 m. Une croix et les décombres d'une cabane en pierre utilisée aux 18e et 19e s. pour les observations scientifiques couronnent le sommet. Au Sud, les sonnailles des troupeaux montent du vallon du Cady.
De la table d'orientation le **panorama** est immense, au Nord-Est, à l'Est et au Sud-Est, vers la plaine du Roussillon et la côte méditerranéenne : le Canigou a pu être identifié de N.-D.-de-la-Garde, à Marseille, à 253 km à vol d'oiseau, lorsque la montagne se détache sur le disque du soleil couchant (vers les 10 février et 28 octobre). Le faible écran des Albères, largement dominé, n'empêche pas la vue de porter très loin en Catalogne, le long de la Costa Brava. Au Nord-Ouest et à l'Ouest se succèdent sur plusieurs plans les lourds chaînons du socle cristallin des Pyrénées Orientales (Madrès, Carlit, etc.), contrastant avec les crêtes calcaires plus tourmentées des Corbières (Bugarach).

Descente : du chalet-hôtel des Cortalets à Prades par les gorges du Llech
20 km — environ 1 h 1/2 — schéma p. 52

La route praticable l'été seulement et par temps sec devient raboteuse dans les gorges du Llech ; parcours en corniche de 10 km.

La route se déploie dans le cirque supérieur de la vallée du Llech boisée de pins de montagne. Au-delà des contreforts du Canigou et des vergers du Bas Conflent, les **vues**★★★ deviennent immenses : au Nord, on reconnaît la barrière Sud des Corbières, coupée par l'entaille des gorges de Galamus.

★★ **Ras del Prat Cabrera.** — Alt. 1 739 m. Beau lieu de halte ensoleillé (banc), au-dessus de la sauvage vallée de la Lentilla. Les crêtes sombres de la Serra del Roc Nègre limitent la vue en amont. **Panorama** sur la plaine du Roussillon, les Albères, la Méditerranée.
La descente s'effectue à travers sapins et hêtres. Après le refuge forestier de la Mouline (alt. 1 183 m — aire de pique-nique), la route se poursuit en terrain plus accidenté. Taillée dans le rocher elle domine bientôt le fond des gorges du Llech de 200 à 300 m. Avant Villerach, le D 24 quitte les gorges et pénètre dans les vergers du Conflent.

Prendre la N 116 à gauche.

Prades. — *Page 111.*

★★★ **CARCASSONNE**   42 450 h. (les Carcassonnais)

Carte Michelin n° 🆎🆎 pli 7 – Plan dans le guide Rouge Michelin France.

Carcassonne, dont la ville basse s'étale sur la rive gauche de l'Aude, est le grand centre commercial de l'Aude viticole. C'est aussi une cité fortifiée apparemment figée depuis le Moyen Age. Pour le touriste, la renommée et l'attrait sans pareil de la forteresse, support d'un grand spectacle de l'**embrasement** traditionnel du 14 juillet, éclipsent l'animation de la ville qui s'étend à ses pieds.

Les célèbres industries de draps, complètement disparues aujourd'hui, ont cédé la place à la fabrication du caoutchouc synthétique et des accessoires pour automobiles (fonderies). Des ateliers de montage de machines agricoles, de confection de vêtements et de chaussures, l'ébénisterie, des industries chimiques (raffineries) et l'industrie alimentaire (minoteries, distilleries, conserveries) sont aussi installées dans la ville. Carcassonne est la patrie de Fabre d'Églantine et du génétal Sarrail, qui s'illustra en 1914 lors de la bataille de la Marne.

UN PEU D'HISTOIRE

L'escarpement sur lequel est bâtie la Cité de Carcassonne commande les communications entre la Méditerranée et Toulouse. Aussi, dès le 1er s., les Romains établissent à Carcassonne, « cité » de la Narbonnaise, un camp retranché. Les Wisigoths s'en emparent au 5e s. et, à l'abri de l'enceinte, organisent leur conquête (royaume de Toulouse, puis Septimanie). Devenue une importante place forte, elle compte même un évêché après la conversion des Wisigoths au catholicisme.

Au 8e s., la forteresse tombe sous la domination franque.

Un cœur fier. – Pendant 400 ans Carcassonne reste la capitale d'un comté, puis d'une vicomté sous la suzeraineté des comtes de Toulouse. Elle connaît alors une époque de grande prospérité, interrompue au 13e s. par la croisade des Albigeois *(voir p. 37 et 124)*.

Les croisés du Nord, descendus par la vallée du Rhône, pénètrent en Languedoc en juillet 1209, pour châtier l'hérétique. Le comte Raymond VI de Toulouse étant tenu par la pénitence publique à laquelle il vient de se soumettre à St-Gilles-du-Gard *(voir guide Vert Michelin Provence)*, le poids de l'invasion retombe sur son neveu et vassal **Raymond-Roger Trencavel**, vicomte de Carcassonne. Après le sac de Béziers, l'armée conduite par le légat Arnaud-Amaury investit Carcassonne le 1er août. A cette époque la place n'est encore défendue que par une seule enceinte. Malgré l'ardeur de Trencavel – il n'a que 24 ans – la place est réduite à merci au bout de quinze jours par le manque d'eau.

Le Conseil de l'armée investit alors Simon de Montfort de la vicomté de Carcassonne, en lieu et place de Trencavel. L'année n'est pas terminée que celui-ci est trouvé sans vie dans la tour où il était détenu.

La pucelle du Languedoc (13e s.). – En 1240, le fils de Trencavel tente en vain de recouvrer son héritage ; il assiège Carcassonne ; les engins et les mines ébrèchent les murailles, mais une armée royale le force à battre en retraite. Saint Louis fait alors raser entièrement les bourgs formés au pied des remparts. Les habitants expient leur rébellion par sept ans d'exode ; après quoi, ils ont l'autorisation de

(Photo G. Sioen/C.E.D.R.I.)
La Cité de Carcassonne.

construire une ville sur l'autre rive de l'Aude. C'est la ville basse actuelle. La Cité est remise en état et renforcée. L'œuvre est continuée par Philippe le Hardi. La place est désormais si bien défendue qu'elle passe pour imprenable.

Décadence et résurrection. – Après l'annexion du Roussillon au traité des Pyrénées, le rôle militaire de Carcassonne se trouve amenuisé : cinquante lieues la séparent de la frontière. Perpignan prend la garde à sa place. Il est même question d'une démolition.

Mais le Romantisme remet le Moyen Age à la mode. Prosper Mérimée, inspecteur général des Monuments historiques, s'intéresse aux ruines dans ses « Notes d'un voyage dans le Midi de la France – 1835 ». Un archéologue local, Cros-Mayrevieille, passe sa vie à plaider en faveur de sa ville. Viollet-le-Duc, envoyé sur place, revient à Paris avec un rapport enthousiaste qui décide la Commission des Monuments historiques à entreprendre, en 1844, la restauration de Carcassonne.

★★★ LA CITÉ *visite : 2 h*

La Cité (1) de Carcassonne, bâtie sur la rive droite de l'Aude, est la plus grande forteresse d'Europe.

Elle se compose d'un noyau fortifié, le château Comtal, et d'une double enceinte : l'enceinte extérieure, qui compte 14 tours, séparée de l'enceinte intérieure (24 tours) par les lices.

Elle garde une population résidante de 300 h., disposant d'une école, d'une banque, etc. ; elle échappe ainsi au sort des villes mortes, animées uniquement par le tourisme.

Accès. — Laisser la voiture sur l'esplanade aménagée hors les murs, en avant de la porte Narbonnaise (côté Est).

Porte Narbonnaise. — C'est l'entrée principale, la seule où passaient les chars. Un châtelet à créneaux, édifié sur le pont franchissant le fossé, et une barbacane percée de meurtrières précèdent les deux tours Narbonnaises, de part et d'autre de la porte, massives constructions à éperons (ou à becs) destinés à repousser l'assaillant ou

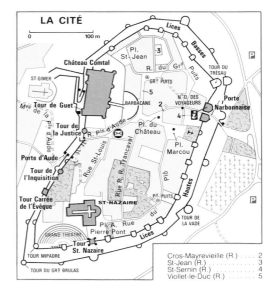

à faire dévier les projectiles. Entre les tours, au-dessus de l'arche, antique statue de la Vierge.

Rue Cros-Mayrevieille (2). — Elle permet d'accéder directement au château, mais on aimera flâner un peu dans le bourg médiéval aux ruelles intéressantes et tortueuses, bordées de nombreuses boutiques (artisanat, souvenirs).

A l'angle de la rue St-Sernin, Vierge du 15e s. dite « N.-D.-des-Voyageurs ». Entre la rue de la Paix et la rue Viollet-le-Duc, à droite de la place du Château, grand puits profond de près de 40 m.

Le Château Comtal et le rempart Ouest

Château Comtal. — A l'origine palais des vicomtes, adossé à l'enceinte gallo-romaine, il fut transformé en citadelle après le rattachement de Carcassonne au domaine royal en 1226. Depuis le règne de Saint Louis un immense fossé et une grande barbacane de plan semi-circulaire (comme toutes les tours d'architecture gallo-romaine mais cependant dites « wisigothiques » — *voir p. 56*).

Du pont, remarquer les hourds, à droite.

La visite commence par le musée.

Musée lapidaire. — Des vestiges provenant de la Cité et de la région y sont exposés : lavabo (12e s.) de l'abbaye de Lagrasse *(p. 84)*, **calvaire★** de Villanière (fin du 15e s.), belles fenêtres du couvent des Cordeliers, petits personnages finement sculptés, bornes milliaires, stèles funéraires discoïdales du Lauragais, dites « cathares », gisant d'un chevalier mort au combat. Salle d'iconographie de la Cité.

Cour d'Honneur. — Spacieuse, elle est entourée de constructions modernes. Du côté Sud, le bâtiment présente une façade romane dans sa partie inférieure, gothique au milieu et Renaissance dans sa partie supérieure. Des colombages sont bien visibles. Sur la droite, portes de cachots.

Cour du midi. — Elle sert de cadre à un festival d'art dramatique. A l'angle Sud-Ouest s'élève la plus haute des tours, la tour de Guet, très bien conservée, desservie par un unique escalier de bois.

Rempart Ouest. — En partie constitué par le château Comtal, le rempart Ouest comprend aussi d'autres tours.

Tour de la Justice. — Les Trencavel, vicomtes de Béziers et de Carcassonne, protecteurs des cathares, s'y réfugièrent avec le comte de Toulouse, pour échapper à l'armée de Simon de Montfort, lors de la Croisade des Albigeois. C'est une tour ronde (bâtie sous Saint Louis à la place d'une tour gallo-romaine) dont les ouvertures étaient protégées par des volets roulants permettant de voir le pied des murailles sans être vu.

---

(1) Pour plus de détails, voir l'album illustré présenté par F. Grimal (Paris, Caisse Nationale des Monuments Historiques) et R. Descadeillas (Colmar-Ingersheim, éditions S.A.E.P.).

CARCASSONNE ★★★

Les schémas ci-contre permettent de mieux comprendre le système défensif de la Cité :

Postes de tir

1 - Archères disposées sur 3 ou 4 étages.
2 - Trous « de boulin » pour le montage des hourds.
3 - Hourds montés : plates-formes de charpente permettant de lancer des projectiles en tir vertical.
4 - Meurtrière pratiquée dans un merlon sur deux.

Procédés de construction

5 - Empattement de la maçonnerie : le

Tour de Balthazar.

Château Comtal.

(D'après photo Perrin)

« fruit » rend le travail de sape plus difficile ; il disperse aussi, par ricochets meurtriers, les projectiles lancés des hourds.
6 - Éperon : la proue fait dévier les projectiles des assaillants ainsi que les coups de bélier.

Dates des fortifications :

— Époque gallo-romaine (3e-4e s.) : les murs sont en petit appareil coupés d'assises de briques rétablissant l'horizontalité des lits de maçonnerie. Les bases à lits alternés de moëllons et de mortier sont bien visibles lorsque les fondations sont déchaussées.
— Période séparant les deux sièges (entre 1209 et 1240) et règne de Saint Louis : les murailles présentent un moyen appareil, régulier, de pierres grises rectangulaires. Au 13e s., la partie gallo-romaine, reprise et renforcée, la plupart du temps en sous-œuvre (ce qui aboutit, par endroit, à inverser la succession des époques) a donné naissance à des ouvrages, dit « wisigothiques ». Étroits, terminés en abside vers l'extérieur et par un mur plat à l'intérieur, ils se prêtaient non seulement à la défense mais aussi à l'aménagement de salles ou magasins superposés.
Le long de l'enceinte extérieure, de nombreuses tours furent bâties en fer à cheval, ouvertes à la gorge ; d'autres, complètement fermées, formaient des réduits d'où l'on harcelait l'ennemi entré dans la lice.
— Règne de Philippe le Hardi : les pierres sont à bossages, les tours souvent à éperons. De cette époque datent les plus belles constructions : châtelet de la porte Narbonnaise, tour du Trésau (ou Trésor), tour de l'Inquisition entre autres.

Tour de l'Inquisition. — Comme son nom l'indique, elle était le siège du Tribunal de l'Inquisition. Un pilier central, avec des chaînes, et un cachot témoignent des tortures subies par les hérétiques.

Tour carrée de l'Evêque. — Elle est construite à cheval sur les lices, empêchant ainsi toute communication entre la partie Nord et la partie Sud de celles-ci. Comme elle était réservée à l'Évêque — sauf le chemin de ronde supérieur — elle fut aménagée plus confortablement. Depuis la deuxième salle on a une bonne vue sur le château.

Les Lices

On appelle ainsi la partie comprise entre les deux enceintes. Remarquer les chemins de ronde, les courtines, les crénelages, les hourds, de niveaux différents : ils suivent la pente du terrain extérieur.
On accède aux lices par la tour St-Nazaire ou par la porte d'Aude.

Tour St-Nazaire. — Bel ouvrage de plan carré dont la poterne — masquée par une échauguette d'angle — n'était accessible qu'avec des échelles. Elle conserve un puits et un four (au premier étage). Elle protégeait l'église, placée en arrière dans la cité. Au sommet a été installée une table d'orientation.

Porte d'Aude. — C'est l'élément majeur des lices. Un chemin fortifié, la Montée d'Aude, qui part du pied de la colline (du côté Ouest, où s'élève l'église St-Gimer) y donne accès. De tous côtés, elle est puissamment défendue : grand châtelet, petit châtelet, place d'Armes et portes.

Les lices basses. — Elles sont situées à l'Ouest et au Nord. A l'Ouest, elles s'étendent depuis la Tour Mipadre ou Tour d'Angle et se rétrécissent jusqu'à devenir inexistantes au niveau de la Tour de l'Évêque qui barre le passage.
Au-delà de la porte d'Aude, on passe devant le château Comtal et on circule alors sur le front Nord, wisigoth, partie la plus ancienne. Là, les courtines et les tours de l'enceinte intérieure sont très élevées ; les toitures d'origine, plates, de style méridional, sont bien visibles sur les tours de l'enceinte extérieure (alors que celles refaites par Viollet-le-Duc sont pointues).

Les lices hautes. — Elles commencent, côté Est, à la tour du Trésau (ou Trésor), sont très larges et bordées de fossés. Après la porte Narbonnaise, à gauche, remarquer sur l'enceinte extérieure, la tour de la Vade, donjon avancé, haut de trois étages, destiné à la surveillance de tout le côté Est. La promenade sur le front Sud jusqu'à la tour d'Angle du Grand Brulas, face à la tour Mipadre, présente, elle aussi, beaucoup d'intérêt.

★ Basilique St-Nazaire

De l'ancienne église dont les matériaux furent bénits en 1096 par le pape Urbain II ne subsiste que la nef. Le transept et le chevet gothiques (1269-1320) ont remplacé l'abside et les absidioles romanes. La façade Ouest a été modifiée par Viollet-le-Duc : ayant cru, par erreur, que l'église faisait partie d'une enceinte fortifiée « wisigothique », l'architecte s'autorisa à couronner de créneaux ce clocher-mur.

En pénétrant à l'intérieur, on saisit mieux le contraste entre la nef centrale, échantillon d'art roman méridional, simple et sévère sous sa voûte en berceau, et le chevet illuminé par les baies de l'abside et des six chapelles orientées. Cet ensemble, ajouré à l'extrême, constitue, par ses proportions parfaites, la pureté et la légèreté de ses lignes, le goût de sa décoration, une réussite architecturale. Les chapelles latérales ont été ouvertes postérieurement au Nord et au Sud de la nef romane.

Les **vitraux★★** de St-Nazaire (13e et 14e s.) sont considérés comme les plus intéressants du Midi. De remarquables **statues★★** — elles rappellent celles de Reims et d'Amiens — ornent le pourtour du chœur. Plusieurs tombeaux d'évêques, entre autres celui de Pierre de Roquefort (14e s.), dans la 1re chapelle à gauche, et celui de Guillaume Razouls (13e s.), dans la chapelle du croisillon droit, retiennent l'attention.

LA VILLE BASSE

Noyau de la ville actuelle, le « bourg » créé par Saint Louis est délimité par les boulevards qui occupent l'emplacement des anciens remparts. Il offre un plan régulier de « ville nouvelle ». Seule l'esplanade de la place Carnot égayée par une fontaine de Neptune (1770) et par les éventaires des maraîchers, les mardis, jeudis et samedis, rompt la monotonie de ce damier que domine la haute tour claire (15e s.) de l'église St-Vincent.

Musée des Beaux-Arts. — *Entrée : rue de Verdun.*
Peintures des 17e s. et 18e s. (maîtres flamands et hollandais) présentées avec raffinement en harmonie avec des porcelaines. La touche régionale est donnée par de grands portraits de Rigaud et de Rivalz et par des scènes de batailles du peintre carcassonnais Jacques Gamelin (1738-1803). Peinture de Chardin : les Apprêts d'un déjeuner.

Le musée rassemble des souvenirs de la famille Chénier, languedocienne d'adoption : portraits d'André Chénier, de sa mère, dans son costume national grec : le père d'André Chénier remplissait les fonctions de consul à Constantinople et s'y était marié.

Au rez-de-chaussée, une salle est consacrée à des peintures des 18e et 19e s., une autre à des œuvres d'artistes locaux.

CASTELNAUDARY   11 381 h. (les Chauriens)

Carte Michelin n° 82 pli 20.

Sa situation sur le canal du Midi lui valut longtemps d'être le siège d'un trafic commercial intense que relaie aujourd'hui, en partie, la navigation de plaisance *(sur les sociétés de location, voir le chapitre Renseignements pratiques, en fin de volume).* Castelnaudary est réputée pour ses fabriques de cassoulet, ses ateliers et usines de poterie, de céramique et de briqueterie.

La bataille du Fresquel. — La plaine où coule le Fresquel fut le théâtre au 17e s. d'une bataille célèbre. Sur l'initiative de Richelieu, les États du Languedoc (symbole de l'indépendance de la province face à la monarchie) se voient dépossédés de leur droit de répartir et lever les impôts. Henri de Montmorency, gouverneur de la province, met son épée au service des États et affronte l'armée royale à Castelnaudary le 1er septembre 1632. Fait prisonnier, il est jugé le 30 octobre et exécuté à Toulouse sur l'ordre du cardinal.

Le cassoulet de Castelnaudary. — La tradition veut que la « cassole » (qui a donné le therme de « cassoulet ») soit en argile d'Issel, que les haricots aient poussé sur le sol de Lavelanet, qu'ils soient cuits dans l'eau très pure de Castelnaudary ; enfin, que des ajoncs de la Montagne Noire alimentent le feu du four.

CURIOSITÉS

Église St-Michel (BZ). — Érigée en collégiale au début du 14e s., elle fut reconstruite à l'emplacement d'un édifice antérieur. Le clocher-porche haut de 56 m, la façade Nord percée de deux portails (gothique et Renaissance) et ajourée de roses sont remarquables. Dans la deuxième chapelle de la nef gothique, à droite : belle croix de pierre sculptée du 16e s. Orgues (18e s.) de Cavaillé-Coll.

Le Grand Bassin (BZ). — Plan d'eau formé par le canal du Midi, il constitue une retenue pour les quatre écluses de St-Roch et une base de navigation de plaisance.

Moulin de Cugarel (BY). — Au début du siècle, une dizaine de moulins étaient encore en activité sur les hauteurs de Castelnaudary. Le moulin de Cugarel, bâti sur la butte du Pech, offre une belle vue sur la plaine du Lauragais. Du 17e s., il a été restauré en 1962. La toiture mobile et, à l'intérieur, l'ancien système de meunerie ont été reconstitués. Par ailleurs, Castelnaudary était un centre de minoteries dont la force motrice était empruntée au canal.

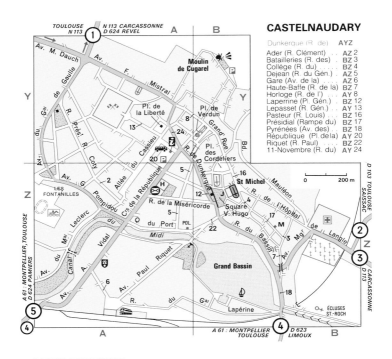

CASTELNAUDARY

Dunkerque (R. de) . . **AYZ**

Ader (R. Clément)	AZ 2
Batailleries (R. des) . .	BZ 3
Collège (R. du)	BZ 4
Déjean (R. du Gén.) . .	AZ 5
Gare (Av. de la)	AZ 6
Haute-Baffe (R. de la)	BZ 7
Horloge (R. de l') . . .	AY 8
Laperine (Pl. Gén.) . .	BZ 12
Lepasset (R. Gén.) . .	AY 13
Pasteur (R. Louis) . . .	BZ 16
Présidial (Rampe du) .	BZ 17
Pyrénées (Av. des) . .	BZ 18
République (Pl. de la)	AY 20
Riquet (R. Paul)	AZ 22
11-Novembre (R. du)	AY 24

EXCURSIONS

St-Papoul. — 673 h. *5 km par ② du plan, D 103.* L'abbaye du village, fondée au 11ᵉ s., fut érigée en évêché en 1317. Dans le cloître, au Sud de l'abbatiale, des colonnettes jumelées portent des arcs en plein cintre et sont ornées de chapiteaux assez bien conservés.

Dans l'abbatiale, le narthex, le chœur et l'absidiole Nord, datant du 12ᵉ s., seraient les parties les plus anciennes de l'édifice. Dans la nef, les fresques du 18ᵉ s. ont été restaurées.

Remarquer le tombeau en marbre gris de l'évêque François de Donnadieu, mort en 1626.

Seuil de Naurouze. — *12 km par ① du plan puis N 113. Description p. 102.*

CAZÈRES
3294 h. (les Cazériens)

Carte Michelin nº 🔳🔳 plis 16,17.

La ville, ancienne étape de pèlerins et de marchands sur la route de Toulouse aux Pyrénées, tire un agrément nouveau de sa position sur le léger abrupt d'une rive concave de la Garonne, depuis qu'un barrage de l'E.D.F. a rehaussé le niveau du fleuve (plan d'eau de Cazères, régulièrement empoissonné et livré aux activités nautiques).

Église. — 14ᵉ et 15ᵉ s. Elle conserve dans la salle des fonts baptismaux, greffée sur la chapelle oblique de la Vierge, à droite, les pièces d'un **trésor** remis en valeur.

Autour de fonts baptismaux (1320) à cuve décagonale — remarquer l'agneau et la croix du diocèse de Rieux — sont présentés des bustes-reliquaires (sainte Quitterie, saint Jacques), des pièces d'orfèvrerie religieuse et des vêtements sacerdotaux, des vitrines de documents ayant trait à l'histoire locale, particulièrement aux confréries et aux pèlerinages.

Vierge à l'Enfant, en bois polychrome, du 13ᵉ s., et retables en bois doré et peint, du 17ᵉ s.

EXCURSION

★ **Panorama des carrières de Belbèze**. — *15 km au Sud-Ouest puis 1/4 h à pied AR. Quitter Cazères vers Couladère. Dans ce village, prendre le D 62 à droite. A Mauran, prendre le D 83 à gauche.*

La route, pittoresque d'un bout à l'autre, longe la rive droite de la Garonne jusqu'à Mauran. Après un passage en virages serrés, le D 83 offre des vues très dégagées vers les Petites Pyrénées, particulièrement avant l'arrivée à Ausseing.

Laisser la route de Belbèze-en-Comminges et prendre à gauche l'itinéraire signalé « table d'orientation ».

Du parking terminal on monte à vue vers la table d'orientation érigée sur un versant pierreux de la montagne : panorama sur la dépression du Salat et les Pyrénées Ariégeoises, sur la droite, le pic du Midi de Bigorre, le pic de Montaigu et les derniers contreforts pyrénéens vers le Pays Basque.

Des carrières de Belbèze fut extraite la pierre utilisée dans la construction de plusieurs hôtels et monuments de Toulouse.

★ La CERDAGNE

Carte Michelin n° 86 plis 15, 16.

La Cerdagne, région des Pyrénées orientales au relief uniforme, « meitat de Franca, meitat d'Espanya » (moitié de France, moitié d'Espagne), occupe le haut bassin du Sègre, affluent de l'Èbre, entre le défilé de St-Martin (alt. 1 000 m environ) et le col de la Perche (alt. 1 579 m).

Exceptionnellement ensoleillée et abritée, cette dépression baignée d'une lumière dorée offre l'image paisible d'un terroir rural de plaine : damier de moissons et de prairies, ruisseaux bordés d'aulnes et de saules.

Des montagnes majestueuses encadrent ce bassin d'effondrement occupé par un lac à l'ère tertiaire : au Nord, côté **soulane**, le massif granitique du Carlit (alt. 2 921 m) ; au Sud le chaînon du Puigmal (alt. 2 910 m), incisé de grands ravins parallèles où se maintiennent les forêts de pins de l'**ombrée**.

La région vit de l'élevage et du tourisme d'hiver (Font-Romeu).

Le berceau de l'État catalan. — Après la reconquête, sur les Arabes, du Roussillon et de la Catalogne, la Cerdagne fait figure de petite nation montagnarde, de moins en moins liée à l'administration franque de la Marche d'Espagne.

L'un de ses seigneurs, Wilfred le Velu, est investi en 878 des comtés de Barcelone et de Gérone. Au 10ᵉ s., ses héritiers, devenus en fait souverains dans leur comté, contrôlent la haute vallée du Sègre, le Capcir, le Conflent, le Fenouillèdes, la haute plaine du Roussillon. Cette dynastie s'éteint en 1117. L'État administré dès lors de Barcelone par les rois d'Aragon de race catalane perd le caractère montagnard qui avait marqué ses origines.

Le souvenir des comtes de Cerdagne survit dans l'histoire religieuse et monumentale : Wilfred le Velu avait fondé les abbayes de Ripoll, de San Juan de las Abadesas et l'évêché de Vich *(voir le guide Vert Michelin Espagne)* ; au 11ᵉ s. le comte Guifred agrandit l'abbaye St-Martin-du-Canigou *(p. 117)* ; son frère l'abbé Oliva, grand bâtisseur et maître spirituel, fait de Ripoll et de St-Michel-de-Cuxa *(p. 118)* d'incomparables foyers de culture.

De leur passé de « capitale » civile, Corneilla-de-Conflent, Hix, Llivia conservent leur belle église.

La Cerdagne française. — En 1659, le traité des Pyrénées n'avait pas délimité dans les détails la nouvelle frontière franco-espagnole en Cerdagne, l'accord ne s'étant pas fait sur le choix des monts appelés à devenir frontières naturelles. Les experts signent, en 1660, à **Llivia**, le traité de division de la Cerdagne reconnaissant à l'Espagne la possession du comté, sauf la vallée de Carol et une bande de territoire permettant aux sujets du roi de France une communication entre la vallée de Carol, le Capcir et le Conflent, à concurrence de 33 villages à annexer à la France.

Les 33 villages sont choisis parmi les plus proches de la frontière, mais Llivia, considérée comme « ville », échappe à ce décompte et reste à l'Espagne, formant depuis une enclave en territoire français.

Le percement projeté de tunnels routiers sous le col de Puymorens et, en Espagne, à travers la Sierra del Cadi, replacera un jour la Cerdagne sur un grand axe Paris-Barcelone.

★★ 1 VALLÉE DU CAROL
Du col de Puymorens à Bourg-Madame
27 km — environ 1 h — schéma p. 60 et 61

C'est à partir du col de Puymorens qu'il faut pénétrer en Cerdagne. Quittant la haute vallée de l'Ariège *(p. 45)*, aux versants assez aplatis, on pénètre dans une vallée de plus en plus profonde.

★ Col de Puymorens. — *Page 46.*

Au col le paysage change. On est sur le seuil de partage des eaux : celles de l'Ariège, tributaires de la Garonne, vont vers l'Atlantique, celles du Sègre, affluent de l'Ebre, coulent vers l'Espagne.

Après un pont sur un couloir d'avalanche, la route, en descente, permet d'apprécier le site ensoleillé du village de Porté-Puymorens, la vallée du Carol, plus humanisée, et le verrou glaciaire surmonté des ruines rousses de la tour Cerdane. La route plonge vers la vallée de Font-Vive, dominée par les pics de Col Rouge et les premiers escarpements du pic Carlit (alt. 2 921 m).

Au-delà de Porté, la route pénètre dans le défilé de la Faou. Jolie vue à gauche sur le hameau de Carol et sur les deux tours en ruines qui se dressent derrière le viaduc. Le parcours encaissé se termine aux abords d'Enveitg. La Cerdagne s'épanouit. On arrive dans une plaine riche, haut perchée (moyenne d'altitude : 1 200 m) : les sommets qui se ferment paraissent, de ce fait, moins élevés.

Avant Bourg-Madame *(ci-dessous)*, on voit à gauche le Grand Hôtel de Font-Romeu : en avant la « ville » de Llivia, enclave espagnole *(ci-dessus)*. Sur sa butte se hausse Puigcerdà.

Bourg-Madame. — 1346 h. Bourg-Madame est le nom donné à la localité en 1815, en l'honneur de Madame Royale, par la grâce du duc d'Angoulême, son époux, rentré en France par cette route après le séjour qu'il fit en Espagne, à la chute de l'Empire. Auparavant, le hameau des Guinguettes d'Hix avait su tirer parti de sa situation au bord du ruisseau frontière de la Rahur pour développer ses activités : industrie, colportage et contrebande.

★ 2 ROUTE DE LA SOULANE
De Bourg-Madame à Mont-Louis
36 km − environ 2 h − schéma p. 61

Bourg-Madame. − *Page 59.*

> *Quitter Bourg-Madame par le Nord (N 20). A Ur, prendre à droite le D 618 et à Villeneuve-des-Escaldes prendre à gauche le D 10.*

⊘**Dorres.** − 156 h. Dans l'**église,** on verra à l'autel latéral de gauche un témoin typique du goût tenace du peuple catalan pour les statuettes parées : une Vierge des Douleurs («soledat») ; dans la chapelle de droite, fermée par une grille, impressionnante Vierge noire anguleuse.

En descendant le chemin cimenté, en contrebas de l'hôtel Marty, on atteint *(1/2 h à pied AR)* une source sulfureuse (41°) où les Cerdanais et les estivants viennent pratiquer le thermalisme de plein air.

> *Revenir au D 618.*

⊘**Angoustrine.** − 289 h. Monter à pied à l'**église** haute, romane, pour admirer ses **retables ★**, surtout celui dédié à saint Martin : cavalier de la niche centrale et, sur les panneaux peints, sauvetage d'un marin, d'un pendu, etc., prodiges du saint.

L'horizon s'élargit tandis que la route s'élève en lacet. Tracée légèrement au-dessus de la plaine, elle la domine sans cesse.

Chaos de Targassonne. − Gigantesque amoncellement de blocs granitiques roulés par les glaciers quaternaires. Fantastiques amas rocheux aux formes tourmentées.

Col d'Egat. − Alt. 1 630 m. Vue sur la chaîne frontière, du Canigou au Puigmal, et sur la Sierra del Cadi plus découpée. Sur les pentes rases de la Soulane paissent les troupeaux de moutons.

Odeillo. − L'église abrite, en dehors de la saison pastorale (juin à septembre), une Vierge à l'Enfant, la Vierge de Font-Romeu, du 13e s. En été la Vierge à l'Enfant d'Odeillo (12e s.) prend sa place.

⊘Le **four solaire,** dont le miroir concave reflète le versant de la Soulane, a été mis en service en 1969. Etagés à flanc de pente, 63 héliostats (miroirs plans orientables) dirigent les rayons solaires sur le miroir parabolique (1 800 m2) fait de 9 500 petites glaces. L'énergie solaire (1 000 KW thermiques) est ainsi concentrée sur un espace de 80 cm de diamètre où la température peut dépasser 3 500° C. L'installation permet le traitement de composés réfractaires et de minerais et des essais de matériaux soumis à des chocs thermiques.

L'agglomération de Font-Romeu devient plus dense et l'on reconnaît, outre l'imposant Grand Hôtel, le monument du Christ-Roi. En avant, par le seuil de la Perche, le Canigou se dessine à l'extrémité du chaînon dominant le versant rive droite de la Têt.

★★ **Font-Romeu.** − *Page 80.*

La route traverse la forêt de pins de **Bolquère**, village pittoresque dont on aperçoit la petite église perchée sur un promontoire. On atteint le plateau de Mont-Louis, point de départ pour la vallée de l'Aude *(p. 48)* et pour le Conflent *(p. 64).* Au carrefour de la N 116 et du D 618 s'élève le monument d'Emmanuel Brousse, député cerdan.

Mont-Louis. − *Page 96.*

3 ROUTE DE L'OMBRÉE
De Mont-Louis à Bourg-Madame
112 km − une demi-journée − schéma p. 61

Mont-Louis. − *Page 96.*

Au départ de Mont-Louis, la N 116, en palier, atteint le large seuil herbeux du col de la Perche faisant communiquer, à 1 579 m d'altitude, les bassins de la Têt (Conflent) et du Sègre (Cerdagne). Au sud s'élève le Cambras d'Azé, évidé d'un cirque glaciaire très régulier. En progressant dans la haute lande le long de la route d'Eyne le **panorama ★** d'ensemble sur la Cerdagne prend de l'ampleur ; de gauche à droite on identifie la Sierra del Cadi, relativement dentelée, Puigcerda sur sa butte morainique surgissant du fond du bassin, le massif frontière de l'Andorre (pic de Campcardos), le massif du Carlit.

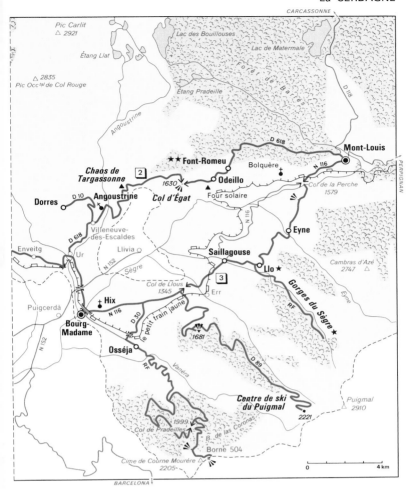

La route va désormais se rapprocher, plus ou moins loin, de la sortie des quatre vallées qui échancrent le massif du Puigmal : vallées d'Eyne, de Llo, d'Err, d'Osséja.

Eyne. – 50 h. Joli site de village étagé, dans une conque.

Dans une descente en lacet se découvre le site plus âpre de Llo.

★ **Llo.** – 116 h. Bourg pittoresque échelonné sur des pentes escarpées à la sortie d'un ravin affluent du Sègre. Une atalaye ou tour de guet *(voir p. 27)* domine le paysage. En contrebas, l'église romane montre à son portail une voussure médiane décorée de motifs en tête de clou, de têtes d'hommes et de spirales.

★ **Gorges du Sègre.** – Partir de l'église de Llo. Le Sègre s'échappe du massif du Puigmal par des gorges que l'on peut remonter jusqu'au troisième pont sur le torrent. Au passage on admire un beau rocher, formant aiguille, vu de l'aval.

Saillagouse. – 837 h. L'un des centres de production des célèbres charcuteries cerdanes.

> *Après le col de Llous, prendre à gauche la route de la station du Puigmal (D 89) : arrivant en lisière de la forêt, aussitôt après un lacet, prendre à droite la route forestière, revêtue.*

Table d'orientation de Ste-Léocadie. – Alt. 1 681 m. Elle se dresse à gauche, à l'entrée du virage, en contrebas. **Panorama ★** sur la Cerdagne, face à la trouée de la vallée du Carol par laquelle apparaît le pic de Fontfrède.

> *Revenir au D 89 et prendre à droite.*

La route de montagne remonte la vallée de l'Err.

Station du Puigmal. – Alt. 2 221 m. Lieu de séjour p. 8. Centre de sports d'hiver.

> *De retour à la N 116, prendre à gauche et encore à gauche (D 30).*

★ **Routes forestières d'Osséja.** – Aires de pique-nique aménagées le long du parcours.

Osséja. – 1 881 h. (les Osséjanais). Lieu de cure médicale d'altitude.
En amont d'Osséja, laisser la route de Valcebollère pour suivre la route forestière qui se scinde à la lisière d'un des plus importants massifs de pins de montagne des Pyrénées. Par la branche de droite, on aboutit, après le col de Pradelles, sur la croupe du Puigmal, à la borne 504 (cime de Courne Mourère, alt. 2 205 m environ). **Vues ★** sur la Cerdagne, les montagnes frontières de l'Andorre et, au Sud, les sierras catalanes.

Redescendre à Osséja par la branche de la route forestière non empruntée à la montée et rejoindre la N 116. La prendre à gauche.

Hix. — Ancienne résidence des comtes de Cerdagne et capitale commerciale du pays jusqu'au 12e s., Hix a été ravalée au rang de simple hameau lorsque le roi Alphonse d'Aragon fit transférer la ville sur le site moins vulnérable du « Mont Cerdan » (Puygcerdà), en 1177, et surtout après la consécration du quartier des « guinguettes » comme siège de la municipalité en 1815, sous le nom de Bourg-Madame *(p. 59)*.

La petite **église** romane abrite deux œuvres d'art. A droite, l'important retable peint au début du 16e s., et dédié à saint Martin, incorpore une Vierge assise du 13e s. A la prédelle se succèdent de gauche à droite : sainte Hélène, la Vierge, le Christ de pitié, saint Jean, saint Jacques le Majeur. Du Christ roman aux cheveux épars se dégage une certaine douceur.

Bourg-Madame. — *Page 59.*

Le « petit train jaune » :

La visite touristique de la Cerdagne peut être complétée par le parcours de la ligne SNCF à voie étroite Latour de Carol-Villefranche-Vernet-les-Bains desservie par des services réguliers. La section de Mont-Louis à Olette (Haut Conflent) est la plus pittoresque (pont Gisclard, viaduc Séjourné, etc.).

★ CÉRET

6909 h. (les Cérétans)

Carte Michelin n° 🔲🔲 pli 19 — Schéma p. 34.

Céret, cité du Vallespir, est, avec ses corridas et ses sardanes, un vivant foyer de la tradition catalane au Nord des Pyrénées. Ses vergers irrigués en font un centre important de primeurs : les cerises y mûrissent dès la mi-avril et sont parmi les premières sur le marché français.

Au début du siècle, un groupe de peintres d'avant-garde, attirés par le sculpteur catalan Manolo (1872-1945), valut à Céret le nom de « Mecque du cubisme ». Le compositeur Déodat de Séverac (1873-1921) fit de la ville son séjour d'élection. Son monument, avec médaillon, par Manolo, se dresse à côté du syndicat d'initiative.

L'artisanat d'art s'épanouit de nos jours dans la petite ville.

CURIOSITÉS

Le Vieux Céret. — Entre la place de la République et la place de la Liberté, les cours ombragés de gigantesques platanes sont favorables à la flânerie. Des remparts, il reste place de la République une porte fortifiée, la porte de France, et place Pablo-Picasso, un vestige restauré de la porte d'Espagne. Un monument dédié à Picasso (1973), la Sardane de la paix, a été édifié face aux arènes en fer forgé soudé sur inox, d'après un dessin du maître.

Comme plusieurs villes du Roussillon, Céret avait fait appel à Aristide Maillol pour son monument aux morts de 1914-1918 (place de la Liberté).

★ **Musée d'Art Moderne.** — Il rassemble des œuvres de Matisse, Chagall, Maillol, Dali, Juan Gris, Manolo, Miró. Une salle est consacrée à Picasso et Tapiès. Œuvres d'artistes contemporains : Ben, Viallat, Capdeville, Manessier.

★ **Vieux Pont.** — Nullement déprécié par le voisinage du pont routier moderne et du pont ferroviaire, ce « pont du Diable » (14e s.) à une seule arche de 45 m d'ouverture enjambe le Tech, à 22 m au-dessus de la rivière. Belle vue, d'un côté sur le massif du Canigou et, de l'autre, sur les Albères qui s'abaissent vers le col du Perthus.

Descendre, à pied, vers l'aval, à une scierie, pour admirer le pont.

EXCURSION

Pic de Fontfrède. — *14 km au Sud — 1 h environ — schéma p. 34. Quitter Céret par la place des Tilleuls. Description p. 34 (Route des Albères).*

Plan de CÉRET

Aribaud (Av. M.) 3
Cosmonautes (Allées des) .. 7
Déodat de Séverac (Av.) ... 9
Évadés de France (R. des) . 13
Jardins (R. des) 14
Jaurès (Bd Jean) 15
Liberté (Pl. de la) 18
Marceau (R.) 19
République (Pl. de la) 28
Résistance (Pl. de la) 28
Tarris (R.) 29
Tilleuls (Av. des) 30
Tilleuls (Pl. des) 33

Clemenceau
  (Av. Georges)
Commerce (R. du) 8
Joffre (Bd Mar.) 16
Picasso (Pl. Pablo) 23
St-Férréol (R.)

Carte Michelin n° 🎗🎗 pli 20 – Schéma p. 35 – Lieu de séjour p. 9.

Collioure, jolie petite ville de la Côte Vermeille que dominent les derniers contreforts des Albères, offre tant d'agréments qu'elle attire chaque année une foule innombrable de touristes.
Elle est bien connue pour ses anchois (ateliers de salaison et de semi-conserves installés sur place), pêchés « au lamparo » *(voir p. 15)*.

★★ **Le site.** — Collioure, bâtie dans un cadre naturel encore intact, occupe une situation privilégiée que le soleil et le bleu du ciel et de la mer rendent plus charmante encore. Son église fortifiée, avançant si près de la côte qu'on la croirait dans la Méditerranée, ses deux petits ports séparés par le vieux château royal, avec leurs barques aux couleurs vives et leurs filets étendus, fleurant bon l'anchois, ses vieilles rues aux balcons fleuris, aux escaliers pittoresques, sa promenade du bord de mer, ses terrasses de cafés et ses boutiques aux vitrines colorées donnent à la petite cité beaucoup de caractère.
De nombreux peintres, séduits par ses couleurs, l'ont choisie pour l'immortaliser sur leurs toiles. Déjà, vers 1910, les premiers « fauves » s'y réunissaient : Derain, Braque, Othon, Friesz, Matisse... Plus tard, Picasso et Foujita y séjournèrent. Aujourd'hui encore, la plage Boramar est un sujet apprécié par de nombreux artistes.

Au bord du « lac catalan ». — La Collioure médiévale est avant tout le port de commerce du Roussillon, d'où s'exportent les fameux draps « parés » de Perpignan. C'est l'époque où la marine catalane règne sur la Méditerranée, jusqu'au Levant.
En 1463 l'invasion des troupes de Louis XI inaugure pour la ville une période troublée. Le château se développe sur l'éperon rocheux séparant le port en deux anses, autour du donjon carré élevé par les rois de Majorque. Charles-Quint et Philippe II le transforment en une citadelle renforcée par le fort St-Elme et le fort Miradou. Après la paix des Pyrénées Vauban met la dernière main aux défenses : la cité enclose est rasée à partir de 1670 et laisse la place à un vaste glacis. La « Ville » basse devient désormais l'agglomération principale.

COLLIOURE

Amirauté (quai de l')	3
Démocratie (R. de la)	8
Jaurès (Pl. Jean)	14
Leclerc (Pl. Mar.)	17
St-Vincent (R.)	30
Aire (R. de l')	2
Arago (R. François)	4
Dagobert (R.)	7
Égalité (R. de l')	9
Ferry (R. Jules)	13
Lamartine (R.)	15
La Tour d'Auvergne (R. de)	16
Maillol (Av. Aristide)	18
Mailly (R.)	19
Michelet (R.)	20
Miradoux (Av. du)	23
Rousseau (R. J. J.)	29
Soleil (R. du)	33

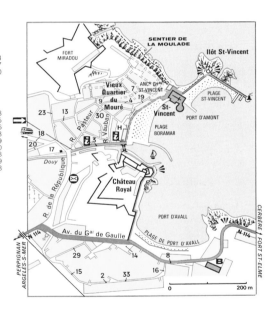

Le tableau de la page 32 donne la signification des signes conventionnels figurant dans ce guide.

CURIOSITÉS

Gagner à pied le Vieux port ou « port d'Amont » par le quai de l'Amirauté, le long du « ravin » du Douy, généralement à sec. Longer la plage Boramar.

Église St-Vincent. — Elle a été construite entre 1684 et 1691 pour succéder à l'église de la ville haute, rasée sur l'ordre de Vauban.
Le clocher, d'un cachet si particulier, avec son dôme rose, était le phare du vieux port. L'intérieur, sombre, surprend par la richesse de ses neuf **retables★** sculptés sur bois et dorés (notice explicative à gauche du chœur). Celui du maître-autel est l'œuvre du Catalan Joseph Sunyer. Il date de 1698. C'est un immense triptyque de trois étages qui occupe tout l'arrière chœur.
De ce fait, il cache entièrement l'abside, dans le style des retables chirrugueresques (de Chirruguera, famille d'architectes espagnols du 18e s.) des églises d'Espagne de cette époque. Au centre la Vierge de l'Assomption, au sommet le Père Éternel entre la Justice et la Charité. Toutes les statues sont finement sculptées et attirent l'admiration. De Joseph Sunyer également, remarquer le retable du Saint-Sacrement, à gauche du chœur, de taille plus modeste mais tout aussi délicatement ciselé.

🕐 **Trésor.** — La sacristie abrite un beau meuble-vestiaire d'époque Louis XIII, des peintures du 15e s., un reliquaire du 16e s. et une Vierge du 17e s. qui aurait appartenu à l'église sacrifiée.

Ancien îlot St-Vincent. — Il est relié à l'église par deux plages dos à dos. Derrière la petite chapelle, le vaste panorama s'étend sur la Côte Vermeille. Une digue mène au phare.

Revenir sur ses pas en passant derrière l'église.

★ **Sentier de la Moulade.** — *3/4 h à pied AR à partir du pied de l'ancien château St-Vincent.*

Très agréable promenade, bien aménagée entre la falaise et la mer. Vers le Nord, on aperçoit Argelès-sur-Mer, St-Cyprien et Canet-Plage.

Vieux quartier du Mouré. — On aimera flâner dans ses ruelles escarpées et fleuries.

Traverser la passerelle du Douy, au fond du port de plaisance.

On contourne alors, en suivant le quai, les impressionnantes murailles du château royal.

☉ **Château Royal.** — Il dresse sa masse imposante au pied de la mer, entre le port d'Amont et le port d'Avall. Au 17ᵉ s., Vauban fit ajouter l'enceinte extérieure et raser le village qui s'étendait à ses pieds pour aménager les glacis.

Certaines salles sont visitables. Quand on peut accéder aux terrasses (depuis le parking Ouest côté Douy), on voit bien la ville et le port. En arrière, les Albères, au-dessus de la mer.

Poursuivre jusqu'à la plage du port d'Avall, dite du Faubourg.

Admirer au passage les jolies embarcations colorées. On pourra aussi faire une halte agréable sous les palmiers, près des aires de jeux de boules, nombreuses et très animées.

Église de l'ancien couvent des Dominicains (B). — Elle est située à droite sur la route de Port-Vendres. Désaffectée, elle abrite désormais une cave coopérative.

En continuant un peu, sur la N 114, en montée, on aura, dans un virage, une bonne vue sur la baie de Collioure et la cité.

Le CONFLENT

Carte Michelin nº 🔲🔲 plis 16 à 18.

C'est la partie du Roussillon traversée par la vallée de la Têt, que longe la N 116. C'est une région riche, grâce à l'abondance de ses rivières et torrents, où prédominent les cultures maraîchères et surtout les vergers. Parallèle à la vallée du Tech *(p. 134),* elle en est séparée par le massif du Canigou que l'on aperçoit depuis Mont-Louis, aux portes de la Cerdagne *(p. 59).*

DE MONT-LOUIS À VILLEFRANCHE-DE-CONFLENT

30 km — environ 4 h

La route, tracée en corniche entre Mont-Louis et Olette, connaît, en fin de semaine surtout, une circulation intense.

Mont-Louis. — *Page 96.*

La N 116 que l'on prend en direction de Prades, à la sortie de Mont-Louis, serpente sous le couvert d'arbres : la forteresse de la ville n'est plus visible. Dans la descente, à chaque virage apparaissent les hauts sommets de la rive droite de la Têt : Cambras d'Aze, pic de Gallinas et pic Redoun, sommets aux lignes calmes encadrant la courbe pure du col Mitja, le Canigou au dernier plan.

Pont Gisclard. — Ce pont ferroviaire suspendu, d'une hardiesse remarquable, porte le nom de son créateur, officier du génie, tué accidentellement au cours des essais (monument en bordure de la route).

La route, en forte descente, devient plus sinueuse. Les horizons sont nettement dégagés. A droite, au milieu des cultures en terrasses, s'étagent les hameaux de St-Thomas et de Prats-Balaguer. On passe à **Fontpédrouse** (108 h.), village qui dévale la paroi rocheuse.

Pont Séjourné. — Viaduc élégant et robuste, dédié à son constructeur, l'ingénieur Paul Séjourné (1851-1939). Si l'on a la chance d'y voir passer le « petit train jaune » *(voir p. 62)* de la ligne de Villefranche-Bourg-Madame, le spectacle est particulièrement pittoresque.

La végétation arbustive, nettement moins dense, laisse apercevoir les ouvrages d'art de la voie ferrée que l'on suit de près.

Thuès-les-Bains. — 38 h. Modeste station. Un centre thermal de rééducation et de réadaptation fonctionnelle y est installé pour les handicapés.

La vallée devient rectiligne et sauvage. La route est parfaitement tracée et pénètre dans le défilé des Graüs. Sur la droite, la rivière de Mantet a creusé un étroit vallon. La vigne et les derniers agaves disparaissent.

Olette. — 532 h. Village-rue dont les maisons, à 3 ou 4 étages, adossées contre le rocher, composent un site séduisant. On aperçoit bientôt l'usine et les ruines du château de la Bastide. Jusqu'à Serdinya, le paysage change de caractère : les hameaux s'étagent en terrasses.

★ **Villefranche-de-Conflent.** — *Page 136.*

DE VILLEFRANCHE-DE-CONFLENT À ILLE-SUR-TET

41 km − environ 5 h

★ **Villefranche-de-Conflent.** − *Page 136.*

>   *Quitter Villefranche au Sud par le D 116.*

Corneilla-de-Conflent. − *Page 71.*

La route, ombragée de platanes, remonte la vallée épanouie du Cady, domaine des vergers de pommiers et de poiriers. Le torrent s'épanche sur un lit caillouteux.

★ **Vernet-les-Bains.** − *Page 35.*

Dans la descente vers le col d'Eusèbe, le D 27, encadré de pommiers puis de chênes, procure de très jolies vues sur la vallée du Cady. Après Fillols, on atteint le col de Millères, d'où part la route vers le Canigou *(p. 52)*. La descente s'accentue dans la vallée de la Taurinya, avec de belles échappées sur St-Michel-de-Cuxa et Prades.

★ **Abbaye St-Michel-de-Cuxa.** − *Page 78.*

Prades. − *Page 111.*

>   *Traverser Prades et prendre la N 116 à droite.*

On entre dans la plaine du Conflent, couverte de vergers. Accroché à un éperon du versant opposé, le village d'Eus offre une jolie **vue★** depuis la route tracée entre la Têt et la voie ferrée. A la sortie de **Marquixanes**, bourg fortifié groupé autour de son église, au clocher couronné, au 17e s., de tourelles décoratives, la N 116 longe le **barrage de Vinça** (1977), aménagement destiné à l'irrigation, à la régularisation des crues d'automne de la Têt et à la constitution d'une réserve d'eau potable. Après Vinça, autre cité fortifiée, la route passe au-dessus de la retenue, dont la partie droite est aménagée pour la baignade, et atteint bientôt Ille-sur-Têt.

Ille-sur-Têt. − *Page 109.*

CONQUES-SUR-ORBIEL   1 787 h. (les Conquois)

Carte Michelin n° 🔟🔟 plis 11, 12 − 8 km au Nord de Carcassonne.

Ce pittoresque village conserve quelques vestiges de fortifications, dont la porte méridionale surmontée d'une statue de la Vierge, du 16e s.

🕐 **Église.** − Son clocher-porche, sous lequel passe une rue, a l'aspect d'une construction fortifiée. A l'intérieur, l'abside gothique à sept pans flanquée de deux absidioles est de lignes très pures. A droite du chœur, retable du 16e s.

EXCURSION

Rieux-Minervois. − 1 893 h. *14 km à l'Est par le D 35.*
Ce gros village viticole possède une **église★** du 12e s. construite sur un plan circulaire, surmonté d'un clocher heptagonal remanié aux cours des siècles. L'intérieur est construit sur un plan polygonal à quatorze côtés. Le centre de l'édifice est occupé par une coupole soutenue par sept colonnes, trois rondes et quatre carrées symbolisant la sagesse et rappelant la phrase du livre des Prophètes : « la Sagesse a bâti sa maison, elle a taillé ses sept colonnes ». Les chapelles latérales s'ouvrent sur la nef circulaire. Certaines sont du 15e s. Jadis l'entrée se trouvait à la place de la chapelle Ste-Thérèse *(à gauche de l'entrée actuelle)* ; on peut y admirer de très beaux chapiteaux historiés et une statue de saint Jacques-de-Compostelle. La chapelle à gauche de la porte Sud abrite une belle Mise au tombeau de l'école bourguignonne du 15e s., celle à droite une toile du 17e s. représentant Jean-Baptiste, Roch et Jacques le Majeur.

★★ Les CORBIÈRES

Carte Michelin n° 🔟🔟 plis 7 à 10.

Les Corbières, limitées par le grand coude de l'Aude, la Méditerranée et le sillon du Fenouillèdes forment un glacis des Pyrénées orientales, orienté au Nord.
Dominant de leurs barres rocheuses calcaires (Pic de Bugarach − alt. 1 230 m) la dépression du Fenouillèdes, les Corbières féodales, avec leurs « citadelles du vertige », ont conquis la notoriété. Au centre du pays, un noyau de sédiments primaires détermine dans le bassin de l'Orbieu un relief enchevêtré et des contrastes de couleurs avivés par la lumière méditerranéenne.
La garrigue épineuse et parfumée constitue la formation végétale dominante ; elle a reculé toutefois devant le vignoble qui a conquis à l'Est de l'Orbieu les bassins et les fonds de vallée marneux disponibles, et, autour de Limoux, les coteaux de la région délimitée de la « blanquette ». Les caves-coopératives signalent ces Corbières « vineuses ». « Corbières » est aujourd'hui une dénomination s'appliquant à des vins *(voir aussi p. 31)* riches en alcool (jusqu'à 14o), fruités et colorés, dont le bouquet rappelle la flore parfumée du terroir.
Les vins de **Fitou**, produits par un terroir privilégié au point de vue sol et climat, sont d'une finesse plus accentuée. Ils bénéficient de l'Appellation d'Origine Contrôlée.

Le rempart du Languedoc. − Position de repli des Wisigoths refoulés du Haut-Languedoc vers le Sud, puis champ de bataille ensanglanté par des combats épiques entre Francs et Sarrasins, les Corbières deviennent sous l'Empire carolingien une « marche » dont les péripéties relèvent surtout des rivalités de vassaux. Mais après

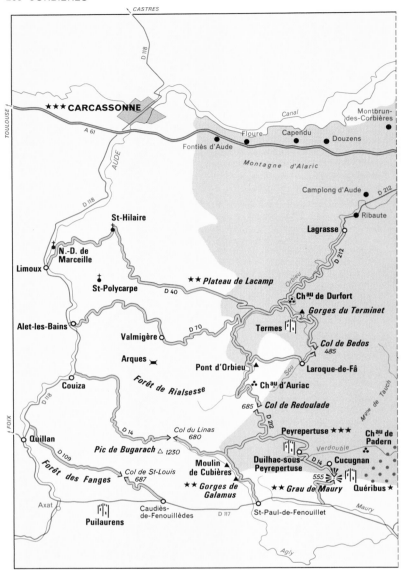

l'intégration au domaine royal français en 1229, la prise des châteaux acquis à la cause des Albigeois et la renonciation du roi d'Aragon à ses droits de suzeraineté sur les territoires du Nord de l'Agly en 1258, la frontière entre la France et l'Espagne se stabilise. Les « cinq fils de Carcassonne », Puilaurens, Peyrepertuse, Quéribus, Termes et Aguilar, deviennent pour cinq siècles des garnisons royales faisant face à la menace espagnole. L'annexion du Roussillon leur fera perdre leur rôle militaire.

Les abbayes. — Les Corbières ont attiré les fondations monastiques et toutes leurs dépendances : prieurés, « granges », moulins à huile ou à blé, hospices, etc. Les bénédictins étaient fixés à Alet, St-Polycarpe, St-Hilaire et Lagrasse ; les cisterciens tenaient Fontfroide, et leurs sœurs Rieunette.
La densité des sanctuaires, signalés par les cyprès des cimetières, reste frappante dans un pays aussi dépeuplé. Dans les communes à l'habitat dispersé (les Moulines près Fourtou, Caunette-sur-Lauquet) l'église se dresse, solitaire, au fond d'un vallon.

SITES ET CURIOSITÉS

Aguilar (Château d'). — De Tuchan, 2,5 km par la route de Narbonne et un étroit chemin de vignes goudronné partant à droite, aussitôt après une station-service. Du terminus de la route, 1/2 h à pied AR à travers les vignes et les broussailles. Aguilar, construit sur une petite colline arrondie très vulnérable, fut renforcé au 13e s., sur l'ordre du roi de France, par une enceinte hexagonale flanquée de six tours rondes ouvertes à la gorge. En dehors de l'enceinte subsiste une chapelle romane intacte dans son architecture intérieure, hors une voûte crevée.
Vue agréable sur le vignoble du bassin du Tuchan.

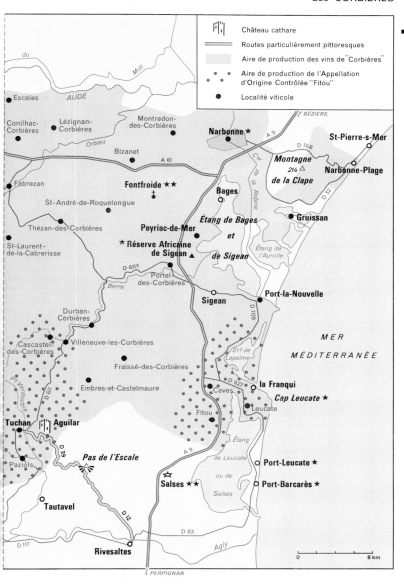

Alet-les-Bains. − *Page 42.*

⚲ Arques (Château d'). − *Au départ d'Arques, 0,5 km le long de la route de Couiza.*
Ce donjon, réservé à l'habitation dès la fin du 13e s., s'élève à l'intérieur d'une enceinte quadrangulaire ruinée. Bâti en beau grès doré, il est curieux par le dispositif de ses tourelles d'angle montées sur des socles évidés.
A l'intérieur, on visite deux salles voûtées superposées et aussi la salle haute à pans coupés.

Auriac (Cimetière d'). − *Au Sud-Ouest de Mouthoumet.* En contrebas du village agrippé à un éperon, site d'une ruine de château dominant un précipice.

Bages et de Sigean (Étang de) et excursions. − *Page 51.*

Bedos (Col de). − *Sur le D 613, au Nord-Est de Mouthoumet.* Il est situé sur le D 40, **route de crête★** entre des ravins boisés. Dans l'échancrure de la gorge inférieure du Sou se découpent, sur leur rocher, les ruines du château de Termes.

Bugarach (Pic de). − Par des vallons relativement frais mais déserts on admire les différentes faces de la montagne aux escarpements tourmentés. La montée au col du Linas à travers la vaste combe du haut Agly est particulièrement imposante. En arrière les ruines de St-Georges − éperon Ouest de la citadelle de Peyrepertuse − se confondent avec leur socle rocheux.

Couiza. − *Page 49.*

Cubières (Moulin de). − Terrain privé aménagé pour la halte et le pique-nique. Site frais au bord de l'Agly ombragée. Derrière l'ancien moulin, dans la perspective d'eau du canal d'amenée, se découpe le Bugarach.

Les CORBIÈRES ★★

Cucugnan. — 113 h. Le village est bien connu pour le sermon de son curé, pièce d'anthologie du folklore d'Oc (version provençale par Roumanille, adaptation française par Alphonse Daudet, version occitane en vers par Achille Mir).

Duilhac-sous-Peyrepertuse. — 94 h. A la sortie Nord du bourg-haut, aller voir la fontaine communale : elle est alimentée par une source d'un débit surprenant pour la région.

Durfort (Château de). — *Au Sud de Lagrasse*. Ruine (inaccessible) que l'on aperçoit dans un décor de vignobles, aussitôt après le confluent de l'Orbieu et du Sou, en allant vers Lagrasse. Il surgit des fourrés, à l'intérieur d'un méandre encaissé.

Escale (Pas de l'). — *Sur la D 12, au Nord-Ouest de Rivesaltes*. Échancrure rocheuse dans les crêtes des Corbières orientales. La **vue**★ s'étend jusqu'au Canigou et au Puigmal.

Fanges (Forêt domaniale des). — *Au Sud-Est de Quillan*. Massif de 1 184 ha connu pour ses sapins de l'Aude *(voir p. 120)* exceptionnels.
Le **col de St-Louis** (alt. 687 m) est le point de départ des promenades (terrain calcaire souvent chaotique).

★★ **Fontfroide (Abbaye de).** — *Page 79*.

★★ **Galamus (Gorges de).** — *Page 82*.

★★ **Grau de Maury.** — Ce petit col offre un admirable **panorama**. Les chaînes s'échelonnent en profondeur derrière la crête dentelée qui domine, au Sud, la dépression du Fenouillèdes. Du Grau de Maury part le chemin d'accès au château de Quéribus *(p. 113)*.

★★ **Lacamp (Plateau de).** — *Au Sud-Ouest de Lagrasse*. Entre Caunette-sur-Lauquet et Lairière, sur le D 40, le col de la Louviéro permet d'accéder au chemin de la « forêt » des Corbières occidentales.
Le plateau de Lacamp forme un môle, de 700 m d'altitude moyenne, projeté vers l'Orbieu. Le chemin court, sur 3 km, près du rebord Sud de ce causse : **vues** immenses sur le bassin de l'Orbieu, le Bugarach et le Canigou, le St-Barthélémy, l'avant-pays du Lauragais, la Montagne Noire.

Lagrasse. — *Page 84*.

Laroque-de-Fâ. — *A l'Est de Mouthoumet*. Site pittoresque d'éperon fortifié, rafraîchi par le ruisseau du Sou dont on va suivre, de loin, la plongée vers l'Orbieu.

Limoux et excursions. — *Page 86*.

★ **Narbonne et excursions.** — *Page 98*.

Padern. — 168 h. *A l'Est de Peyrepertuse*. Les ruines d'un château des abbés de Lagrasse *(p. 84)* dominent le village et le Verdouble. En aval du bassin de Padern, la rivière coule dans un défilé encadré d'écailles rocheuses.

★★★ **Peyrepertuse (Château de).** — *Page 110*.

Pont d'Orbieu. — *A l'Ouest de Mouthoumet*. Village-carrefour, sur l'Orbieu, dont on peut parcourir les gorges, au Nord. A droite, la route s'élève jusqu'à la garrigue du plateau de Mouthoumet. A gauche, on rejoint la vallée de l'Aude à Couiza *(p. 49)*.

Puilaurens (Château de). — *Page 113*.

★ **Quéribus (Château de).** — *Page 113*.

Quillan. — *Page 114*.

Redoulade (Col de). — *Au Sud de Mouthoumet*. Sur le pittoresque D 212, il permet le passage de la vallée de l'Agly à la vallée de l'Orbieu.

Rialsesse (Forêt de). — *A l'Est de Couiza*. Elle fut plantée il y a un siècle. Le D 613, route du col de Paradis, permet de voir nettement, au cours de la montée quand on arrive par l'Ouest le passage de la futaie de pins noirs d'Autriche aux couverts de feuillus, sur le versant opposé de la vallée.

Roussillon (Plages du) : de Cap Leucate à Port-Barcarès. — *Page 115*.

Rivesaltes. — *Page 109*.

(Photo G. Sioen / C.E.D.R.I

Vendanges dans les Corbières.

St-Polycarpe. − 188 h. *Au Sud-Est de Limoux.* L'église fortifiée, ancienne abbatiale d'une abbaye bénédictine dissoute en 1771, montre du côté du cimetière son chevet roman dont des bandes lombardes forment la membrure. Sous le maître-autel sont exposées des pièces de l'ancien trésor : chef-reliquaire (tête nue) de saint Polycarpe, chef-reliquaire de saint Benoît, reliquaire de la Sainte-Épine, toutes œuvres du 14ᵉ s. ; tissus du 8ᵉ s. Les deux autels latéraux présentent un décor carolingien sculpté d'entrelacs et de palmettes. Sur les murs et les voûtes, restes de fresques du 14ᵉ s. (restaurées en 1976).

★★ **Salses (Fort de).** − *Page 119.*

Tautavel. − *Page 122.*

Termes (Château de). − *Page 122.*

Terminet (Gorges du). − *Au Nord de Mouthoumet.* En suivant cette boucle du torrent, avant les deux tunnels, admirer l'allure farouche du château de Termes, du côté Nord.

Tuchan. − 814 h. Centre de production de vins d'appellation « Fitou ». Le vignoble du bassin de Tuchan, que l'on peut parcourir par le pittoresque D 39, fait une tache, verte ou mordorée suivant la saison, au pied de l'imposante mais désolée montagne de Tauch.

Valmigère. − 32 h. *14 km par le D 70, depuis le D 118, route de la vallée de l'Aude, entre Couiza et Limoux.* Au Sud du village, beau **panorama★** : au premier plan la vallée d'Arques où la forêt de Rialsesse se détache sur des ravinements rouges, derrière surgit la crête escarpée du pic de Bugarach ; à l'horizon, le Canigou.

★★ CORDES

1 044 h. (les Cordais)

Carte Michelin n° 79 pli 20 − Lieu de séjour p. 8.

Perchée au sommet du puech de Mordagne, Cordes, poétiquement nommée Cordes-sur-Ciel, occupe un **site★★** remarquable dominant la vallée du Cérou. Son nom, comme celui de Cordoue en Espagne, pourrait lui avoir été donné par l'industrie des étoffes et des cuirs qui y prospérait aux 13ᵉ et 14ᵉ s.

En 1222, en pleine guerre des Albigeois *(voir p. 37)*, le comte de Toulouse Raymond VII décide la création de la bastide de Cordes pour répondre à la destruction de la place forte de St-Marcel par les armées de Simon de Montfort. *Lire « les Bastides » p. 30.*

La Charte de coutumes et privilèges dont les habitants pourront bénéficier prévoit, parmi d'autres avantages, l'exemption d'impôts et de péage.

Véritable cité-forteresse, elle va rapidement constituer un repaire de choix pour les hérétiques. Aussi l'Inquisition y fait-elle activement sa besogne.

La fin des troubles cathares marque une période de prospérité. Au 14ᵉ s., le commerce des cuirs et des draps y est florissant, les artisans tissent le lin et le chanvre cultivés dans la plaine, les teinturiers des bords du Cérou utilisent le pastel et le safran, abondants dans la région. Les belles demeures qui ont été construites à cette époque témoignent de la richesse des habitants.

Les querelles des évêques d'Albi qui rejaillissent sur toute la contrée, la résistance cordaise aux huguenots durant les guerres de Religion, deux épidémies de peste mirent fin à cet âge d'or dès le 15ᵉ s. Après un ultime sursaut de vie à la fin du 19ᵉ s., dû à l'introduction de métiers à broder mécaniques, Cordes, volontairement isolée à l'origine, s'assoupissait à l'écart des grandes voies de communication. Par bonheur les menaces pesant sur ses maisons gothiques mettent la population en émoi et certaines mesures de classement, au titre des Monuments historiques, sont prises à partir de 1923. Mais le charme de Cordes opère surtout sur les artistes et artisans d'art qui secondent efficacement sa sauvegarde et contribuent, pour leur part, a un réveil de la cité.

La restauration se poursuit, confirmant le caractère de Cordes, devenu, en outre, depuis 1970, un centre d'animation musicale.

Dans les ruelles pavées, tortueuses et escarpées, un ferronnier, un émailleur, un imagier, des tisserands, des graveurs, des sculpteurs et des peintres ont donné pour cadre à leurs activités les maisons anciennes auxquelles ils ont su restituer leur noble allure.

LA VILLE HAUTE *visite : 2 h*

La « ville aux cent ogives ». − Le bel ensemble de **maisons gothiques★** (13ᵉ-14ᵉ s.) constitue, avec le site exceptionnel, l'attrait principal de Cordes. Les plus importantes et les mieux conservées bordent la Grande-Rue (dite rue Droite). Leurs façades en grès de Salles aux tons roses à reflets gris s'ouvrent sur la rue par de grandes arcades en ogive surmontées de deux étages de fenêtres en arc brisé, quelquefois malheureusement transformées en simples ouvertures rectangulaires.

Souvent, au niveau du deuxième étage, sont scellées des barres de fer terminées par un anneau. Une tige de bois ou de fer passée horizontalement dans chacun d'eux servait probablement à tendre un rideau, selon l'usage médiéval répandu en Italie ou en Provence ; mais le soleil n'étant vraisemblablement pas très redoutable dans ces rues étroites, peut-être permettaient-ils de suspendre des bannières les jours de fête.

Partir de la porte de la Jane.

En 1222, Cordes, construite sur plan en losange, fut entourée de deux enceintes, fortifiées surtout en leurs points d'accès relativement facile pour les attaquants : l'Est et l'Ouest.

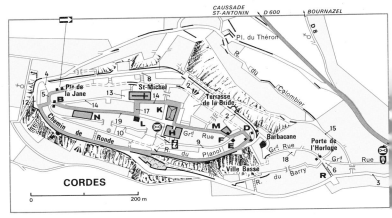

Boucarie ou du Tuadou (R. de la) 2
Bouteillerie (R. de la) 3
Fontourniés (Pl.) 4
Fontourniés (Rue) 5
Horloge (Pl. de l') 6

Lices (Promenade des) 8
Mitons (R. des) 9
Obscure (Rue) 10
Ormeaux (Pl. des) 12
Rambouillet (Pl. de) 13

République (R. de la) 14
St-Louis (Rue) 15
St-Michel (Place) 17
Trinité (Place de la) 18
Voltaire (Rue) 19

Porte de la Jane. – Vestige de la deuxième enceinte, elle doublait la porte des Ormeaux.

Porte des Ormeaux (**B**). –Entourée de ses grosses tours, c'est sur elle que les assaillants, persuadés d'avoir pénétré dans la ville par la porte de la Jane, avaient la surprise de tomber.

Chemin de ronde. – Les lices du Sud ou Planol procurent de belles vues sur la campagne environnante.

Porte du Planol (**D**). – C'est le pendant oriental de la porte de la Jane.

Barbacane. – A la fin du 13e s., la cité s'étant étendue, une troisième enceinte fut construite dont subsiste la barbacane, en contrebas de la porte du Planol.

Maison Gorsse (**E**). – De belles fenêtres à croisillons Renaissance ornent sa façade.

Portail peint (ou porte de Rous) (**F**). – Le nom de Portail peint vient probablement de l'image peinte de la Vierge qui l'ornait. Elle est l'équivalent de la porte des Ormeaux à l'Est.

Musée Charles-Portal (**M**). – Son appellation est un hommage à Charles Portal, archiviste du Tarn, grand historien de Cordes.
Aménagé à l'intérieur de la porte de Rous, il renferme des anciennes mesures à grain, un vieux métier à tisser le lin ou le chanvre, des échantillons de broderie locale, un intérieur paysan reconstitué, ainsi que divers objets trouvés à Cordes, notamment la belle porte cloutée de la maison du Grand Fauconnier et les faucons qui lui valurent son nom.
Dans la salle du Vieux Cordes est exposé le **« libre ferrat »** ou livre ferré qui était rivé par une chaîne en fer. Ce registre contient les règlements de la ville, de la fin du 13e s. au 17e s. C'est sur les extraits d'Évangiles qu'il contient que les consuls, entrant en fonction, prêtaient serment.
Au 3e étage est présenté le mobilier provenant des fouilles de Vindrac (5 km à l'Ouest de Cordes) qui comprend des poteries gallo-romaines, des plaques, boucles et autres bijoux mérovingiens et des poteries médiévales. Un sarcophage mérovingien provenant aussi de Vindrac est exposé au rez-de-chaussée (90 sarcophages ont été mis au jour en 1985).

La Grande-Rue, très escarpée, conduit au cœur de la ville fortifiée.

★ **Maison du Grand-Fauconnier** (**H**). – Siège de la mairie, c'est une belle maison ancienne. L'encorbellement du toit était orné de faucons, d'où son nom. La façade, qui fut restaurée au 19e s., est remarquable par son élégance et la régularité de son appareil.
L'intérieur, remanié, comporte un escalier à vis du 15e s. qui conduit au 1er étage où se trouve le **musée Yves-Brayer** contenant des œuvres du peintre : dessins, lithographies, huiles, tapisseries.
Dans la cave, le **musée de la Broderie Cordaise** organise des démonstrations sur un métier à broder « à bras ». Ces métiers mécaniques, provenant de St-Gall en Suisse, firent la prospérité de Cordes à la fin du 19e s. et au début du 20e s.

Halle et puits (**K**). –Vingt-quatre piliers octogonaux (plusieurs fois restaurés depuis le 14e s.) soutenant une toiture (refaite au 19e s.), telle se présente la place autrefois affectée au commerce des étoffes. Adossée à un des piliers, une croix en fer, probablement du 16e s., mentionne le massacre de trois inquisiteurs. Selon les érudits, il s'agirait là d'une légende.
A proximité, on découvre un puits de 113 m de profondeur.

Terrasse de la Bride. – Lieu de repos très apprécié, elle offre une vue apaisante et étendue sur la vallée du Cérou au Nord-Est, sur la silhouette élancée du clocher de Bournazel au Nord.

⊙**Église St-Michel.** — Maintes fois remaniée au cours des siècles, elle conserve le chœur et le transept du 13e s., voûtés sur croisée d'ogives et une très belle rosace enchâssée dans la muraille du 14e s. Les contreforts intérieurs séparant les chapelles latérales rappellent ceux d'Albi. De même, les peintures (19e s.) sont une imitation des décorations de la voûte de Ste-Cécile.

L'orgue (1830) provient de N.-D.-de-Paris (premier orgue de chœur de la cathédrale).

Le clocher est en partie masqué par une tour de guet carrée. Du sommet de cette tour, vaste panorama.

★ **Maison du Grand Veneur (L).** — Elle se singularise par sa façade à trois étages, ornée ⊙au niveau du deuxième d'une frise de sculptures en haut-relief représentant des scènes de chasse et des personnages. On peut distinguer un piqueur prêt à transpercer un sanglier poussé hors de la forêt par un chien ; puis un lièvre, poursuivi par un chien, va être frappé par la flèche du chasseur (entre les fenêtres de gauche) ; un autre chasseur sonne de la trompe (entre les fenêtres de droite) tandis que deux animaux s'enfuient vers la forêt. Remarquer les anneaux de fer, particulièrement bien conservés.

Maison du Grand Écuyer (N). — Sa façade, très bien restaurée, est décorée de sujets variés.

Revenir à la porte des Ormeaux.

AUTRE CURIOSITÉ

La ville basse. — Au 14e s., la citadelle s'entoure de faubourgs, une quatrième puis une cinquième enceinte furent bâties. A l'Est de la ville, la **porte de l'Horloge**, probablement reconstruite au 16e s., est un vestige pittoresque de la quatrième muraille. On y accède de la place où aboutit la rue de la Bouteillerie par l'**escalier du Pater Noster (R)** qui comprend autant de marches que la prière de mots.

EXCURSIONS

⊙**Musée du Cayla.** — *11 km au Sud-Ouest. Quitter Cordes en direction de Gaillac (D 922). A 8 km suivre la signalisation.*
Cette bâtisse fut la demeure familiale de **Maurice de Guérin** (1810-1839) et de sa sœur **Eugénie** (1805-1848), écrivains et poètes. Le site paisible, les pièces d'habitation fidèlement reconstituées évoquent leur mémoire de façon émouvante.

L'œuvre de Maurice de Guérin prend place dans la littérature romantique et se distingue surtout par son poème en prose « le Centaure », que George Sand fit publier pour la première fois en 1840, et par son « Journal » édité d'abord par Barbey d'Aurevilly, son condisciple. Dans le « Journal » et les « Lettres » d'Eugénie, également éditées par Barbey d'Aurevilly en 1855 sous le titre « Reliquiae », transparaît le souvenir des paysages du Cayla et de ce château où Maurice et Eugénie naquirent et trouvèrent refuge après un séjour décevant dans les milieux littéraires parisiens.

Monestiés. — 1304 h. *15 km à l'Est. Quitter Cordes par le D 922, en direction de Villefranche, puis prendre à droite le D 91 en direction de Carmaux.*
Dans un site agréable sur la rive droite du Cérou, Monestiés mérite une visite surtout pour les belles statues qu'abrite la **Chapelle St-Jacques** (ou de l'Hôpital) : une Mise au tombeau, une Pietà, du 15e s., un Christ en croix (18e s.) et un Christ à la colonne, transportés en 1774 du château épiscopal de Combefa (au Sud de Monestiés, aujourd'hui en ruine).

La **Mise au tombeau** ★ ★ constitue un ensemble d'une remarquable élégance. Le centre de la scène est occupé par le Christ dans son linceul, soutenu par Nicodème et Joseph d'Arimathie. Admirer l'expression des visages et les détails des costumes des personnages disposés en cortège et non plus statiques comme ils étaient représentés avant la fin du 15e s.

CORNEILLA-DE-CONFLENT 397 h.

Carte Michelin n° 86 pli 17 — 2,5 km au Nord de Vernet-les-Bains.

Corneilla, dernière résidence des comtes de Cerdagne et de Conflent *(voir p. 64)*, possède une intéressante église romane.

★ **Église Ste-Marie.** — Flanquée d'un clocher carré en moellons de granit, la courte ⊙façade est percée d'un portail de marbre à six colonnes du 12e s. Au tympan sculpté, Vierge en gloire encadrée de deux anges.

Les trois fenêtres du chevet, sous une bande en dent d'engrenage, sont embellies de colonnettes, de chapiteaux à décor floral ou animal, richement sculptés, et voussures comprimées dans les embrasures. L'ensemble est imbriqué comme un jeu de construction.

Le chœur conserve deux **Vierges** assises romanes. La plus majestueuse, à gauche du maître-autel, N.-D.-de-Corneilla, est une œuvre en bois, caractéristique de l'école catalane du 12e s. Dans une absidiole du transept Sud, une autre Vierge à l'Enfant, du 14e s., en marbre, serait l'effigie vénérée au Moyen Age dans la chapelle de la Crèche à Cuxa.

Dans la chapelle du bas-côté gauche, remarquer l'ancien retable du maître-autel, daté de 1345, bel ensemble sculpté en marbre blanc.

★★ La CÔTE VERMEILLE

Carte Michelin n° 86 pli 20.

Les stations de cette côte rocheuse, installées au fond de baies étroites, restent
marquées par leur vocation antique de petites cités maritimes.

D'ARGELÈS-PLAGE À CERBÈRE
par les crêtes
37 km — environ 2 h 1/2 — schéma ci-dessous

Argelès-Plage. — *Page 115.*

Après Argelès, la route (N 114) s'élève sur les premiers contreforts des Albères. Elle ne
cessera désormais d'en recouper les éperons, à la racine des caps baignés par la
Méditerranée.

A l'entrée de Collioure, au rond-point, prendre à gauche le D 86.

La route, en montée, commence dans le vignoble de Collioure.

Prendre de nouveau à gauche, au premier carrefour, la route en descente.

N.-D.-de-Consolation. — Ermitage célèbre en Roussillon. La chapelle renferme de
nombreux ex-voto de marins.

Faire demi-tour et prendre à gauche (route de montagne, sans protections).

Les chênes-lièges se multiplient. La roche noire, schiste feuilleté, apparaît.

Suivre la signalisation « Circuit du vignoble » vers Banyuls.

Cette belle route de corniche mène à une table d'orientation. En face, au bord de la route,
ruines d'anciennes casernes, bâties en 1885, à trois étages, en brique et en schiste.

*Prendre à droite le chemin qui monte à la tour Madeloc (pentes à 23 % -
croisements et virages difficiles).*

La route passe devant deux ensembles fortifiés pour atteindre une plate-forme.

Tour Madeloc. — *1/4 h à pied AR.* Alt. 652 m. Ancienne tour à signaux qui, avec la tour de la
Massane, à l'Ouest, faisait partie d'un réseau de guet au temps de la souveraineté
aragonaise et majorquine : la tour de la Massane surveillait la plaine du Roussillon
tandis que la tour Madeloc observait la mer. Elle est précédée par une poterne faisant
belvédère et offrant un **panorama**★★ sur les Albères, la côte Vermeille et le Roussillon. La
tour proprement dite est en schiste, ronde et couronnée de corbeaux.

Dans la descente qui
rejoint le D 86, belles
vues★ dégagées, specta-
culaires, sur la mer et
Banyuls.

Poursuivre à droite.

La route, pittoresque
grâce aux vues renouve-
lées sur les versants,
mène à Banyuls. Elle
passe devant la cave
souterraine du Mas Reig,
aménagée dans le plus
ancien domaine vigne-
ron du terroir de Ba-
nyuls, et le moderne cel-
lier de vieillissement de
la cave Templers *(voir
p. 52).*

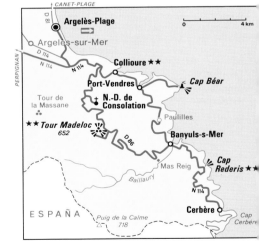

Banyuls. — *Page 51.*

★★ **Cap Réderis.** — *Voir ci-
dessous.*

Cerbère. — 1 726 h. Petite
station balnéaire bien abritée au fond de son anse, avec plage de galets en schiste
feuilleté. Dernière localité en territoire français, elle est desservie par une gare
internationale (Paris-Barcelone) : le viaduc du chemin de fer se remarque dès l'arrivée
par la route, tortueuse. Maisons blanches, terrasses de cafés, allées piétonnières
ajoutent une note pittoresque.

DE CERBÈRE À ARGELÈS-PLAGE
par la côte
33 km — environ 2 h — schéma ci-dessus

Cerbère. — *Voir ci-dessus.*

Après Cerbère, la corniche se déroule parmi les vignes — dont plusieurs terrasses sont
laissées à l'abandon — découvrant un vaste paysage marin. Les plages se succèdent,
séparées par des promontoires très pointus.

★★ **Cap Réderis.** — Au point culminant de la route, faire quelques pas en direction du cap pour
avoir une vue mieux dégagée. Magnifique **panorama** s'étendant sur les côtes du
Languedoc et de Catalogne, jusqu'au cap de Creus.

Plus loin, dans un grand virage, vue à gauche sur toute la baie de Banyuls. La vue sur la haute mer est admirable. La route est très sinueuse, la mer toute proche. En contrebas, nombreuses baies et anses rocheuses. La descente sur Banyuls permet une vue dégagée de la ville avec sa plage de galets de schiste et ses palmiers.

Banyuls. — *Page 51.*

A la sortie de Banyuls, on passe devant le centre héliomarin. Au loin, sur la gauche, la tour Madeloc se dresse fièrement.

Avant l'arrivée à Port-Vendres, on a à droite une bonne vue d'ensemble du port.

Prendre à droite vers le cap Béar puis, après l'hôtel des Tamarins, traverser la voie ferrée et longer la baie, versant Sud.

Cap Béar. — La route s'élève, en corniche, très étroite et sinueuse. Du sémaphore, qui se dresse à son extrémité, on découvre la côte, du cap Leucate au cap Creus.

Port-Vendres. — 5 332 h. Port-Vendres, le port de Vénus, né autour d'une anse où les galères trouvaient abri, s'est développé sous l'impulsion de Vauban à partir de 1679, comme port militaire et place fortifiée.

Du vieux port l'animation passa au 19ᵉ s. dans le bassin Castellane.

Port-Vendres était un grand port de trafic avec l'Algérie. La fin de la présence française dans ce pays a mis un terme à cette activité. Mais la plaisance a pris son essor dans ce bassin bien abrité et la flottille de pêche est la plus active de la côte roussillonnaise.

★★ **Collioure.** — *Page 63.*

La route quitte les contreforts des Albères avant d'arriver à Argelès.

Argelès-Plage. — *Page 115.*

COUSTOUGES
163 h.

Carte Michelin nº 86 Sud-Est du pli 18.

Ce petit village de montagne est situé tout près de la frontière espagnole.

Église. — L'édifice fortifié du 12ᵉ s. a gagné avec le temps une admirable patine. Un cordon décoratif en dents d'engrenage règne sous les combles, de même sous le parapet de la tour. Il se superpose, au chevet, à un délicat motif d'arcatures.

La porte Sud ouvre sur un porche obscur, d'où l'on pénètre dans le vaisseau par un portail roman taillé, fait exceptionnel en Roussillon, non dans le marbre mais dans la pierre tendre, et décoré de nombreuses sculptures. Le chœur est fermé par une belle grille de fer forgé, montrant ce décor de volutes que l'on retrouve souvent en Vallespir dans les pentures des portes anciennes. Remarquer les voûtes des chapelles latérales du chœur, soutenues par deux ogives en boudin, très archaïques.

EXCURSIONS

St-Laurent-de-Cerdans. — 1 607 h. *4 km au Nord-Ouest.* Bourg le plus peuplé de cette partie Sud du Vallespir, animé par la fabrication des espadrilles et par les ateliers de tissage (tissus catalans traditionnels).

Can Damoun. — *3 km au Sud-Est.* **Site★** panoramique, au-dessus des vallées sauvages et silencieuses des confins ampourdanais. Des abords de l'oratoire N.-D.-du-Pardon (1968), vue sur la baie de Rosas, à l'extrémité de la Costa Brava.

ELNE
6 202 h. (les Illibériens)

Carte Michelin nº 86 plis 19, 20.

Ancienne « Illibéris » aux temps des Ibères, Elne doit son nom au souvenir de l'impératrice Hélène, mère de Constantin. A la fin de l'Empire romain, elle était la véritable capitale du Roussillon. Siège épiscopal du 6ᵉ s. à 1602, elle dut à ce privilège de pouvoir hériter du nom de « cité », qui s'appliquait primitivement aux divisions administratives des provinces romaines, alors que Perpignan, sa rivale plus fortunée, ne fut jamais que « la ville ».

A 6 km de la mer, entre les vergers d'abricotiers et de pêchers qui bordent le D 40 et le D 612, routes d'accès Est et Ouest, Elne est une ville-étape sur le chemin de l'Espagne.

CATHÉDRALE STE-EULALIE ET STE-JULIE *visite : 1 h*

Accès par le cloître, sauf pendant les offices. Sa construction remonte au 11ᵉ s. A partir du 14ᵉ s., et jusqu'au milieu du 15ᵉ s., on ouvrit les six chapelles du bas-côté Sud dont les voûtes sur croisée d'ogives montrent les trois phases d'évolution de l'art gothique. Le plan primitif prévoyait deux clochers : seul fut réalisé le clocher carré de droite, en pierre ; l'autre, à gauche, est une petite tour d'époque indéterminée. Le chevet est entouré par un soubassement, reste d'un chœur gothique à chapelles rayonnantes. De la terrasse, derrière l'église, on aperçoit la Méditerranée.

Intérieur. — La table romane de marbre a retrouvé sa place lors du réaménagement « post-conciliaire » du maître-autel. Dans la chapelle à côté du portail Sud (chapelle nº 3), retable peint par un maître catalan du 14ᵉ s. : les apparitions et les miracles de saint Michel ; en face de la porte d'entrée Sud-Est, sous la croix de la passion dite des

« Impropères », intéressant bénitier de marbre cannelé en creux, évidé dans une vasque antique décorée d'une large feuille d'acanthe. Dans la dernière travée du bas-côté Nord (chapelle des fonts baptismaux), on aperçoit un Christ bénissant, du 14e s.

★★ **Cloître.** — *Pour visiter, entrer à droite de la cathédrale.*
La galerie Sud, adossée à la cathédrale, fut élevée au 12e s. Les trois autres furent bâties du 13e au 14e s. Le cloître présente cependant beaucoup d'unité dans son architecture, la partie gothique ayant été copiée sur la partie romane.

Les très beaux **chapiteaux** des colonnes jumelées qui soutiennent les arcades en plein cintre sont historiés et portent des animaux fantastiques, des personnages bibliques et évangéliques, des décors végétaux, particulièrement imagés sous les tailloirs des piliers quadrangulaires. La finesse de leur exécution harmonieuse et la recherche dans le détail truculent témoignent de l'habileté des artistes. La galerie Sud, romane, est la plus remar-

(Photo J.-D. Sudres/Scope)
Elne. — Cloître vu de la galerie Nord.

quable. Le chapiteau no 12, relatif à Adam et Ève, est la pièce maîtresse du cloître.

De la galerie Est, un escalier à vis monte à une terrasse d'où l'on découvre une partie du cloître, les tours (remarquer surtout la plus grosse) et les combles de la cathédrale, les Albères à l'horizon.

Une salle ouvrant sur la galerie Ouest a été aménagée en musée d'histoire.

Musée. — Installé dans l'ancienne chapelle St-Laurent (descente par un escalier au départ de la galerie Est), il présente le produit des fouilles pratiquées sur le site archéologique d'Elne (céramiques) et en éclaire la signification grâce à un tableau synoptique des civilisations de l'Antiquité dans l'aire ibérique. Vitrine sur la langue et l'écriture ibères. Reconstitution d'un four métallurgique ibère, précurseur des « fourneaux catalans ».

★ FANJEAUX
917 h (les Fanjuvéens)

Carte Michelin no 82 pli 20.

Lieu sacré dès l'époque romaine (le nom de Fanjeaux vient de Fanum Jovis : « temple de Jupiter », le bourg de Fanjeaux, érigé sur un éperon offrant un immense **panorama** sur la plaine du Lauragais de la Montagne Noire, garde les témoignages des premières prédications de **saint Dominique** en pays cathare.

En juin 1206, Dominique, sous-prieur du chapitre de la cathédrale d'Osma en Vieille-Castille, et son évêque interrompent à Montpellier leur voyage de retour de Rome en Espagne, pour soutenir le zèle de trois légats envoyés par le pape Innocent III pour prêcher contre les Albigeois. En avril 1207, après la célèbre dispute qui eut lieu à Montréal avec les cathares, Dominique se fixe au pied de la colline de Fanjeaux, foyer actif du catharisme, fondant à Prouille (à 3 km vers l'Est) une communauté de femmes converties, tandis que des frères s'installent dans le bourg perché. Ils y reçoivent de fréquentes visites de leur maître, avant le départ de celui-ci pour Toulouse, où naîtra, en 1215, l'ordre des Prêcheurs ou Dominicains.

Maison de saint Dominique. — Lors de ses séjours à Fanjeaux, Dominique s'installait dans la sellerie du château aujourd'hui disparu. La « chambre de saint Dominique » a gardé ses vieilles poutres et une cheminée. Transformée en oratoire en 1948, elle a été dotée de vitraux de Jean Hugo représentant les miracles de la mission du saint. Du jardinet se découvrent, par temps clair, les Pyrénées.

★ **Le Seignadou.** — A l'Est du village. C'est le promontoire-belvédère (monument commémoratif) d'où saint Dominique vit par trois fois un globe de feu descendre sur le hameau de **Prouille.** Ce prodige le décida à fonder là sa première communauté perpétuée par un couvent de dominicaines (contemplatives). Du haut de cette colline vues lointaines sur le Lauragais, la Montagne Noire, les Corbières, les Pyrénées. Au premier plan, le village de Prouille, en face, plein Est, le St-Barthélemy.

⊙ **Église.** — C'est un grand édifice méridional de la fin du 13e s. Le chœur, raffiné, présente un bel ensemble décoratif de six peintures du 18e s. Au-dessus du maître-autel, en bois sculpté, très beau transparent représentant Notre-Dame de l'Assomption. A la voûte gracieux médaillons.

La chapelle de saint Dominique (2ᵉ à gauche) abrite une poutre, témoin du « miracle du feu ». Sur la fin d'un jour d'hiver, passé à débattre avec les cathares, Dominique donne à l'un de ses contradicteurs un écrit résumant ses arguments. Rentré chez son hôte le cathare soumet publiquement la feuille à l'ordalie : lancée dans le feu du foyer par trois fois elle reste intacte mais, par trois fois, s'élève jusqu'au plafond laissant sur la poutre des traces de combustion. Remarquer encore les vitraux et le beau bénitier.

Trésor. — Bustes-reliquaires de saint Louis d'Anjou, l'un des patrons de l'ordre franciscain (vers 1415), et de saint Gaudéric, protecteur des paysans (1541).

★★ Le FENOUILLÈDES

Carte Michelin nº 🔲🔲 plis 7, 8 et 17, 18.

Entre les Corbières méridionales et le Conflent, le Fenouillèdes, glacis Sud du Languedoc (1), fut rattaché en 1790 au département des Pyrénées-Orientales. Géographiquement, le Fenouillèdes associe le sillon évidé entre le col Campérié et Estagel – partie vivante du pays, vouée aux vignobles de Maury et des « Côtes du Roussillon » – à un massif cristallin plus rude, devenant désertique entre Sournia et Prades. De profonds défrichements témoignent toutefois, là aussi, de la progression de la vigne dans les garrigues, de chênes verts et d'épineux.

La partie Nord du « Pays » est traversée par l'Agly dont la vallée, que l'on aperçoit parfois au fond de ravins escarpés, réserve au visiteur de fortes impressions.

DE CAUDIÈS À PRADES

45 km — environ 2 h 1/2

Caudiès-de-Fenouillèdes. — 618 h. Porte du Fenouillèdes, le village est aussi le point de départ pour la vallée de l'Aude (p. 48), à l'Ouest vers Axat par le col Campérié, au Nord-Ouest vers Quillan par le col de St-Louis.

N.-D.-de-Laval. — *Illustration p. 11.* Ancien ermitage. L'église gothique dresse sur une esplanade plantée d'oliviers son vaisseau au toit rose flanqué d'une tour à couronnement octogonal et toiture de briques en éteignoir. Y accéder de préférence, du côté de Caudiès, par la vieille rampe. Au pied de la rampe, la porte inférieure forme oratoire abritant une statue de la Sainte Parenté, du 15ᵉ s. ; la porte supérieure dédiée à Notre-Dame « de Donne-Pain » (Vierge à l'Enfant, également du 15ᵉ s.) montre des colonnes et chapiteaux romans réemployés. A l'intérieur, un charmant **retable ★** de 1428, haut en couleur, représente des scènes de la Vie de la Vierge.

De jolies vues sur l'ermitage N.-D.-de-Laval et, à l'horizon, sur le cimier du Bugarach se succèdent au cours de la montée vers **Fenouillet**, village dominé par deux ruines, qui a donné son nom à la région.

Par le col del Mas, on atteint le Vivier où aboutit le D 7 (route venant de St Paul). Celui-ci monte vers Prats-de-Sournia. La vue se développe sur les Corbières, au Nord, et sur la Méditerranée visible, en deux pans, par la trouée du Bas-Agly. A Sournia on rejoint l'itinéraire venant de St-Paul (D 619). Suite de la description ci-dessous.

Prades. — *Page 111.*

DE ST-PAUL-DE-FENOUILLET À PRADES

47 km — environ 2 h 1/2

St-Paul-de-Fenouillet. — 2 350 h. Bourg de la rive gauche de l'Agly, peu avant son confluent avec la Boulzane. Au Nord, le D 7 conduit dans les gorges de Galamus (p. 82).

Clue de la Fou. — Cluse forée par l'Agly. Franchir la rivière – un violent courant d'air souffle en permanence — le D 619 suit la rivière de près.

Pittoresque et en virages, la route court face au sillon du Fenouillèdes viticole avec, à l'arrière-plan, l'aiguille rocheuse du château de Quéribus. En avant, sous différents angles, remarquer le gros dos rocailleux de la Serre de Verges. Dans le lointain surgit le Canigou. On passe tout près d'un pont-aqueduc romain d'Ansignan, bien conservé et toujours en service. La route, de plus en plus sinueuse, suit un moment la Matassa et, par Pézilla-de-Conflent, le long de la Desix, atteint Sournia. Remontant du fond de la vallée, elle débouche sur le plateau de Campoussy. Le panorama, très étendu, sur la mer, la plaine du Roussillon, les Corbières, ne cesse de prendre de l'ampleur tandis que l'on parcourt une lande parsemée de gros blocs granitiques. Le plus curieux de ceux-ci, le roc Cornu, au bord de la route, évoque une tête de volatile monstrueux.

La route atteint son point culminant (976 m) en franchissant le chaînon de Roque Jalère, site d'une station de télécommunications. Dès lors la **descente ★★** finale s'effectue en vue du Canigou dont on détaille, sous lumière rasante, en fin d'après-midi, les lignes brutales et la face ravinée. Après une maison cantonnière, la haute vallée de la Têt se présente d'enfilade, au-delà du défilé de Villefranche. Légèrement à droite de Prades pointe la tour de St-Michel-de-Cuxa.

Prades. — *Page 111.*

DE ST-PAUL-DE-FENOUILLET À CUBIÈRES : *description p. 82*

---

(1) Certains noms de localités le rappellent. Ainsi « Latour-de-France » (de telles précisions sur l'appartenance à une province révèlent souvent l'approche d'une ancienne frontière).

Carte Michelin n° 🔲🔲 plis 4, 5 – Schéma p. 78.

Au débouché de l'ancienne vallée glaciaire de l'Ariège, Foix retient le touriste par son **site ★** tourmenté où pointent des sommets aigus et par l'image des trois tours de son château surveillant, de leur roc, le dernier défilé de la rivière à travers les plis du Plantaurel.

La ville ancienne, aux rues étroites, a pour centre, à l'angle des rues de Labistour et des Marchands, le carrefour où coule la petite fontaine en bronze de l'Oie. Elle contraste avec le quartier administratif bâti au 19e s. autour de vastes esplanades que composent les allées de la Villote et le Champ de Mars.

Le Pays de Foix. – Le Pays de Foix, qui forma le département de l'Ariège, a pour axe la vallée pyrénéenne de ce grand affluent montagnard de la Garonne.
Ce secteur de la chaîne reste avec les Couserans *(voir le guide Vert Michelin Pyrénées Aquitaine Côte Basque)* et le Donézan *(p. 49)* l'un des plus riches en traditions, mythes, légendes plus ou moins liés au catharisme.

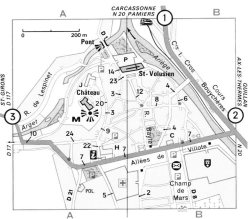

FOIX

Bayle (R.)	B	4
Delcassé (R. Th.)	B	5
Marchands (R. des)	B	12
St-James (R.)	A	22
Alsace-Lorraine (Av.)	B	2
Chapeliers (R. des)	A	3
Delpech (R. Lt. P.)	A	5
Duthil (Pl.)	A	6
Fauré (Av. G.)	AB	7
Labistour (R. de)	B	8
Lazéma (R.)	A	9
Lérida (Av. de)	A	10
Préfecture (R. de la)	A	14
Rocher (R. du)	A	20
St-Volusien (Pl.)	A	23
Salenques (R. des)	A	24

*Pour bien lire
les plans de ville,
voir la page
de légende.*

UN PEU D'HISTOIRE

Le comté de Foix. – Le Pays de Foix, partie du duché d'Aquitaine, puis du comté de Carcassonne, a été érigé en comté au 11e s. Lors du traité de Paris (1229) qui met fin à la guerre des Albigeois *(p. 124)*, particulièrement cruelle ici, le comte de Foix doit se reconnaître vassal du roi de France. En 1290, la famille de Foix hérite, par alliance, du Béarn et se fixe dans cet État, préférant être maître dans sa maison plutôt que de subir la domination royale.
Le rattachement à la couronne, par Henri IV, intervient en 1607.
Le comte de Foix, co-suzerain d'Andorre avec l'évêque d'Urgel, a transmis au roi de France ses droits sur cette seigneurie.

Une glorieuse famille. – Gaston III (1331-1391), le plus célèbre des **comtes de Foix** et vicomtes de Béarn, est, à l'époque, le seul vassal du roi de France à avoir de bonnes finances. Vers 1360, il adopte le surnom de **Fébus**, signifiant « le brillant », « le chasseur ». C'est un personnage plein de contrastes. Politique avisé, il exerce un pouvoir absolu. Lettré, poète, il s'entoure d'écrivains et de troubadours ; mais fait assassiner son frère, tue son fils unique. Passionné de chasse, il écrit un traité sur l'art de la vénerie. Gaston Fébus ne fut pas le seul représentant de l'illustre lignée des comtes de Foix.
Gaston IV, fidèle partisan de Charles VII, négocia le traité de 1462 entre le roi d'Aragon et Louis XI. Il reçut en récompense la ville et la seigneurie de Carcassonne.
Catherine de Foix apporta en dot à Jean d'Albret, en 1484, le comté de Foix et la Navarre. Ses États ayant été envahis par le roi d'Espagne, Ferdinand le Catholique, elle en mourut de chagrin en 1517.
Gaston de Foix, le fameux « foudre d'Italie », neveu de Louis XII, reçut le commandement de l'armée royale en Italie. Il gagna la bataille de Ravenne mais y trouva la mort en 1512 à 22 ans, percé de quinze coups de lance. Odet de Foix, son cousin, blessé à ses côtés à Ravenne, survécut à ses blessures et contribua puissamment à la conquête du Milanais (1515).

Métiers d'autrefois. – Des siècles durant, les habitants du Pays de Foix se transmirent de père en fils certains métiers, caractéristiques de leur région.

Les mineurs du Rancié. – Les minerais de fer des Pyrénées, fort appréciés pour leur richesse, furent, très tôt, l'objet d'une extraction active. En 1293, on trouve déjà mentionné dans une charte « le droit pour tous ou chacun de tirer du minerai des mines de fer de la vallée (de Vicdessos), de couper les arbres et charbonner dans les forêts ».
La mine du Rancié, fermée définitivement en 1931, était encore exploitée au siècle dernier suivant une formule coopérative archaïque : les habitants de la vallée, inscrits à l'« Office des Mineurs », étaient des associés plus que des salariés. Ils n'avaient le droit d'abattre par jour qu'une quantité déterminée de minerai. Souvent, le mineur

travaillait isolé à l'abattage. Une fois sa hotte remplie, il remontait le minerai à dos jusqu'à l'entrée des galeries et le vendait alors comptant aux muletiers qui assuraient le transport jusqu'à Vicdessos où s'approvisionnaient les maîtres de forges.

En 1833, soixante-quatorze forges « catalanes » s'alimentaient encore à cette mine.

Les orpailleurs. — L'Ariège roule de l'or dans ses eaux et, du Moyen Âge à la fin du siècle dernier, les « orpailleurs » étaient nombreux à laver les sables à la recherche des précieuses paillettes. C'est en aval de Foix que l'Ariège devient aurifère ; les plus grosses paillettes ont été trouvées entre Varilhes et Pamiers : certaines pesaient jusqu'à 15 g. Ce pactole devenu trop capricieux, les orpailleurs professionnels disparurent.

CURIOSITÉS

Château (A). — *Illustration ci-dessous.* L'histoire du château est liée à celle de la France. En 1002, le comte de Carcassonne, Roger le Vieux, lègue le château de Foix et des terres à son fils Roger-Bernard qui prend le titre de comte de Foix.

Le château, dont les premières bases datent du 10e s., est une solide place forte que Simon de Montfort évite d'affronter en 1211-1217, lors de la croisade des Albigeois. Mais en 1272, le comte de Foix refusant de reconnaître la souveraineté du roi de France, Philippe le Hardi prend en personne la direction d'une expédition contre la ville. A bout de vivres et devant l'attaque du rocher au pic, le comte capitule.

Après la réunion du Béarn et du comté de Foix en 1290, la ville est pratiquement abandonnée par les comtes. Gaston Fébus est le dernier à avoir vécu au château.

Au 17e s., le château perd son caractère militaire ; Henri IV s'en empare. Le château est ensuite transformé en prison, et ce jusqu'en 1864 ; de nos jours, il abrite un musée.

La réputation du château tient surtout à son site. Il ne reste plus aujourd'hui que trois tours et le musée, représentant le quart des bâtiments d'origine, dont la partie résidentielle était en bas — immense corps de logis allant jusqu'à l'église St-Volusien. Des trois tours de surveillance et de défense, les plus intéressantes sont la tour centrale et la tour ronde qui ont conservé des salles voûtées des 14e et 15e s. Ces tours étaient enveloppées de deux enceintes qui rendaient la position du château fort redoutable. De la terrasse entre les tours, ou mieux, du sommet de la tour ronde : **panorama★** sur le site de Foix, la vallée de l'Ariège, le Pain de sucre de Montgaillard.

Musée départemental de l'Ariège (A M). — Le corps de bâtiment reliant la tour centrale à la tour Nord présente deux salles d'arts et traditions populaires ariégeois. Remarquer la hotte d'un mineur du Rancié : la densité du minerai de fer explique ses dimensions minuscules, pour une charge de 50 kg environ. Reconstitution d'un intérieur paysan entre 1850 et 1900.

Dans la tour ronde, deux salles gothiques superposées sont affectées à la préhistoire, à la période gallo-romaine et au haut Moyen Age.

Au 1er étage, une vitrine hexagonale expose, par ordre chronologique, les témoins des industries reconnues dans les grottes de l'Ariège, du paléolithique moyen à l'âge du bronze. Importants débris de faune — des moulages pour la plupart — (ours des cavernes, rennes, hyènes, mammouth, etc.) ; moulages également d'empreintes humaines provenant de grottes ariégeoises : 300 grottes répertoriées et 60 fouillées. Les collections du 2e étage comprennent de précieux travaux en bronze gravé (boucles, fibules, médaillons), des monnaies gauloises et romaines, des armes (épées franques, fléaux). On y voit aussi des restes de chapiteaux du cloître de St-Volusien.

Église St-Volusien (B). — Belle église gothique très simple. La nef date du 14e s. et le chœur, surélevé, du début du 15e s. Remarquer les stalles, les grandes fenêtres, très étroites, et l'autel Renaissance, en pierre polychrome (Visitation, Cène).

Pont sur l'Arget (A). — Point de vue le plus favorable sur le château.

(Photo Apa/Pix)

Château de Foix.

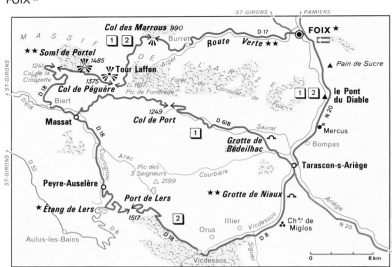

EXCURSIONS

1 **Circuit de 93 km.** – *Environ 5 h – schéma ci-dessus.*

La route reste généralement obstruée par la neige de la mi-décembre à la mi-juin entre les cols des Marrous et de la Crouzette ainsi qu'au col des Caougnous.

Quitter Foix à l'Ouest par le D 17.

★★ **Route Verte.** – La route, en rampe légère, remonte la **vallée de l'Arget** ou Barguillère, région autrefois connue pour sa métallurgie (clouterie), et serpente au milieu des bois. Après la Mouline, la montée s'accentue et, à Burret, la route s'écarte de l'Arget qui prend sa source dans une conque boisée. Le paysage devient pastoral.

Col des Marrous. – Alt. 990 m. Vues étendues au Sud sur la vallée de l'Arget et la forêt de l'Arize.

La montée se poursuit à travers une forêt où dominent les hêtres. Au départ de la route forestière, dans le premier lacet, belles échappées sur la montagne du Plantaurel et Labastide-de-Sérou. Après le col de Jouels, la route, tracée en corniche sur les pentes supérieures du cirque boisé de Caplong, où naît l'Arize, prend un caractère panoramique. Au second plan surgit la pyramide tronquée du mont Valier (alt. 2 838 m).

Col de Péguère. – Alt. 1 375 m. Au col, le panorama se dégage complètement.

Tour Laffon. – *1/4 h à pied AR, par le chemin à droite, derrière le refuge.* Magnifique **panorama★** sur les Pyrénées centrales et ariégeoises, depuis le Pic de Fontfrède (1 617 m), jusqu'au pic de Cagire (1 912 m), au-delà du col de Portet d'Aspet.

★★ **Route de la Crouzette.** – Parcours de crête sur les croupes du massif de l'Arize couvertes de fougères ; la route domine les cirques forestiers des ruisseaux tributaires de l'Arize, au Nord, et la fraîche vallée de Massat, doucement évidée, au Sud.

★★ **Sommet de Portel.** – Alt. 1 485 m. *1/4 h à pied AR.*

A 3,5 km du col de Péguère, laisser la voiture au passage d'un col où la route décrit une large boucle ; monter, au Nord-Ouest, sur cette bosse herbeuse jusqu'aux fondations d'un ancien signal. **Panorama** sur les sommets du haut Couserans, jusqu'à la chaîne frontière. De ce dernier col, le vieux chemin prenant à l'intérieur de la boucle de la route descend en quelques minutes à la fontaine du Coulat, joli coin agréablement situé pour la halte ou le pique-nique.

Après le col de la Crouzette, dans la forte descente vers Massat, par Biert et le D 618 à gauche, vue sur le haut Couserans et tout le massif supérieur en bas du col de Pause, Aulus et la vallée du Garbet.

Massat. – *Description dans le guide Vert Pyrénées Aquitaine Côte Basque.*

Poursuivre par le D 618.

A l'Est de Massat, le bassin supérieur de l'Arac s'épanouit et la route, très sinueuse, en offrant de jolies vues sur le verdoyant pays de Massat puis sur le majestueux massif du mont Valier, s'élève vers le col des Caougnous.

En avant s'échancre le col de Port ; à droite, derrière un premier plan mamelonné, apparaît la cime déchiquetée du pic des 3 Seigneurs.

Des hameaux se succèdent ; la vue sur le mont Valier devient superbe. On atteint bientôt les dernières habitations et la limite supérieure des prairies et forêts, pour pénétrer dans le domaine des landes de fougères et de genêts. A droite, belle forêt de sapins.

Col de Port. – Alt. 1 249 m. Là semble passer la frontière naturelle entre les Pyrénées « vertes », soumises à l'influence atlantique, et les Pyrénées « du soleil », aux paysages plus contrastés.

La descente s'effectue par la vallée de Saurat, ensoleillée et fertile. A la sortie de Saurat se dresse, dans l'axe de la route, la tour Montorgueil. On passe ensuite entre les deux énormes rochers de Soudour et de Calamès, ce dernier couronné de ruines.

Grotte de Bédeilhac. — *A 800 m du bourg de Bédeilhac.*

La cavité, dont les dessins préhistoriques ont été découverts en 1906, s'ouvre par un immense porche (36 m de largeur sur 25 m de hauteur), tellement vaste que pour les besoins d'un film, on a pu y faire atterrir et décoller un avion.

Contournant une énorme concrétion stalagmitique de 120 m de circonférence, on atteint à 800 m de l'entrée la salle terminale. L'étanchéité absolue de la voûte depuis 15 000 ans y a favorisé la conservation de gravures (certaines sur le sol même de la grotte) et peintures d'animaux, rendues plus expressives par l'utilisation du modelé naturel de la roche (grand bison, très beau renne, chevaux). Ces dessins datent de l'époque magdalénienne *(voir tableau p. 20).*

Tarascon-sur-Ariège. — *Page 122.*

Sortir de Tarascon par la N20, au Nord ; la suite de l'excursion jusqu'à Foix est décrite p. 46 dans la Haute vallée de l'Ariège.

2 **Route du port de Lers.** — *Circuit de 94 km — environ une demi-journée — schéma p. 78. De Foix à Massat, voir itinéraire p. 78. De Massat à Tarascon-sur-Ariège, voir description p. 86 et de Tarascon-sur-Ariège à Foix p. 46*

★★ FONFROIDE (Abbaye de)

Carte Michelin n° 86 Nord-Est du pli 9 – Schéma p. 67.

Cette ancienne abbaye cistercienne, secrètement nichée au creux d'un vallon des Corbières, occupe un site silencieux, peuplé de cyprès, digne d'un paysage toscan. Les belles tonalités flammées, ocre et rose, du grès des Corbières dont l'édifice est construit, contribuent à créer, au soleil couchant, une atmosphère de sérénité.

Fondée en 1093 sur les terres d'Aymeric 1er, vicomte de Narbonne, l'abbaye bénédictine se rattacha à l'ordre de Citeaux en 1145. En 1150 Fonfroide fit essaimer 12 cisterciens de l'abbaye pour aller fonder en Catalogne le monastère de Poblet. Aux 12e et 13e s. elle connut la prospérité. Le légat du pape, Pierre de Castelnau, dont l'assassinat fut à l'origine de la croisade contre les Albigeois *(voir p. 37),* y résida après son séjour à Maguelone ; Jacques Fournier, qui pape à Avignon en 1334 et qui régna sous le nom de Benoît XII, y fut abbé de 1311 à 1317. Par la suite, l'abbaye périclita et tomba en commende. Désertée en 1791, ses œuvres d'art furent éparpillées.

Propriété privée depuis 1908, elle a été restaurée avec goût.

L'une de ses anciennes métairies est devenue le château de Gaussan *(voir p. 80).*

VISITE *environ 1/2 h*

L'essentiel des bâtiments a été érigé aux 12e et 13e s. Les bâtiments conventuels ont été restaurés aux 17e et 18e s. Ceux qui dominent le cloître au Nord sont occupés par les propriétaires. Odilon Redon, en 1910, décora la bibliothèque de grandes toiles.

Des cours fleuries, aux allées bien entretenues, de beaux jardins en terrasse lui font un cadre enchanteur.

La visite commence par la Cour d'Honneur, œuvre des abbés commendataires au 17e s.

Dans la Salle des Gardes (13e s.) voûtée d'ogives, on remarque une belle grille en fer forgé du 18e s. et une cheminée monumentale.

On visite ensuite les bâtiments du Moyen Age, remarquables par la beauté de leur appareil très régulier.

Cloître. — Ses galeries sont voûtées d'ogives : celle qui jouxte l'église est la plus ancienne (milieu du 13e s.). Celle qui lui est opposée a été remaniée au 17e s.. Elles s'ouvrent par des arcades reposant sur de fines colonnettes de marbre décorées de chapiteaux à motifs végétaux et encadrées d'un arc de décharge. Les tympans s'ajourent d'oculi ou d'une rose. L'ensemble est d'une extrême élégance.

Au-dessus des galeries courent des toits en terrasse.

Église abbatiale. — Commencée au milieu du 12e s., elle est de proportions admirables ; l'élégante simplicité cistercienne est rarement plus émouvante. La nef, en berceau brisé, est flanquée de collatéraux voûtés en quart de cercle ; observer la base des piliers, rehaussée pour permettre la mise en place des stalles. Les chapelles méridionales sont une adjonction des 14e-15e s. Dans la salle des Morts (1) (13e s.), a été déposé un beau calvaire en pierre du 15e s. Dans le transept gauche s'ouvre la tribune qui permettait aux pères malades d'assister aux offices.

Salle capitulaire (2). — Elle est couverte de neuf voûtes romanes disposées sur des croisées d'ogives décoratives reçues par de délicates colonnettes de marbre.

Dortoir des moines. — Il est situé au-dessus du cellier et couvert d'une belle voûte du 12ᵉ s. en berceau brisé. La cage d'escalier qu'il dessert est couverte d'une charpente de bois.

Cellier. — Belle salle, de la fin du 11ᵉ s., séparée du cloître par une étroite ruelle, voûtée probablement au 17ᵉ s.

Château de Gaussan. — *8 km à l'Ouest de Fonfroide sur le D 423.* Les bâtiments d'origine de cette ancienne métairie de l'abbaye de Fonfroide furent édifiés aux 12ᵉ, 13ᵉ et 14ᵉ s. Les moines y demeurèrent jusqu'à la Révolution. Au 19ᵉ s., une restauration importante fut entreprise sous l'égide d'un disciple de Viollet-le-Duc qui nantit les façades de créneaux et autres décorations de style néo-gothique.

L'intérieur, restauré à la même époque, est orné de peintures murales parsemées d'ornements d'or, de plafonds à poutres apparentes, de cheminées monumentales.

★ ★ FONT-ROMEU
3 136 h. (les Romeufontains)

Carte Michelin nº 86 pli 16 — Schéma p. 61 — Lieu de séjour p. 8.

Font-Romeu est une création touristique artificielle, née vers 1920, à 1 800 m d'altitude sur le versant ensoleillé de la Cerdagne française, au-dessus de la limite de l'habitat montagnard. La station occupe un site panoramique, admirable, protégé des vents du Nord, à la lisière d'une forêt de pins.

Son altitude, son ensoleillement, la sécheresse exceptionnelle de son atmosphère l'ont fait choisir dès l'origine comme séjour climatique. Ses imposantes installations sportives (piscine, patinoire, centre équestre, etc.) permettent aux « espoirs français » et aux jeunes handicapés par l'asthme un entraînement particulièrement valable.

Le domaine skiable de Font-Romeu ne culmine qu'à 2 200 m et le compromis entre neige et soleil y est naturellement instable. Toutefois, ces champs de neige comprennent aussi des pistes difficiles exposées au Nord, sur le versant des Bouillouses.

Entre l'agglomération touristique et le lycée, l'ermitage témoigne de l'illustre pèlerinage catalan auquel le lieu dut son nom de « fontaine du Pèlerin » (fount Romeu).

★ Ermitage. — Il abrite la « Vierge de l'Invention ». Selon la légende, N.-D.-de-Font-Romeu a été « inventée » (trouvée) par un taureau. La bête restait près d'une fontaine, grattant le sol et poussant des beuglements retentissants. Intrigué et lassé, le bouvier finit par examiner le lieu et découvrit, dans une anfractuosité, une statue de la Vierge.

L'ermitage attire, les jours d'« aplech », une foule considérable. Le 8 septembre, fête « del Baixar » (de la descente), la Madone est portée solennellement à l'église d'Odeillo où elle reste jusqu'au dimanche de la Trinité (« el Pujar »). Elle est ensuite ramenée à la chapelle de l'Ermitage avec la même solennité. Les autres aplechs ont lieu le 3ᵉ dimanche après la Pentecôte (« cantat » des malades) et le 15 août.

La chapelle date des 17ᵉ et 18ᵉ s. La fontaine miraculeuse encastrée dans le mur, à gauche, alimente une piscine située à l'intérieur du bâtiment au pignon dirigé vers la montagne. A l'intérieur de la **chapelle**, on verra un magnifique retable de Joseph Sunyer datant de 1707 : la niche centrale abrite la statue de N.-D. de Font-Romeu, quand celle-ci est à Odeillo, celle de la Vierge du Camaril ; à la prédelle, trois scènes très fines retracent les épisodes de l'« Invention ».

Prendre, à droite du maître-autel, l'escalier qui conduit au **camaril ★ ★**, le petit « salon de réception » de la Vierge, aménagement typiquement espagnol, d'une inspiration touchante ; c'est le chef-d'œuvre de Sunyer. L'autel, aux panneaux peints, est surmonté d'un Christ encadré par la Vierge et saint Jean. Deux délicats médaillons, la Présentation au temple et la Fuite en Égypte, ornent les dessus de porte. Aux quatre angles, jolies statues d'anges musiciens.

★ ★ Calvaire. — Alt. 1 857 m. A 300 m de l'ermitage, vers Mont-Louis, prendre à droite un sentier jalonné par les stations d'un chemin de croix. Du calvaire érigé au sommet, le **panorama** est très étendu sur la Cerdagne et les montagnes environnantes.

EXCURSION

★ Col del Pam. — Alt. 2 005 m. *5,5 km au Nord par la route des pistes (départ du calvaire), puis 1/4 h à pied AR.*

Du balcon d'orientation aménagé au-dessus de la vallée de la Têt, **vue** sur le massif du Carlit, le plateau des Bouillouses, le Capcir (haute vallée de l'Aude), le Canigou.

GAILLAC
10 654 h. (les Gaillacois)

Carte Michelin nº 82 plis 9, 10.

Sur la rive droite du Tarn, à un carrefour de routes, Gaillac vécut longtemps des activités commerciales de la navigation sur le Tarn. La vieille ville conserve de charmantes places à fontaines et d'étroites ruelles bordées de maisons anciennes où les briques et le bois sont harmonieusement unies.

Le vignoble gaillacois. — C'est l'un des plus anciens vignobles de France. Déjà, dès le 10ᵉ s., les moines bénédictins de l'abbaye de St-Michel avaient instauré une sévère discipline pour sauvegarder la réputation des vins de Gaillac.

S'étendant sur une superficie de 20 000 ha, le vignoble gaillacois produit des vins rouges, rosés, blancs et mousseux.

Tandis que la rive droite du Tarn est cultivée en cépages blancs (Mauzac blanc et rosé, Loin de l'œil et Sauvignon) et rouges, sur la rive gauche prospèrent les cépages rouges, tels que Gamay et Duras.

L'évolution de l'encépagement est caractérisée par une replantation plus importante en cépages rouges ; chaque année 200 ha sont replantés en bons cépages (Duras et Brancol), et 50 ha en blanc (Mauzac).

Le Gaillac est vendu sous forme d'Appellation d'Origine Contrôlée (AOC). Le vin mousseux —Gaillac mousseux — élaboré selon les méthodes

Aire de production des vins de pays "Côtes du Tarn"

Aire de production des vins A.O.C "Gaillac"

champenoise ou gaillacoise, a un arôme très fin et sa mousse est fort légère.

CURIOSITÉS

Abbatiale St-Michel. — Au 7e s., des moines bénédictins fondèrent à Gaillac une abbaye qu'ils placèrent sous l'invocation de saint Michel.
Les travaux d'édification de l'abbatiale débutèrent au 11e s. et, maintes fois interrompus, s'échelonnèrent jusqu'au 14e s.
A l'intérieur de l'église, belle statue en bois polychrome de la Vierge à l'Enfant (14e s.).

Parc de Foucaud. — Ses agréables jardins étagés en terrasses au-dessus du Tarn sont l'œuvre de Le Nôtre.
⊙ Dans le château, résidence au 18e s. de la famille de Foucaud d'Alzon, un **musée (M)** abrite des œuvres de peintres locaux et quelques objets folkloriques.

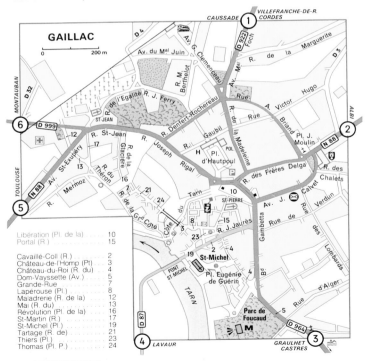

Libération (Pl. de la) 10
Portal (R.) 15

Cavaillé-Coll (R.) 2
Château-de-l'Homp (Pt) 3
Château-du-Roi (R. du) 4
Dom-Vayssette (Av.) 5
Grande-Rue 7
Lapérouse (Pl.) 8
Maladrerie (R. de la) 12
Mai (R. du) 13
Révolution (Pl. de la) 16
St-Martin (R.) 17
St-Michel (Pl.) 19
Tartage (R. de) 21
Thiers (Pl.) 23
Thomas (Pl. P.) 24

EXCURSION

Lisle-sur-Tarn. — 3420 h. *9 km au Sud-Ouest par ⑤, N88.*
Sur la rive droite du Tarn, cette grosse bourgade de l'Albigeois a conservé de son passé de bastide (1248) une vaste **place à couverts** bordée de cornières *(voir p. 30)* et quelques vieilles maisons en briques et bois.
Du pont, vue agréable sur la ville et ses murailles de soutènement.

★★ GALAMUS (Gorges de)

Carte Michelin n° 86 Sud-Ouest du pli 8 – Schéma p. 66.

La hardiesse de la route taillée dans le rocher, le site de l'ermitage collé à la paroi donnent au passage un caractère fantastique surtout lorsque flamboie le soleil catalan.

DE ST-PAUL-DE-FENOUILLET À CUBIÈRES

9,5 km — environ 1 h

St-Paul-de-Fenouillet. — *Page 75.*

Au départ de St-Paul-de-Fenouillet, le D 7, tracé tout d'abord parmi les vignes, devient bientôt sinueux. Dans un grand virage, vue à gauche sur le Canigou.

Laisser la voiture au parking de l'Ermitage situé après le tunnel.

Ermitage St-Antoine-de-Galamus. — *1/2 h à pied AR.* On y descend depuis le terre-plein de l'Ermitage (vue sur le Canigou). La construction de l'Ermitage *(restaurant champêtre)* masque la chapelle aménagée dans la pénombre d'une grotte naturelle.

Après le terre-plein de l'Ermitage, la route, en corniche, très étroite (2 m), est accrochée à la verticale de la paroi rocheuse. On n'aperçoit que très rarement le torrent tellement le trait de scie au fond duquel il coule est étroit et abrupt. Admirer la fissure dont les blancs à-pic sont mouchetés de broussailles. L'Agly s'éloigne ensuite vers l'Ouest. C'est le ruisseau de Cubières que le D 10 suit alors jusqu'au village de même nom.

Cubières. — On atteint ici la haute vallée de l'Agly.

GRAULHET
13 649 h. (les Graulhétois)

Carte n° 82 pli 10 – Plan dans le Guide Michelin France.

Depuis le Moyen Age, Graulhet (prononcer Grauillet) est une cité « tannante », activité dont son nom tirerait origine (« groule » en langue d'Oc signifie « chaussure »).

Tannerie et mégisserie. — On distingue la tannerie, qui traite les peaux de bovins et d'équidés, de la mégisserie, spécialisée dans les peaux de moutons, de chèvres et de porcs.

Graulhet, capitale de la mégisserie. — Graulhet travaille, par vocation, les « cuirots » provenant de Mazamet. Sa production, d'abord spécialisée dans les peaux pour doublure de chaussures, trouve depuis quelques années un nouveau débouché dans la fabrication de peaux pour vêtements et dans la maroquinerie.

Ses nombreuses entreprises de mégisserie traitent les peaux d'ovins, les peaux de caprins et les peaux de porcins. Les peaux tannées sont réparties ainsi : une moitié aux fabriques de vêtements de peaux, le tiers environ aux manufactures de chaussures et le reste à la maroquinerie.

Des « cuirs bruts » au « cuir marchand ». — Le tanneur commence à travailler sur des peaux à l'état brut, c'est-à-dire simplement traitées par salage pour assurer leur conservation. Ensuite, soigneusement épilées, trempées, écharnées, elles sont prêtes pour le tannage qui s'effectue suivant divers procédés.

Le tannage à l'alun, déjà utilisé par les Romains, est toujours pratiqué, surtout pour les pièces destinées à la ganterie.

A la fin du 19e s., les progrès de la chimie ont contribué au développement du tannage végétal qui utilise les tanins extraits des végétaux, du tannage aux sels de chrome et d'un procédé qui combine les deux.

Enfin, le « corroyage » ou le « finissage » sont les opérations finales qui assouplissent les peaux et en font des « cuirs marchands ». Cette ultime phase de la fabrication acquiert une importance grandissante depuis que les pays fournisseurs de peaux à l'état brut (Inde, Pakistan, pays d'Afrique du Nord, etc.) assurent souvent eux-mêmes une partie des premiers travaux de tannage et livrent aux entreprises graulhétoises des peaux semi-finies.

EXCURSIONS

Lac de Miquelou. — *3 km au Sud par ④ du plan et, à 2,5 km, le chemin du lac, à gauche.*
Ce lac de 8 ha (réservoir d'eau potable) est recherché par les amateurs de voile.

Lautrec. — *15 km au Sud-Est. Quitter Graulhet par ③ du plan, D 83. Description p. 85.*

GRENADE
4 784 h. (les Grenadains)

Carte Michelin n° 82 pli 7.

La bastide, fondée en 1290 par Eustache de Beaumarchais et l'abbaye de Grandselve, voit prospérer dans ses environs des vergers comptant parmi les plus imposantes plantations réalisées depuis la dernière guerre en pays toulousain.

Église. — Ce majestueux édifice de l'école gothique toulousaine est remarquable par l'ordonnance régulière de ses trois nefs d'égale hauteur et par son clocher de brique haut de 47 m inspiré de l'église des Jacobins *(voir p. 129).*

EXCURSION

Bouillac. – 454 h. *16 km au Nord-Ouest par le D 3, route de Beaumont-de-Lomagne que l'on quitte, à 13 km, pour tourner à gauche dans le D 55.*
L'église du village a recueilli le **trésor★** de l'abbaye de Grandselve détruite sous la Révolution. La chapelle latérale de droite a été réaménagée pour la présentation des châsses et reliquaires.
Les châsses du 13e s. sont en forme d'églises surmontées à la croisée d'un clocher octogonal présentant des ressemblances frappantes avec les clochers gothiques toulousains. Des gemmes et des filigranes décorent les arcatures abritant les personnages.
Le reliquaire de la Sainte Épine affecte la forme d'une tour à trois étages, abritée sous un dais, dont les fenêtres de cristal protègent des miniatures sur parchemin. Il aurait été offert à l'abbaye par Alphonse de Poitiers.

GRÉSIGNE (Forêt de)

Carte Michelin n° 🎯 pli 19.

Elle s'étend sur près de 4 000 ha, dans un site vallonné, aux confins du département du Tarn, sur la rive gauche de l'Aveyron. Propriété des rois de France, aux 17e et 18e s., ses hautes futaies alimentèrent le pays en bois de marine ; aussi Colbert fit-il protéger la forêt et ouvrir des routes pour en faciliter l'exploitation.
Le D 87 au parcours sinueux et pittoresque traverse ce massif forestier, planté de chênes et de charmes, offrant d'agréables sous-bois.

Puycelci. – A l'Ouest de la forêt, une plate-forme rocheuse dominant la vallée de la Vère, verdoyante et boisée, porte le vieux village fortifié de Puycelci, bâti dans un **site** pittoresque.
Cette ancienne place forte a conservé une partie de ses remparts flanqués de tours des 14e et 15e s. Au hasard des rues, on découvre nombre de demeures et d'édifices intéressants : château du Petit St-Roch, du 15e s., flanqué de deux tours ; maison Féral, dont la façade des 15e et 16e s. est percée de portes en ogive ; église paroissiale avec sa nef gothique et son clocher-porche du 18e s.

GRUISSAN   1 594 h.

Cartes Michelin n° 🔲 pli 14 et n° 🔲 pli 10 – Schéma p. 67 – Lieu de séjour p. 9.

Le **vieux village** de pêcheurs et de sauniers, aux maisons emboîtées en cercles concentriques, est dominé par les ruines de la tour Barberousse. A l'écart de la côte, entre les eaux dormantes des étangs, il semblait définitivement tourner le dos à la mer. Pourtant ce fut un port d'une certaine importance dont les bateaux partaient pêcher au large de l'Espagne et de l'Algérie. Les pêcheurs fêtent toujours la Saint-Pierre fin juin.
La **station nouvelle** de Gruissan s'est développée à la suite de l'ouverture d'un chenal maritime faisant communiquer l'étang du Grazel avec la mer. De petits immeubles disposés autour du bassin d'honneur du nouveau port de plaisance (voile, pêche) en forment, depuis 1975, le noyau. Leur crépi ocré, leurs toitures à faîtes multiples dessinés en berceaux les caractérisent.

(Photo Meauxsoone/Pix)

Gruissan. – Site.

Gruissan Plage garde un curieux lotissement de chalets montés sur pilotis, à l'abri des inondations toujours possibles en période d'équinoxe.

Les installations de camping se développent surtout au Nord du chenal (les Aiguades du Pech Rouge), en direction de Narbonne-Plage.

L'attrait de la station nouvelle réside non seulement dans son ouverture vers le grand large mais aussi dans son site favorable aux promenades dans le massif de la Clape *(p. 102),* l'une des beautés mal connues du pays languedocien.

EXCURSION

Cimetière marin. — *4 km, puis 1/2 h à pied AR. Sortir de Gruissan par le D 32 vers Narbonne ; au carrefour suivant les tennis, prendre la route signalée N.-D.-des-Auzils qui pénètre dans le massif de la Clape. Appuyer toujours à gauche. Laisser la voiture au parking (avant la pépinière du Rec d'Argent) et monter à pied jusqu'à la chapelle. Ou bien prendre, en voiture, la piste forestière des Auzils sur 1,5 km ; laisser la voiture sur un terre-plein, puis continuer à pied (20 mn AR).*

Le long d'un chemin pierreux, parmi les genêts, les pins parasols, les chênes verts et les cyprès, d'émouvantes stèles rappellent le souvenir des marins disparus en mer. De la **chapelle N.-D.-des-Auzils,** au sommet de la montée, au cœur d'un bosquet, vue étendue sur le site de Gruissan et la montagne de la Clape.

★ LABOUICHE (Rivière souterraine de)

Carte Michelin nº 🔢 pli 4 — 5 km au Nord-Ouest de Foix.

La rivière souterraine de Labouiche a creusé, dans le calcaire du Plantaurel, une galerie souterraine qui a été explorée sur une longueur de 4 500 m, dont le tiers est bien aménagé pour la visite.

Le voyage sur cette « rivière mystérieuse » enchantera les touristes par le parcours de 1,5 km en barque — deux transbordements sont nécessaires — à 70 m sous terre dans des galeries hautes ou surbaissées, éclairées ou obscures à dessein.

Stalactites et stalagmites, mises en valeur par la couleur noirâtre du calcaire sur lequel elles se détachent, se transforment, au gré de l'imagination, en bêtes et fleurs étranges ou en décor fantastique.

Une belle cascade souterraine marque l'extrémité d'une galerie visitable.

LAGRASSE   711 h.

Carte Michelin nº 🔢 pli 8 — Schéma p. 66.

Dans sa descente finale vers Lagrasse, le D 212, venant de Fabrézan, offre une vue d'ensemble de l'agglomération, avec ses ponts, ses restes de remparts et de nombreuses maisons anciennes, son abbaye.

L'abbaye, l'un des avant-postes de la civilisation carolingienne près de la Marche d'Espagne, richement dotée en domaines, jusqu'en Roussillon et en Catalogne, s'était développée dans un bassin de la vallée de l'Orbieu irriguée par les soins des moines de saint Benoît. Elle doit son aspect majestueux aux travaux défensifs exécutés au 14e s. et aux embellissements du 18e s. Elle communique par deux ponts, dont un pont en dos d'âne du 11e s., avec le bourg, également fortifié, attrayant pour sa place centrale à halle.

L'ABBAYE *visite : 3/4 h*

Bâtiments abbatiaux et donjon. — Ils sont occupés par la communauté de la Théophanie.

Pénétrer dans la cour d'honneur encadrée de nobles bâtiments du 18e s. construits en un grès ocre flammé de la région, aux tons de marbre.

Cloître. — Il fut construit en 1760, à l'emplacement d'un premier cloître de 1280 dont il subsiste quelques vestiges.

Église. — Souvent remaniée au cours des siècles, elle est bâtie sur les fondations d'une église carolingienne. Son aspect actuel date du 13e s. Dans la nef, à droite, une porte ouvre sur le transept Sud roman, greffé au 11e s. sur l'église pré-romane. Il comporte une abside et deux absidioles voûtées en cul-de-four et décorées à l'extérieur de bandes à arcatures lombardes.

Clocher. — Construit en 1537, de manière à s'intégrer aux fortifications du 14e s., le clocher, haut de 40 m, s'achève par un couronnement octogonal évidé de baies auquel il manque la flèche terminale.

Ancien logis abbatial. — Il comprend les parties les plus anciennes de l'abbaye, mais a été remanié depuis l'époque des derniers abbés commendataires.

Petit cloître. — Il a été réaménagé de façon charmante mais fantaisiste.

Deux galeries plafonnées, reposant sur des colonnes aux chapiteaux romans remployés, supportent un étage sous charpente.

Par l'imposante salle voûtée, très sombre, de l'ancien réfectoire et l'« escalier de Charlemagne », monter à l'ancien dortoir, puis, par la porte à gauche, au fond de celui-ci, à la **chapelle de l'Abbé** qui présente un précieux pavement de céramique du 13e s.

LAUTREC

1 560 h.

Carte Michelin n° 82 pli 10,

Dans un site pittoresque, Lautrec est une ancienne place forte dont on a une belle vue du D 83 au Nord-Ouest. Sa place centrale, ses ruelles aux vieilles maisons (remarquer celle où est installée l'Auberge des chevaliers de Malte) lui confèrent un charme paisible. Une partie de ses habitants s'adonne à la culture de l'ail rose, ce qui lui vaut une certaine renommée.

Porte de la Caussade. — Du 12ᵉ s., elle est un des rares vestiges des fortifications.

Église St-Rémy. — Elle renferme un beau lutrin et un retable en marbre (15ᵉ au 18ᵉ s.).

Musée. — Installé à la mairie, il abrite des objets trouvés au cours de fouilles archéologiques effectuées dans la région et quelques documents relatifs à l'histoire de Lautrec.

Calvaire de la Salette. — *1/4 h à pied AR.* Site de l'ancien château disparu. Il domine le village et offre une vue étendue à l'Est sur les monts de Lacaune, au Sud sur la Montagne Noire et à l'Ouest sur la plaine que traverse l'Agout.

LAVAUR

8 264 h. (les Vauréens)

Carte Michelin n° 82 pli 9.

Sur la rive gauche de l'Agout, à un carrefour de routes qui la relient à Toulouse, Castres et Montauban, Lavaur conserve dans ses vieux quartiers le charme des petites cités languedociennes.

Lavaur était une place forte défendue par le château du Plo dont subsistent quelques pans de murs soutenant l'esplanade du Plo, au Sud de la ville.

Durant la Croisade des Albigeois *(voir p. 37 et 124)*, elle fut assiégée par les troupes de Simon de Montfort et se rendit le 3 mai 1211, après deux mois de résistance organisée par Guiraude, dame de la ville, et 80 chevaliers qui avaient épousé la cause cathare. Ils furent pendus, d'autres hérétiques brûlés et dame Guiraude jetée dans un puits que l'on remplit de pierres.

De 1318 à 1790, Lavaur fut le siège d'un évêché.

CURIOSITÉS

★ **Cathédrale St-Alain.** — Le premier édifice roman, détruit en 1211, fut reconstruit, en brique, en 1254. Sur la façade Sud s'élève, au sommet d'une tour romane au soubassement de pierre, le fameux jacquemart en bois peint qui frappe les heures et les demies. Le mécanisme et la cloche datent de 1523. Une terrasse permet de faire le tour de l'édifice et d'admirer le chevet qui domine l'Agout.

L'intérieur est de style gothique méridional *(voir p. 29)*, avec son imposante nef unique (13ᵉ s. et 14ᵉ s.) et son abside (fin du 15ᵉ s., début du 16ᵉ s.) à sept pans, plus basse et plus étroite que la nef.

La porte romane par laquelle on accède à la première chapelle de droite est un vestige de l'édifice primitif ; les chapiteaux des colonnettes sont décorés de scènes de l'enfance du Christ. Dans la troisième chapelle, un enfeu flamboyant abrite une Pietà en bois du 18ᵉ s. et un lutrin de la même époque.

Dans le chœur, la table d'autel (école de Moissac) en marbre blanc, du 11ᵉ s., provient de l'église Ste-Foy, la plus ancienne de Lavaur.

Du côté gauche, un tableau représentant le Christ en croix et saint Jérôme est attribué à Ribera.

Les orgues du 16ᵉ s. furent restaurées au 19ᵉ s. par Cavaillé-Coll.

Par le côté Ouest de la nef, pénétrer dans le porche situé sous le clocher octogonal. Un portail flamboyant porte au trumeau la statue de saint Alain et, au linteau, l'Adoration des Mages. Il fut endommagé durant les guerres de Religion et pendant la Révolution.

Jardin de l'évêché. — A l'emplacement de l'ancien évêché, il forme une terrasse dominant l'Agout, au Nord de l'église. Ses cèdres séculaires, ses massifs bien taillés en font un lieu de promenade apprécié.

Une statue de Las Cases, né près de Lavaur et compagnon de Napoléon Iᵉʳ à Ste-Hélène, y a été érigée au 19ᵉ s.

Jolie vue sur l'Agout et, à gauche, sur le pont St-Roch (1786).

Église St-François. — Dans la rue principale. Elle était, avant la Révolution, la chapelle du couvent des Cordeliers, installés à Lavaur en 1220 par Sicard VI de Lautrec, baron d'Ambres. Construite en 1328, elle ne manque pas d'élégance.

A droite de l'entrée, belle maison de brique et de bois.

EXCURSION

St-Lieux-les-Lavaur. — *362 h. 10 km au Nord-Ouest par le D 87 et le D 631 à gauche.*

Cette charmante localité de la vallée de l'Agout est le point de départ de la ligne de chemin de fer touristique du Tarn, promenade en « tortillard » remorqué par d'authentiques locomotives de 1918.

LERS (Route du port de)

Carte Michelin n° 86 pli 4 — Schéma p. 78.

La route du port de Lers révèle un contraste sensible entre des paysages bocagers « atlantiques » et la nature méditerranéenne, plus âpre.

DE MASSAT À TARASCON-SUR-ARIÈGE

42 km — environ 3 h

Massat. — *Description dans le guide Vert Michelin Pyrénées Aquitaine Côte Basque.*

   Quitter Massat par le D 18.

La route s'engage dans des vallons étroits ouverts en terrain schisteux, comme le rappelle le matériau sombre des maisons montagnardes dispersées dans les pentes, parmi les herbages.

Après Mouréou, on entre dans un paysage de montagne, de plus en plus austère au fur et à mesure de la belle montée, face aux sommets enneigés.

Peyre Auselère. — A la sortie des bois, après une montée accentuée, dans ce dernier hameau de la vallée aux granges éparses, quitter la voiture pour faire halte au bord des gracieuses chutes du torrent. Un pont permet de passer sur la rive gauche.

La route se déploie dans le cirque de Lers, où pâturent chevaux et moutons voisinant avec les troupeaux de bovins aux sonnailles harmonieuses.

★ **Étang de Lers.** — Site solitaire superbe au pied du pic de Montbéas, embelli au début de l'automne par la floraison des ajoncs. Beau paysage de moyenne montagne aux reliefs chahutés par les glaciers.

La route franchit le port de Lers (alt. 1 517 m). Elle redescend, rapidement et en lacet, la gouttière très inclinée de la vallée de Suc. C'est ici qu'apparaissent le plus nettement les différences entre les végétations « atlantique » et méditerranéenne. La route, égayée de cascades tout le long, domine le torrent, profond. Avant d'arriver à Vicdessos, belle vue en avant sur la vallée suspendue de Goulier.

Vicdessos. — 602 h. Village montagnard qui occupe un site de verrou glaciaire en contrebas de la vallée suspendue de Suc.

La route suit la profonde et rude **vallée du Vicdessos** où les vastes étendues pastorales accueillent de nombreux troupeaux, laissant peu de place aux habitations. A gauche se succèdent les villages balcons d'Orus et d'Illier.

A Laramade s'ouvre, à droite, la vallée de Siguer. Le port de Siguer (alt. 2 396 m) constituait un passage très fréquenté pour les échanges entre la France, l'Andorre et l'Espagne. Il a été emprunté, au cours de la dernière guerre, par de nombreux Français.

En avant, perchées sur un promontoire rocheux, se dressent les ruines claires du château de Miglos, du 14e s. — site de légende — auquel fait pendant, sur la rive gauche, le village de Lapège.

100 m après la bifurcation de Junac, à gauche, le monument aux morts 1914-1918 est une œuvre de Bourdelle.

★★ **Grotte de Niaux.** — *Page 104.*

Avec les forges de Niaux et surtout l'usine Péchiney de Sabart, faubourg de Tarascon, le paysage reprend une touche industrielle.

Tarascon-sur-Ariège. — *Page 122.*

*Chaque année le **guide Michelin France**
rassemble, sous un format maniable,
une multitude de renseignements à jour.
Emportez-le dans vos déplacements d'affaires,
        lors de vos sorties de week-end, en vacances.*

Tout compte fait, le guide de l'année, c'est une économie.

LIMOUX   10 885 h. (les Limouxins)

Carte Michelin n° 86 pli 7 — Plan dans le guide Michelin France.

Sous-préfecture aux rues étroites et animées, encore en partie enclose à l'intérieur d'une enceinte élevée au 14e s. par crainte des raids anglais, Limoux est une cité languedocienne réputée facétieuse pour son carnaval, qui s'étend de janvier à mars *(voir p. 142),* dont les cortèges mettent un joyeux désordre sous les couverts de la place de la République.

L'Aude, franchie par un « pont Neuf » du 14e s., donne quelque noblesse aux perspectives urbaines.

Dominant la rivière, le chevet et la flèche gothique de l'église St-Martin caractérisent la silhouette monumentale de la ville.

Avec Carcassonne et Lézignan, Limoux est l'un des hauts-lieux du jeu à XIII.

⊙ **La blanquette.** — Ce vin effervescent A.O.C., provenant des cépages Mauzac, Chenin et Chardonnay, plantés dans la région de Limoux, doit son nom au fin duvet blanc couvrant le dessous des feuilles du plant Mauzac. Dès le 16e s., les documents attestent que la blanquette était livrée en « flascons » bouchés. Élaborée selon le procédé de la « méthode champenoise », elle jouit d'une faveur croissante en France et à l'Étranger.

EXCURSION

St-Hilaire. — *12 km au Nord, puis 1/2 h de visite. Sortir de Limoux par le D 104.*

N.-D.-de-Marceille. — Église de pèlerinage, reconstruite au 14e s. dans le style gothique. Prendre du recul sur l'esplanade, en tournant le dos à Limoux, pour voir, dans la perspective de la fontaine de la Vierge, le côté Sud de l'édifice. Vignobles et cyprès conservent au site son caractère languedocien.

A l'intérieur, la Vierge Noire apparaît dans l'unique chapelle latérale de gauche, protégée par une grille Louis XIV. On verra de nombreux et touchants ex-voto dans les absidioles encadrant le chœur. Grands tableaux de peintres carcassonnais.

A mi-pente de la « voie sacrée », rampe empruntée par les pèlerins, un édicule abrite la fontaine miraculeuse. André Chénier enfant *(voir p. 57)* parcourut ce chemin et laissa une description élégiaque de cette promenade.

St-Hilaire. — 595 h. Siège d'une abbaye bénédictine du 8e s. primitivement dédiée à saint Saturnin *(voir p. 127)*. A partir de 970, elle fut placée sous le vocable de saint Hilaire, 1er évêque de Carcassonne. Elle fut dissoute en 1748. La tradition attribue aux moines de St-Hilaire la découverte de la montée en mousse de la « blanquette ».

Du pied de l'abside de l'église, prendre une rampe aboutissant au cloître. En forme de trapèze rectangle, ce cloître gothique aux colonnettes géminées soudées au niveau des chapiteaux par un motif en forme de tête d'homme, laisse une impression de gracilité.

Du cloître on passe dans l'**église** romane, très remaniée, pour y voir surtout, dans la chapelle orientée de droite, l'« ossuaire de saint Sernin ». Ce sarcophage à l'antique, exécuté au 12e s. par le maître de Cabestany en Roussillon, illustre sur trois faces la vie et le martyre du fondateur de l'église de Toulouse vers le milieu du 3e s. C'était le maître-autel de l'église abbatiale.

LOMBRIVES (Grotte de)

Carte Michelin n° 🔢 Sud des plis 4 et 5.

Située au Sud de Tarascon-sur-Ariège, la caverne est curieuse par l'immensité de ses salles et par les faits, réels ou imaginaires, qui s'y rattachent.

Sa température est constante : 13 ºC. On visite 3,6 km de galeries sur deux niveaux, séparés par 153 marches (escaliers et rampes) pénibles. Par la galerie basse, on accède à la « cathédrale », cavité d'une centaine de mètres de hauteur sous voûte. Dans les galeries supérieures, remarquer surtout le « mammouth », très belle concrétion, haute et vaste, et le « tombeau de Pyrène ».

L'histoire et la légende. — Les parois de la grotte sont couvertes d'inscriptions et de graffitis, témoignages de la longue occupation par les hommes à travers les âges. 4 000 ans avant J.-C. elle leur servit d'abri (contre les animaux sauvages et les intempéries) et aussi de sépulture. On dit que ce sont les Romains qui ont laissé à Lombrives la légende de Pyrène, belle jeune fille qui se laissa séduire par Hercule, beau jeune homme. Fuyant la colère de son père, Bébryx, elle partit cacher son déshonneur à la montagne. Un ours la terrassa. A ses cris Hercule accourut mais arriva trop tard. Avant de l'ensevelir dans sa dernière demeure, il fit ainsi son éloge : « Afin que ta mémoire se perpétue à jamais, douce Pyrène, ces montagnes dans lesquelles tu dors s'appelleront désormais les Pyrénées ».

Au Moyen Age, elle fut le refuge des hommes traqués. En 1244, on a prétendu que le trésor des cathares aurait été caché dans la grotte. En 1298, trois hommes y furent décapités pour y avoir fabriqué de la fausse monnaie. A la Renaissance, on venait y chercher des concrétions pour orner les salons de rocaille, alors en vogue.

Lors des guerres de Religion, catholiques et protestants se cachèrent à Lombrives, alternativement. Puis des réfugiés politiques, des brigands, des francs-maçons y trouvèrent asile. Plus tard, elle fut l'objet d'explorations (par E.-A. Martel) et d'études scientifiques. Dans les sols, des savants ont retrouvé, à la fin du 19e s. et au début du 20e s., en plus des ossements humains (si longs qu'on prétend aussi qu'une race de géants aurait séjourné dans la grotte), des grattoirs, flèches, haches, bijoux, etc. Alphonse de Lamartine et Louis Bonaparte comptent parmi les visiteurs célèbres.

La formation géologique. — La présence de blocs erratiques, que l'on peut voir au cours de la visite, expliquerait l'hypothèse qu'un glacier venu du Vicdessos pour rejoindre l'Ariège aurait creusé sur son passage les grottes de Niaux et Lombrives qui ne sont qu'une seule et même cavité. Le spéléologue E.-A. Martel émit une deuxième théorie : c'est l'eau du Vicdessos, entrant à Niaux, qui s'engouffra dans les fissures existantes pour ressortir dans les eaux de l'Ariège. Trouvant un verrou à Ussat, elle bifurqua vers d'autres anfractuosités qu'elle agrandit, pour reparaître à Sabart. La percée hydrogéologique Niaux-Lombrives-Sabart ainsi formée constitue un même réseau souterrain.

LUZENAC

Carte Michelin n° 86 Nord du pli 15 — Schéma p. 50.

Depuis la fin du 19e s., Luzenac doit son renom à son gisement de talc. De la carrière de Trimouns, s'ouvrant en pleine montagne dans le massif du St-Barthélémy entre 1 700 et 1 850 m d'altitude, le talc brut est descendu par bennes à l'usine de la vallée où a lieu le séchage, le broyage et le conditionnement.

★★**Montée à Trimouns.** — *Circuit de 39 km — environ 3 h.*

Quitter Luzenac par le pont sur l'Ariège et le D 2, route de Caussou.

Unac. — 121 h. Église romane fièrement campée au-dessus de la vallée. A l'intérieur, les deux gros chapiteaux flanquant l'entrée du chœur sont d'un travail vigoureusement fouillé.

Continuer par le D 2, **route des Corniches** (vues plongeantes sur la vallée de l'Ariège), puis tourner à gauche, vers Lordat.

Château de Lordat. — *Montée déconseillée par temps de pluie. Gagner la placette de l'église puis, au-delà, par la ruelle en descente, le parking aménagé au pied du château. Prendre le sentier fléché.*
Le château fort, l'un des plus disputés du comté de Foix, ne présente guère que des vestiges ruiniformes, mais sa position bien détachée sur un piton calcaire en fait un **belvédère★** sur le Sabarthès *(p. 122),* le sillon de l'Ariège vers Ax et la chaîne frontière, du côté de l'Andorre.

Revenir au carrefour de la route des Corniches où prendre, tout droit, la route de Trimouns.

★**Carrière de Trimouns.** — *Quitter la voiture au parking « Visiteurs ».*
◎Ce gisement est un des plus importants exploités dans le monde. **Vues★** étonnantes sur le large filon blanc de talc. Les hommes sont, pour la plupart, affectés au tri manuel des diverses qualités de talc.
Le **panorama★★** sur les montagnes de la haute Ariège est saisissant.

Redescendre au bourg de Lordat d'où l'on regagne directement Luzenac par Vernaux.

Vernaux. — 39 h. La route contourne en contrebas du village l'église isolée, édifice roman menu mais très soigneusement construit en tuf.

MARTRES-TOLOSANE

Carte Michelin n° 82 pli 16 — 4 km au Nord-Est de Boussens.

La cité s'ordonne autour d'un anneau de boulevards cernant le quartier d'où pointe le clocher gothique de l'église. Elle s'élève sur le territoire de l'ancien domaine gallo-romain de **Chiragan** dont la villa, fouillée au 19e s., avait livré près de 300 statues et bustes, déposés au musée St-Raymond de Toulouse.
Quelques ateliers maintiennent encore à Martres la tradition de la faïence d'art.
Le « dimanche tolosan » *(voir le tableau des manifestations en fin de volume)* voit chaque année se dérouler une reconstitution historique avec simulacre de combat entre Sarrasins et Chrétiens. Ce jour-là, Martres célèbre son héros et patron martyr, saint Vidian. Il semble que les Musulmans n'aient passé que trois ans en Aquitaine au début du 8e s. et le preux Vidian pourrait bien n'être qu'une réincarnation de Vivien, neveu de Charlemagne, célèbre par la chanson de geste de Guillaume d'Orange que diffusaient les troubadours et les pèlerins.

Église St-Vidian. — Élevé à l'emplacement d'une basilique funéraire elle-même fondée sur une nécropole paléo-chrétienne, l'édifice actuel remonte au 14e s. Outre les sarcophages — les deux plus beaux sont à l'intérieur — on remarque dans la nef, à gauche, la chapelle St-Vidian qui s'ouvre sous l'ancien portail de l'église romane. Les reliques du martyr sont disposées dans un monument de pierre de style flamboyant.

EXCURSIONS

Alan. — 259 h. *8,5 km au Nord-Ouest — environ 3/4 h. Prendre le D 10 au Nord.*
◎ *Pour visiter l'ancien palais des évêques de Comminges, entrer à gauche de la Grand-Place, par un portail en fer forgé surmonté d'une mitre.*
La bastide d'Alan, fondée en 1270, devint une des résidences préférées des évêques de St-Bertrand-de-Comminges. Les vestiges de leur château sont entrés depuis 1912 dans la chronique par les déboires de la **« vache d'Alan »★**, grand motif sculpté en haut-relief au tympan d'une porte de style gothique flamboyant ouvrant sur une tourelle d'escalier. La vache, mutilée, porte au cou les armes de l'évêque Jean-Baptiste de Foix-Grailly (1466-1501), auteur de ces embellissements. Elle manqua d'être exilée par deux fois et ne dut sa sauvegarde qu'à l'opposition farouche de la population puis au sauvetage du palais en ruines, à partir de 1969.

Menhirs de Mancioux. — *5 km au Sud-Ouest par la N 117.*
Ils sont situés au bord de la route, dans la cluse de Boussens, cette coupure de la Garonne à travers les « Petites Pyrénées » calcaires, chaînons habités dès la préhistoire, qui fut aussi une grande voie de passage et d'invasion. Les menhirs furent conservés par les Romains comme balises, à une bifurcation de la voie romaine de Toulouse à St-Bertrand.

★★ MAS-D'AZIL (Grotte du)

Carte Michelin n° 86 pli 4.

C'est une des curiosités naturelles les plus intéressantes de l'Ariège. C'est aussi une station préhistorique célèbre dans le monde scientifique car c'est là que l'azilien a été étudié et défini.

En effet, grâce à des fouilles méthodiques, Édouard Piette allait découvrir, en 1887, une couche originale d'habitat humain, entre le magdalénien (30 000 ans avant J.-C.) finissant et le début du néolithique : l'azilien (9 500 avant J.-C.). Après lui, l'abbé Breuil et Joseph Mandement continuèrent les recherches, mais aussi Boule, Cartailhac...

Le produit des fouilles, représentant des millénaires de préhistoire (la grotte fut habitée avant la période magdalénienne), est exposé dans la grotte et au bourg du Mas-d'Azil.

(D'après photo Jean Toupance)

Le Faon
aux oiseaux
du Mas d'Azil.

⊙**Grotte.** — Creusée par l'Arize sous un chaînon du Plantaurel, cette grotte est un tunnel long de 420 m et d'une largeur moyenne de 50 m. En amont, l'arche d'entrée est magnifique (65 m de haut) ; en aval, l'ouverture, surbaissée (7 à 8 m), est forée dans un rocher à pic d'une hauteur de 140 m. La route utilise ce passage, côtoyant le torrent dont les eaux sapent les parois calcaires, elle s'enfonce sous une voûte majestueuse, étayée au centre par un énorme pilier rocheux.

Primitivement, avant de percer la montagne, l'Arize la contournait : l'origine de cette vallée sèche, coudée en méandre vers l'Est, est bien reconnaissable à hauteur du village de Rieubach.

Collections préhistoriques. — Les 4 étages de galeries fouillées se développent sur 2 km dans un calcaire très pur dont l'homogénéité empêche les infiltrations et la propagation de l'humidité. On visite entre autres la salle du Temple, lieu de refuge protestant dont Richelieu fit sauter le plancher intermédiaire à la suite du siège infructueux de 1625. Des vitrines présentent des pièces remontant aux époques magdalénienne (grattoirs, burins, aiguilles, moulage de la célèbre tête de cheval hennissant) et azilienne (harpons en bois de cerf — les rennes avaient fui vers le Nord à cause du réchauffement du climat —, pointes rouges, galets coloriés, outillage miniaturisé).

Dans la salle Mandement apparaissent, enrobés dans les déblais, des vestiges de faune (mammouth et surtout ours) amoncelés en ossuaire sans doute par des crues souterraines (l'Arize, dix fois plus considérable qu'aujourd'hui, faisait monter l'eau jusqu'à la voûte).

⊙**Musée de la préhistoire.** — Collections d'époque magdalénienne et surtout le célèbre « faon aux oiseaux ».

MIREPOIX

3 578 h. (les Mirapiciens)

Carte n° 86 pli 5.

Le nom de cette ancienne bastide, créée en 1279, est lié à celui de la famille de Lévis, depuis la croisade des Albigeois *(voir p. 124)*. La branche de Lévis-Mirepoix remonte en effet à Guy Ier de Lévis, lieutenant de Simon de Montfort promu « maréchal de la Foi ».

★ **Place principale (place Général-Leclerc).** — Entourée de maisons (fin 13e s.-15e s.) dont le premier étage s'avance sur des « couverts » en charpente, elle offre avec son jardin public, ses magasins vieillots et ses cafés un lieu de détente plaisant, surtout le soir. Aux angles Nord-Ouest et Nord-Est, observer la disposition caractéristique des « cornières » : les couverts se rejoignent et ne laissent aux voies de desserte qu'un interstice.

⊙**Cathédrale.** — L'ordonnance de l'édifice ne laisse pas soupçonner la longue histoire de ses chantiers : commencée en 1343, l'église ne reçut ses voûtes d'ogives qu'en 1865. L'élégante flèche gothique fut commencée en 1506, l'année même de la consécration.

Entrer par le portail Nord. Le vaisseau (début du 16e s.), flanqué de chapelles engagées entre les contreforts intérieurs suivant la tradition du gothique du Midi *(voir p. 29)*, est le plus large (31,60 m) de ceux jamais construits pour une église gothique française.

*Afin de donner à nos lecteurs l'information la plus récente possible, les **Conditions de Visite** des curiosités décrites dans ce guide ont été groupées en fin de volume.*

Les curiosités soumises à des conditions de visite y sont énumérées soit sous le nom de la localité soit sous leur nom propre si elles sont isolées.

Dans la partie descriptive du guide, p. 33 à 137, le sigle ⊙ placé en regard de la curiosité les signale au visiteur.

Carte Michelin n° **79** plis 16, 17 — Lieu de séjour p. 8.

Dans un cadre d'eau et de verdure, entourée de coteaux couverts de vergers et de vignobles produisant un chasselas (raisin blanc) réputé, Moissac s'élève autour de son ancienne abbaye, sur la rive droite du Tarn et de part et d'autre du canal latéral à la Garonne.

Le chasselas doré. — Les coteaux du Bas-Quercy qui bordent la rive droite du Tarn et de la Garonne, entre Montauban et Moissac, produisent chaque année plus de 18 000 t d'un chasselas doré de tout premier choix ; quelques terroirs voisins contribuent aussi à cette production. Ce raisin de table est expédié surtout vers la région parisienne. Le « Moissac » véritable se présente sous la forme de belles grappes longues, à grains ronds, bien détachés, d'une couleur nacrée, légèrement dorée ; très sucré et parfumé, il est réputé pour son goût particulièrement fin.

UN PEU D'HISTOIRE

L'âge d'or de l'abbaye. — C'est au 11ᵉ s. que l'abbaye connaît son plus grand rayonnement. Fondée vraisemblablement au 7ᵉ s. par un moine bénédictin de l'abbaye normande de St-Wandrille, la jeune abbaye de Moissac n'échappe pas aux pillages et dévastations de la part des Arabes, des Normands et des Hongrois.
Elle ne s'en relève que difficilement, lorsqu'en 1047 un événement change sa destinée. De passage en Quercy, saint Odilon, le prestigieux abbé de Cluny, qui venait d'établir les règlements du monastère de Carennac, unit l'abbaye de Moissac à celle de Cluny. Alors commence une ère de prospérité. Grâce à l'appui de Cluny, l'abbaye de Moissac établit partout des prieurés et étend son influence jusqu'en Catalogne.

Une succession de malheurs. — La guerre de Cent Ans, au cours de laquelle Moissac est deux fois occupée par les Anglais, puis les guerres de Religion portent de rudes coups à l'abbaye. Sécularisée en 1628, elle est supprimée sous la Révolution.
En 1793, au moment de la Terreur, les archives sont dispersées, les trésors d'art pillés, de nombreuses sculptures mutilées. Au milieu du siècle dernier, elle échappe de justesse à une destruction plus complète, puisqu'il fut alors question d'abattre les bâtiments conventuels et le cloître pour y faire passer la voie ferrée de Bordeaux à Sète. L'intervention des Beaux-Arts la sauva de la ruine.

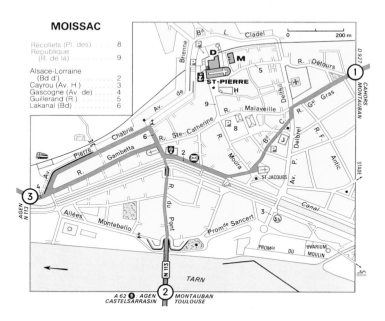

L'ABBAYE *visite : 1 h*

★ **Église St-Pierre.** — C'est l'ancienne abbatiale. De l'édifice du 11ᵉ s. ne subsiste plus que le clocher-porche, sorte de donjon avec chemin de ronde, construit dans un but défensif mais dont le dernier étage ne date que de la fin de l'époque gothique.
Extérieurement apparaissent les deux périodes très différentes auxquelles appartient la nef : une partie, en pierre, est romane, l'autre, en brique, est gothique. On retrouve la partie romane dans le soubassement des murs de la nef et dans les fenêtres en plein cintre des parties basses. Le reste fut exécuté au 15ᵉ s. en gothique méridional.

★★★ **Portail méridional.** — *Schéma p. 91.* Le tympan de ce portail, exécuté entre 1100 et 1130, compte parmi les chefs-d'œuvre de la sculpture romane. La majesté de sa composition, l'ampleur des scènes traitées, l'harmonie des proportions entre les divers personnages sont d'une puissance et d'une beauté auxquelles la maladresse de certains gestes et la rigidité de quelques attitudes n'enlèvent rien.

Le thème est celui de la Vision de l'Apocalypse d'après saint Jean. Trônant au centre de la composition, le Christ (1) domine les autres personnages : couronné et nimbé, serrant dans la main gauche le Livre de la Vie, il lève la main droite dans un geste de bénédiction. Ses traits fortement marqués, ses yeux brillants, sa barbe et ses cheveux divisés en mèches symétriques ajoutent à la sévérité du regard et accusent l'impression de puissance et de majesté se dégageant de sa personne. Les quatre Évangélistes l'entourent sous la forme de leurs symboles : saint Matthieu représenté par un jeune homme ailé (2), saint Marc par un lion (3), saint Luc par un

taureau (4), saint Jean par un aigle (5) ; deux séraphins (6) aux longues silhouettes encadrent cette scène magnifique. Le reste du tympan est occupé par les vingt-quatre vieillards de l'Apocalypse (7) étagés sur trois registres superposés mais représentés dans des attitudes très personnelles. Leur visage, tourné vers le Christ, exprime l'étonnement devant une telle apparition. Ce tableau atteint une rare intensité, la composition étant axée sur le personnage principal, vers lequel convergent tous les regards. La beauté et l'élégance des formes, la perfection du modelé et des draperies, la précision des détails, l'expression des visages sont admirables.

Cet ensemble repose sur un remarquable linteau (8), décoré de huit rosaces encadrées par un câble sortant de la gueule de deux monstres placés à chaque extrémité.

Le trumeau (9), de style vigoureux, est un magnifique bloc monolithe orné de trois couples de lions dressés, leurs corps, croisés en X, se superposant.

Complétant la décoration de ce trumeau, les deux saisissantes figures longilignes et ascétiques de saint Paul, à gauche, et de Jérémie, à droite (10) sont sculptées sur les faces latérales du trumeau, tandis que sur les piédroits apparaissent saint Pierre (11), patron de l'abbaye, et le prophète Isaïe (12). Les piédroits polylobés et certains éléments décoratifs révèlent une influence hispano-mauresque explicable par la position de Moissac sur un itinéraire de pèlerinage vers St-Jacques-de-Compostelle.

Le tympan est encadré de trois voussures (13) ornées de feuillages stylisés.

De chaque côté des piédroits sont sculptées des scènes historiées dans des éléments de sarcophages, en marbre des Pyrénées ; à droite (14), de bas en haut, l'Annonciation, la Visitation, l'Adoration des Mages, la Présentation de Jésus au Temple et la Fuite en Égypte ; à gauche (15), scènes de la Damnation : avare et femme adultère torturés par des démons, des crapauds et des serpents, histoire du mauvais riche festoyant sans se soucier du pauvre Lazare mourant de faim et dont un ange recueille l'âme pour le porter dans le sein d'Abraham. L'archivolte du porche et les pilastres sont finement décorés : sur les colonnes flanquant le portail, apparaissent les statues de l'abbé Roger, qui mena à bien l'édification de ce portail, et d'un moine bénédictin.

Intérieur. — On pénètre dans le narthex dont la voûte repose sur des ogives massives ; il est décoré de chapiteaux très stylisés, datant des 11e et 12e s.

La nef a conservé une partie de son mobilier. On remarque, dans la deuxième chapelle, à droite en entrant, une Vierge de Pitié de 1476 (a) dans la chapelle suivante, une charmante Fuite en Égypte de la fin du 15e s. (b), dans la dernière chapelle à droite, une Mise au tombeau (c) de 1485. Le chœur est entouré d'une clôture en pierre sculptée, du 16e s., derrière laquelle on a dégagé récemment une abside carolingienne. Stalles du 17e s. (d). Dans une niche placée sous l'orgue, sarcophage mérovingien (e) en marbre blanc des Pyrénées, mais surtout, adossé au mur gauche, à droite de l'orgue, admirable **Christ★** roman, du 12e s. (f).

★★ **Cloître (D).** — *Accès en contournant le clocher-porche.* Ce cloître (fin 11e s), est remarquable par la légèreté de ses arcades et de ses colonnes, alternativement simples ou géminées, l'harmonie des tons de ses marbres — blanc, rosé, vert, gris — et la richesse de sa décoration sculptée.

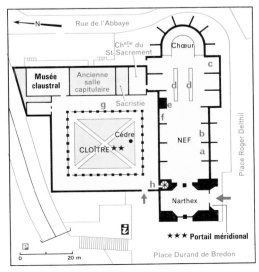

MOISSAC ★★

Quatre galeries voûtées en appentis avec charpente apparente reposent sur 76 arcades renforcées de piliers aux angles et au milieu des côtés. Ces piliers, revêtus de blocs de marbre provenant d'anciens sarcophages, sont décorés de bas-reliefs : on y trouve neuf effigies d'apôtres et, sur le pilier placé au milieu de la galerie située du côté opposé à l'entrée, celle de l'abbé Durand de Bredon (g), évêque de Toulouse et abbé de Moissac qui joua un rôle prépondérant dans le développement de l'abbaye ; son effigie, exécutée quinze ans seulement après sa mort, passe pour un véritable portrait par le réalisme de son exécution.

Les chapiteaux présentent une grande variété : animaux, feuillages, motifs géométriques, scènes historiées, sont traités avec art. Les sujets sont empruntés à l'Ancien et au Nouveau Testament : épisodes de la Vie du Christ, ses miracles et ses paraboles, des scènes de l'Apocalypse et de la Vie des Saints honorés dans l'abbaye.

Un très beau cèdre se dresse dans la cour. A droite de l'entrée du cloître, un escalier (h) mène au 1er étage du narthex : vue sur le cloître.

Le **musée claustral**, aménagé dans les quatre chapelles de l'angle Nord-Est du cloître, présente une section lapidaire (11e-13e s.), une section photographique évoquant le rayonnement de la sculpture moissagaise en Quercy et une section d'art religieux local : orfèvrerie, mobilier liturgique, ornements du 17e au 19e s.

AUTRE CURIOSITÉ

⊙**Musée moissagais (M)**. – Il est installé dans l'ancien logis des Abbés, importante construction flanquée d'une tour crénelée de briques, du 13e s., qui fut démantelée pendant la Révolution.

Dès l'entrée, deux cartes montrent l'importance de l'abbaye au Moyen Age et son rayonnement à travers tout le Sud-Ouest. La vaste cage d'escalier du 17e s. sert de cadre à la présentation d'objets historiques religieux.

Les salles sont consacrées aux collections folkloriques : céramiques régionales (surtout d'Auvillar), mobilier, coiffes moissagaises, reconstitution d'une cuisine du Bas-Quercy au 19e s., diverses manifestations d'artisanat, costumes, monnaies.

Du sommet de la tour, on découvre une vue étendue sur la ville dont les vieux quartiers se pressent autour de l'abbaye et, au-delà, sur la vallée du Tarn et les coteaux du Moissagais.

EXCURSION

Boudou. – 489 h. *7 km à l'Ouest. Quitter Moissac par ③ du plan, N 113, et prendre à droite, après le pont suspendu de St-Nicolas, une petite route signalée menant au village.* D'un promontoire, au Sud de l'église *(table d'orientation)*, se déroule un **panorama★** étendu sur la vallée de la Garonne, dont la rive droite passe au pied de collines en partie couvertes de vignes, tandis que la rive gauche, très plate, est tapissée de cultures coupées de peupleraies ; à gauche, apparaît le confluent de la Garonne et du Tarn et le lac de barrage de St-Nicolas-de-la-Grave.

★ MONTAUBAN
53 147 h. (les Montalbanais)

Carte Michelin n° 𝟽𝟿 plis 17, 18.

A la limite des collines du Bas-Quercy et des riches plaines alluviales de la Garonne et du Tarn, Montauban, ancienne bastide construite sur plan régulier, est un important carrefour de routes, le point de départ d'excursions dans les gorges de l'Aveyron et une active ville-marché, assurant la vente de la production maraîchère et fruitière de toute la région.

L'emploi presque exclusif de la brique rose donne aux monuments un caractère très particulier qui se retrouve dans la plupart des villes et bourgades du Bas-Quercy ainsi qu'à Toulouse.

UN PEU D'HISTOIRE

Une puissante bastide. – Dès le 8e s., plusieurs collectivités étaient déjà installées à l'emplacement de l'actuel faubourg du Moustier, sur un coteau dominant le Tescou ; plus tard s'y établit un couvent de bénédictins près duquel se développa une localité qui prit le nom de Montauriol, mais ce n'est qu'au 12e s. que fut fondée la ville actuelle. Victimes des abus dont se rendaient coupables à leur égard l'abbé de Montauriol et les seigneurs du voisinage, les habitants demandèrent aide et protection à leur suzerain, le comte de Toulouse.

Ce dernier, en 1144, fonda une abside sur un plateau dominant la rive droite du Tarn et la dota d'une charte très libérale : attirés par les avantages qui leur étaient consentis, les habitants de Montauriol accoururent, contribuant à l'essor de la nouvelle localité ; son nom, Mons albanus, donna naissance à celui de Montauban.

Une citadelle du protestantisme. – Dès 1561, la ville est en grande partie acquise à la Réforme ; les deux consuls sont calvinistes et poussent la population à piller églises et couvents. Une réaction catholique, sous l'impulsion de Charles IX, ne parvient pas à endiguer un mouvement général en faveur des idées nouvelles. Lors de la paix de St-Germain en 1570, Montauban est reconnue comme place de sûreté protestante. Henri de Navarre renforce ses fortifications et c'est là qu'à trois reprises se tiennent les assises de toutes les églises réformées de France.

Mais avec Louis XIII, l'heure de la «reconquête catholique» a sonné : en 1621, Montauban est assiégée par une armée de 20000 hommes, commandée par le roi en personne et son favori de Luynes. La résistance est magnifique, trois assauts sont repoussés ; au bout de trois mois, sur l'ordre du roi d'abandonner la place, l'armée catholique lève le siège.

Mais ce succès est éphémère et, dès la prise de la Rochelle en 1628, Montauban, dernier bastion du protestantisme, voit de nouveau marcher sur elle l'armée de Louis XIII. La ville, cette fois, ouvre ses portes sans combat et acclame le roi et le cardinal de Richelieu. Les fortifications sont détruites. Les huguenots bénéficient de la clémence royale.

Un maître du dessin. — Né à Montauban en 1780, d'un père artisan-décorateur qui lui donne jusqu'à l'âge de 17 ans de solides bases en musique et peinture, **Ingres** fréquente à Toulouse l'atelier du peintre Roques, puis, attiré par Paris, devient l'élève de David. Grand Prix de Rome à 21 ans, il se fixe près de vingt ans en Italie avant de s'établir à Paris où il ouvre un atelier et fonde une école. C'est surtout par le dessin que s'est manifesté son talent : à la pureté et à la précision du trait atteignant à la perfection, s'ajoute une personnalité extraordinaire dans la composition des innombrables portraits et études exécutés en général à la mine de plomb. Ingres connut, bien avant la fin de sa vie à 85 ans, les honneurs et la gloire. Très attaché à sa ville natale, il lui légua une part importante de son œuvre, dont le musée est aujourd'hui le dépositaire.

Un grand sculpteur. — Né lui aussi à Montauban, **Bourdelle** (1861-1929) doit beaucoup à son maître Rodin. Il a su, dans ses compositions — bustes ou groupes sculptés —, allier la virilité des attitudes, la simplicité des lignes et la noblesse des sentiments. Son Héraklès archer, au musée Bourdelle de Paris, constitue l'un des sommets de son art.

★★ MUSÉE INGRES

Il est installé dans l'ancien palais épiscopal, construit en 1664 sur l'emplacement de deux châteaux. Un premier château, dit «château-bas», fut bâti au 12e s. par le comte de Toulouse afin de surveiller le passage du Tarn ; démantelé en 1229, il fut remplacé un siècle plus tard par une autre forteresse, élevée sur l'ordre du Prince Noir au cours de la guerre de Cent Ans ; de cette construction subsistent encore quelques salles.

Le palais actuel fut racheté par la municipalité lors de la suppression du diocèse à la Révolution et aménagé en musée à partir de 1843. C'est un imposant et sobre édifice de briques roses, dont le corps de bâtiment principal est flanqué de deux pavillons.

1er étage. — Il est le pôle d'attraction du musée, puisqu'il est destiné à mettre en valeur les œuvres d'Ingres. Plafonds à la française et planchers à marqueterie constituent un décor choisi à leur exposition.

Après une salle consacrée à la tradition classique chez Ingres, où ressort son admirable composition de «Jésus parmi les docteurs», achevée à l'âge de 82 ans, une grande salle renferme de nombreuses esquisses, des études d'académies, des **portraits** — portraits de Gilbert, de Madame Gonse, de Belvèze — et le «Songe d'Ossian», vaste toile exécutée en 1812 et destinée à la chambre à coucher de Napoléon à Rome, ainsi que «Roger délivrant Angélique», réplique ovale de l'original du Louvre. Des œuvres de David, Chassériau, Géricault, Delacroix complètent cette présentation. Poursuivant dans les anciens salons de l'évêché, on remarque la vitrine des souvenirs personnels du maître — sa boîte à peinture et le proverbial violon ! — pour admirer enfin un choix de ses 4 000 **dessins**, la plus grande richesse du musée, exposés par roulement.

2e étage. — On y a rassemblé d'excellents primitifs et des peintures du 14e au 18e s., légués par Ingres pour la plupart. On remarque, dans une vitrine, des œuvres italiennes du 15e s. (1re salle) ; la

(Photo Lauros/Giraudon)

Roger délivrant Angélique, par Ingres.

3e salle est particulièrement riche de belles toiles des écoles flamande, hollandaise et espagnole du 17e s. Un mobilier de style Louis XV et Louis XVI accompagne cette présentation. Les fenêtres offrent une vue plongeante sur le Tarn et le Pont-Vieux.

Rez-de-chaussée. — Une salle très vaste est consacrée à **Bourdelle** et permet de suivre l'évolution de l'art du grand sculpteur. Là se trouve, en plâtre patiné, son Héraklès archer ; on remarque les bustes de Beethoven, de Rodin, de Léon Cladel, d'Ingres et d'autres bronzes comme la Nuit et Rembrandt vieux.

La salle **Desnoyer** (1894-1972) rassemble les principales œuvres de ce peintre né à Montauban et des toiles d'autres artistes locaux.

MONTAUBAN

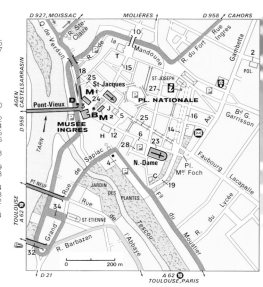

Nationale (Pl.)	
République (R. de la)	25
Résistance (R. de la)	27
Alsace-Lorraine (Bd)	2
Bourdelle (Pl. A.)	3
Consul-Dupuy (Allées du)	4
Coq (Pl. du)	5
Dr Lacaze (R. du)	6
Guibert (Pl.)	10
Hôtel-de-Ville (R. de l')	12
Martyrs (Pl. des)	14
Mary-Lafon (R.)	15
Midi-Pyrénées (Bd)	16
Montmurat (Quai de)	18
Mortarieu (Allées de)	19
Notre-Dame (R.)	23
Picard (Square du Gén.)	24
Roosevelt (Pl. F.)	28
Sapiac (Pont)	32
22 Septembre (Pl. du)	34

Les plans de ville sont toujours orientés le Nord en haut.

Sous-sol. — Dans la partie qui subsiste du château du 14e s., et sur deux niveaux, sept salles remarquablement voûtées sont consacrées à l'archéologie régionale, à l'histoire locale, aux arts appliqués et à des expositions temporaires.

L'ancienne salle des Gardes, dite salle du Prince-Noir, renferme des collections lapidaires médiévales et possède deux belles cheminées du 15e s. aux armes de Cahors. La salle Jean-Chandos abrite des bronzes, des terres cuites antiques et une **mosaïque** gallo-romaine trouvée à Labastide-du-Temple, au Nord-Ouest de Montauban.

D'importantes donations ont permis de constituer une belle collection de **faïences régionales** (Montauban, Auvillar).

Face au musée Ingres, en bordure du square du Général-Picquart, il faut voir l'admirable bronze du Dernier **centaure mourant★** (**B**), œuvre puissante et ramassée de Bourdelle (1914) et près du Pont-Vieux, sur le quai de Montmurat, le monument aux combattants de 1870 (**D**), où se manifeste l'esprit architectural de l'artiste.

★ PLACE NATIONALE

C'est pour remplacer des « couverts » en bois, détruits par deux incendies en 1614 et 1649, que les arcades furent, au cours du 17e s., reconstruites en briques. Voûtées en arcs brisés ou en plein cintre, elles offrent une double galerie de circulation.

Cette fantaisie dans le détail, les tons chauds de la brique atténuent l'impression de rigueur qui pourrait se dégager de l'ensemble, sans pour autant nuire à son homogénéité. Les maisons de briques roses, aux hautes façades compartimentées de pilastres, qui entourent cette belle place, fâcheusement transformée en parking, se raccordent à chacun des angles par un portique placé en pan coupé. Tous les matins, un marché y ajoute une animation colorée.

AUTRES CURIOSITÉS

Pont-Vieux. — En abordant le Pont-Vieux, par la rive gauche du Tarn, on voit se profiler l'ancien palais épiscopal et, par-delà de nombreux hôtels du 17e s., l'élégante tour de l'église St-Jacques.

Édifié en briques au début du 14e s., par les architectes Étienne de Ferrières et Mathieu de Verdun, sur l'ordre de Philippe le Bel, il mesure 205 m de longueur et franchit le Tarn en sept arches qui reposent sur des piles protégées par des avant-becs ; ces arches sont séparées par de petites arcades permettant un meilleur écoulement de l'eau en temps de crue. Contemporain du pont Valentré à Cahors, il était lui aussi fortifié.

Église St-Jacques. — Dominant la ville, cette église fortifiée, dédiée à saint Jacques, porte sur la façade de la tour la trace des boulets du siège de 1621. Après la reconquête catholique *(voir p. 93)*, l'église, où Louis XIII devait être reçu solennellement en 1632, fut élevée au rang de cathédrale dès 1629, prérogative qu'elle garda jusqu'en 1739. Reposant sur une tour carrée à mâchicoulis, le **clocher** date de la fin du 13e s. Il est bâti en briques sur plan octogonal et offre trois rangées de fenêtres. La nef, flanquée de chapelles latérales, a été refaite au 15e s. et voûtée d'ogives au 18e s.

Cathédrale Notre-Dame. — C'est un édifice classique de vastes proportions. La façade, encadrée de deux tours carrées, s'ouvre par un imposant péristyle qui supporte les statues colossales des quatre Évangélistes, copies de celles qui se trouvent à l'intérieur de la cathédrale.

Le chœur est très profond et la croisée du transept surmontée d'une coupole sur pendentifs ornés des Vertus théologales. Dans le bras gauche du transept est conservé un célèbre tableau d'Ingres, le **« Vœu de Louis XIII »** : le roi, au premier plan, vêtu d'un riche manteau fleurdelisé, se tourne vers la Vierge tenant l'Enfant Jésus dans ses bras et lui offre son royaume sous la forme de son sceptre et de sa couronne.

Ancienne Cour des Aides (M¹). – Ce bel immeuble construit au 17ᵉ s. abrite deux musées.

Musée du Terroir. – Au rez-de-chaussée, l'Escolo Carsinolo – société félibréenne – présente la vie quotidienne dans le Bas-Quercy. La plupart des anciens métiers y figurent par des outils, des instruments, des mannequins. Une salle reconstitue un intérieur paysan du siècle dernier, avec ses habitants.

Musée d'Histoire Naturelle et de Préhistoire. – Au 2ᵉ étage, plusieurs salles offrent une collection de zoologie variée et, en particulier, un fond très important d'ornithologie : 4 000 pièces dont une partie est exposée, notamment des oiseaux exotiques comme le perroquet, l'oiseau-mouche, l'oiseau de paradis. S'y ajoute une section de paléontologie riche en animaux du tertiaire.

Les salles de préhistoire sont situées dans un bel hôtel (M²), annexe du musée d'Histoire Naturelle et tout proche de ce dernier. Les collections proviennent presque toutes du département : terrasses du Tarn (objets de l'Acheuléen), terrasses de l'Aveyron (bel outillage de silex du Moustérien) ; les fouilles de Bruniquel ont donné la majeure partie du matériel périgordien et magdalénien. Montauban même et ses environs ont fourni de nombreux outils et bijoux du néolithique et de l'âge des métaux.

EXCURSIONS

Lafrançaise. – 2 630 h. *17 km au Nord-Ouest. Quitter Montauban par le D 927 au Nord-Ouest.*
La route longe la rive droite du Tarn et franchit l'Aveyron à son confluent.
De la terrasse proche de l'église du village, on découvre une vue étendue sur la rivière bordée de saules et de peupliers, et sur la vaste plaine. Au Sud-Est, un plan d'eau est aménagé pour la baignade.

Villemur-sur-Tarn. – 4 456 h. *23 km au Sud-Est* – Carte Michelin nº **82** pli 8 – *Quitter Montauban par le D 21 au Sud.*
Après Villebrumier, ancienne bastide, le D 87 s'élève à flanc de coteau avant d'atteindre Villemur.
Le bourg, ancienne place forte, est dominé par la tour sarrasine du Vieux-Moulin, seul vestige des fortifications.

★ MONTECH (Pente d'eau de)

Carte Michelin nº **79** Sud du pli 17.

Le procédé de la « pente d'eau », appliqué pour la première fois dans le monde en 1974 sur le canal latéral à la Garonne, permet d'éviter les éclusages le long de biefs en escalier.
Elle n'est ouverte qu'à la navigation de commerce. 347 péniches ont emprunté la pente d'eau de Montech en 1983.

La pente d'eau. – *Accès signalé au départ du D 928, route de Montauban à Auch, dans la traversée de Montech.*
L'innovation du procédé Jean Aubert réside dans le déplacement du bateau dans un bief mobile, suivant la pente régulière (3 % sur 443 m de longueur) d'une rigole. L'impulsion est donnée par deux automotrices sur pneus, enjambant la fosse de cette rigole et y refoulant une tranche d'eau navigable, sous la poussée d'un « masque » étanche.
À l'entrée, le bateau passe sous le masque en position relevée et s'engage jusqu'à l'extrémité de la cuvette navigable, à l'amorce de la rigole.
Le masque s'abaisse : le bateau est isolé dans un « coin d'eau ». L'engin démarre alors et pousse le masque, le bateau flottant dans un bief qui s'élève le long de la rigole. Le coin d'eau se rapproche de la porte maintenant le niveau du bief en amont. Lorsque les niveaux coïncident, la porte se rabat d'elle-même et le bateau reprend sa navigation. L'opération dure 6 minutes. La descente s'effectue en inversant les différentes manœuvres.

MONTGEARD   223 h.

Carte Michelin nº **82** plis 18, 19 – 2,5 km au Sud de Nailloux.

Le village rose, petite bastide soignée et fleurie, se distingue des bourgs installés sur les coteaux du Lauragais du Sud par maints témoignages de la piété populaire (oratoires, statues) et, surtout, par son église évoquant un ouvrage fortifié.

Église. – Elle fut achevée en 1561 par la construction d'une énorme tour carrée de façade à gargouilles et faux mâchicoulis, que couronne depuis le siècle dernier un clocher-mur.
Le porche extérieur Renaissance montre une voûte de briques compartimentée, aux clés ornées de médaillons de pierre à personnages. En passant dans la travée sous la tour, remarquer le pavement de galets de rivière aux motifs décoratifs, revêtement de sol souvent employé dans l'avant-pays pyrénéen.
Le vaisseau est couvert de voûtes d'ogives à liernes et tiercerons. On y verra surtout quatre albâtres du 16ᵉ s. : l'Assomption, sainte Catherine, le couronnement de la Vierge et le Trône mystique.

Carte Michelin n° 🎗🎗 pli 16 — Schéma p. 61.

Bâtie à 1 600 m d'altitude sur un tertre commandant le seuil de la Perche et les vallées de la Cerdagne à l'Ouest, du Capcir au Nord et du Conflent à l'Est, Mont-Louis est une ancienne place forte créée en 1679 par Vauban — qui avait parfaitement observé et compris l'importance de cette position — pour défendre la nouvelle frontière du **traité des Pyrénées**. Celui-ci, signé vingt ans plus tôt, en novembre 1659, dans l'Ile des Faisans, sur la Bidassoa *(voir le guide Vert Michelin Pyrénées Aquitaine Côte Basque)* mit fin aux hostilités entre la France et l'Espagne. Entre autres territoires, l'Espagne abandonnait le Roussillon à la France.

Ainsi, Mont-Louis, de par sa valeur géographique, ajoutée à sa valeur stratégique, devint-elle un excellent verrou de frontière... qui n'a jamais eu à servir ! Dans la citadelle (1681), si bien adaptée à la guerre d'embuscade, est installé un centre d'entraînement de défense mobile et d'instruction de commando.

L'austère cité honore la mémoire du général Dagobert (terrasse de l'église), maître dans l'art de la guerre en montagne, qui, en 1793, aux heures sombres de l'invasion du Roussillon, chassa les Espagnols de Cerdagne, et celle du général Gilles (1904-1961), natif du pays.

★ **Remparts.** — La cité — qui prit le nom de Mont-Louis en l'honneur de Louis XIV, souverain régnant lors de sa construction — n'ayant jamais subi de siège, a conservé ses remparts intacts, de même que la Porte de France par laquelle on y accède, les bastions et les échauguettes. Le long des glacis Sud s'offrent des points de vue sur le seuil de la Perche et le Cambras d'Aze.

⊘ **Puits des Forçats.** — Dans l'enceinte de la citadelle. Une salle voûtée abrite le bassin de réception et la roue qu'actionnaient des forçats (système de l'écureuil) et qui alimentait la citadelle en eau. Le puits est profond de 28 m.

⊘ **Four solaire.** — Il fut installé en 1953. Les 3 500 facettes de son miroir concave concentrent le rayonnement solaire en son foyer où peuvent être obtenues des températures de 6 000°.

EXCURSIONS

Planès. — 42 h. *6,5 km au Sud par la route de la Cabanasse et St-Pierre-dels-Forçats. Laisser la voiture devant la mairie-école de Planès et prendre, à droite, le chemin de l'église.*
Des abords de l'église, qu'entoure un petit cimetière, belle **vue** sur le massif du
⊘ Carlit. L'**église**★ est curieuse par son plan en polygone étoilé aux branches alternativement anguleuses et émoussées en absidioles semi-circulaires. La coupole centrale repose sur trois demi-coupoles.
On a beaucoup épilogué sur l'origine de ce monument, d'une structure très rare dans l'Occident médiéval, que la tradition locale a attribué aux Sarrasins : dans le pays, on aurait appelé l'église « la mezquita » (la mosquée). Il s'agit, sans doute, d'un édifice roman inspiré par le symbole de la Trinité.

★ **Lac des Bouillouses.** — *14 km au Nord-Ouest — environ 1 h. Quitter Mont-Louis par la route de Quillan ; 300 m après un pont sur la Têt, tourner à gauche dans le D 60.*
Au bout de 8 km le chemin quitte le fond du sillon boisé de la Têt pour s'élever sur le verrou marquant le gradin inférieur du plateau des Bouillouses. Un barrage a transformé le lac (alt. 2 070 m) en un réservoir de 17,5 millions de m³. Cette réserve d'eau permet d'alimenter les canaux d'irrigation et les usines hydro-électriques de la vallée de la Têt. Le plateau très raboté des Bouillouses, au paysage nu, est parsemé, outre le lac principal, d'une vingtaine de petits lacs et étangs, d'origine glaciaire d'altitude supérieure à 2 000 m, compris dans l'amphithéâtre délimité par le pic Carlit, le pic Péric et les pics d'Aude.

★ MONTSÉGUR

Carte Michelin n° 🎗🎗 pli 5 — 12 km au Sud de Lavelanet.

Le « pog » (rocher) de Montségur, qui rappelle l'holocauste de l'Église cathare, dernier épisode marquant de la croisade des Albigeois, et l'effacement politique du Midi languedocien devant la puissance capétienne, culmine à 1 216 m d'altitude. Il est couronné par les ruines d'un château.

UN PEU D'HISTOIRE

Reconstruit en 1204, à l'emplacement d'une forteresse dont on ignore l'époque d'édification, le deuxième château de Montségur abrite une centaine d'hommes sous le commandement de Pierre-Roger de Bellissen-Mirepoix et, hors ses murs, une communauté de réfugiés cathares avec son évêque, ses diacres, ses parfaits et ses parfaites. Le prestige du lieu, les pèlerinages qu'il attire portent ombrage à l'Église et à la Royauté.
Lorsque, en 1242, Blanche de Castille et le clergé apprennent le massacre des membres du tribunal de l'Inquisition, à Avignonet *(p. 50)*, par une troupe descendue de Montségur, le destin de la citadelle est scellé. L'investissement est confié au sénéchal de Carcassonne et à l'archevêque de Narbonne. Le siège commence en juillet 1243. On pense que les forces catholiques approchaient 10 000 hommes !

Profitant des longues nuits d'hiver, des patrouilles d'authentiques montagnards escaladent (plus aisément que des chevaliers) la falaise abrupte et, tournant la forteresse par l'Est, prennent pied sur le plateau supérieur. Un gros trébuchet (p. 28), monté par pièces détachées, crible le château de boulets taillés dans une carrière ouverte sur la montagne même.

Pierre de Mirepoix offre alors de rendre la place et obtient la vie sauve pour la garnison. Une trêve est conclue pour la période du 1er au 15 mars 1244. Les cathares, restés en dehors de la convention, ne mettent pas à profit ce répit pour tenter d'échapper au bourreau par le reniement ou la fuite. Le matin du 16 mars, au nombre de 207, ils descendent de la montagne et montent sur le gigantesque bûcher du « Camp des Cremats ». L'assurance des martyrs, le mystère entourant la mise en lieu sûr de leur « trésor » passionnent encore les érudits, les tenants de la tradition occitanienne et de sectes se reconnaissant dans la philosophie du catharisme.

En 1245, le nouveau seigneur de Mirepoix, Guy de Levis II, s'installe dans la place et promet fidélité au roi. Un troisième château fut alors édifié, à la fin du 13e s. ou au début du 14e s., car il ne reste rien de celui qui s'élevait encore en 1244. Bien placé, face à la Cerdagne, entre la France et l'Aragon, il constituait un excellent poste de surveillance et de défense. Ce sont ses ruines que l'on visite aujourd'hui.

LE CHÂTEAU

Laisser la voiture le long du D9. 1 h 1/2 AR par un sentier escarpé et rocailleux.

Avant de s'élancer à l'assaut du « pog », le sentier passe à proximité de la stèle élevée en 1960 « aux martyrs du pur amour chrétien ».

Le château occupe un **site** ★★ dominant des à-pic de plusieurs centaines de mètres et offre un panorama remarquable sur les rides du Plantaurel, la coupure de la vallée de l'Aude et le massif du St-Barthélémy.

La forteresse, de plan pentagonal, épouse le contour de la plate-forme du sommet. L'absence de tours de flanquement et de dispositifs défensifs féodaux a permis de la présenter comme un temple.

Par l'ancienne citerne on atteint la chapelle (que l'on gagnait autrefois par un escalier intérieur descendant du donjon) ; deux meurtrières y reçoivent le soleil levant du solstice d'été.

La grande salle des Chevaliers s'appuie au donjon carré dont il subsiste deux niveaux ; un escalier *(déconseillé aux personnes sujettes au vertige)* permet de gagner le haut de son rempart.

LE VILLAGE

Il s'étend au pied du rocher, dans la vallée du Lasset. Près de l'école a été installé un **musée archéologique.** Une salle rassemble le produit des campagnes de fouilles effectuées depuis 1956 : important mobilier du 13e s. et de l'outillage qui permet de faire remonter au néolithique l'occupation du « pog ». Informations sur le catharisme.

MURET

16 192 h. (les Muretains)

Carte Michelin n° 82 plí 17.

Commingeoise du 12e s. jusqu'à la Révolution, Muret accueillait les « États » de la province, jouant ainsi le rôle d'une capitale administrative. Elle nargua quelque peu les capitouls de Toulouse jusqu'à la destruction, en 1623, de son château élevé au confluent de la Louge et de la Garonne. A la vieille ville, comprimée entre les quais des deux rivières, s'adjoignent maintenant des quartiers neufs construits sur la plaine.

12 septembre 1213. — On a peine à imaginer aujourd'hui Muret comme la place forte investie d'où sortirent ce jour-là les trois corps de bataille des croisés de Simon de Montfort, à la rencontre des milices urbaines et de la chevalerie languedocienne, commandées par Raymond VI de Toulouse et coalisées avec les troupes de Pierre II d'Aragon. La bataille de Muret *(illustration p. 18)* a ruiné en quelques heures les espérances du Languedoc fidèle. Follement aventuré, le roi d'Aragon fut tué dès le premier choc et les troupes de Raymond VI, soudain privées de la couverture de la cavalerie, furent balayées de la plaine, « comme le vent fait de la poussière à la surface du sol ».

Deux monuments commémoratifs de la bataille (inscriptions en langue d'Oc) ont été élevés au bord de la route de Seysses (D 12), à 1 km du passage à niveau de sortie, au Nord.

CURIOSITÉS

Église St-Jacques. — *Entrer par le côté droit (passage s'ouvrant rue St-Jacques).*
La chapelle du Rosaire (12e s.), s'ouvrant sur le bas-côté gauche présente des voûtes de brique enrichies de belles clés. Saint Dominique se serait retiré là en prières, le matin de la bataille.

Jardin Clément-Ader. — A cheval sur la Louge, il forme lien entre les deux cités. Il est consacré aux pionniers de l'aviation et, en premier lieu, au souvenir du célèbre ingénieur Ader (1841-1925). Une grande statue d'Icare s'essayant au vol, par Landowski, commémore le premier envol d'un « plus lourd que l'air », l'Éole, le 9 octobre 1890.

Narbonne, capitale antique de la Gaule narbonnaise, résidence des rois wisigoths, ancienne cité archiépiscopale, offre de nos jours le visage d'une ville méditerranéenne animée par son rôle de centre viticole actif et de carrefour routier et ferroviaire.
Un ensemble architectural, à la fois civil, militaire et religieux, les richesses conservées dans ses musées, les agréments des berges de la Robine et de ses boulevards ombragés font son attrait touristique.

UN PEU D'HISTOIRE

Un port de mer. — Narbonne occuperait l'emplacement du marché maritime d'un oppidum gaulois établi sept siècles avant J.-C. au Nord de la ville actuelle, sur la colline de Montlaurès. La ville, « Colonia Narbo Martius », fondée en 118 avant J.-C. par un décret du Sénat romain, devient un port florissant. Par là s'exportent l'huile, le lin, le bois, le chanvre, les plantes tinctoriales et aromatiques, les fromages, la viande et le beurre des Cévennes dont les Romains sont friands. Le fret de retour se compose de marbre et de poteries. La ville s'orne de bâtiments magnifiques.

Une capitale. — En 27 avant J.-C., Narbonne donne son nom à la province que constitue Auguste. C'est « la plus belle » écrit Martial et, avec Lyon, la ville la plus peuplée de la Gaule. Cicéron proclame que « la Narbonnaise constitue le boulevard de la latinité ». Le flot des invasions barbares vient battre l'Empire romain. Après la mise à sac de Rome en 410 par les Wisigoths, Narbonne devient leur capitale. Plus tard, elle tombe aux mains des Sarrasins ; en 759 Pépin le Bref la leur reprend après un long siège.
Charlemagne crée le duché de Gothie dont Narbonne reste la capitale. Elle est divisée en plusieurs seigneuries : la Cité, avec la cathédrale et l'archevêché, appartient à l'archevêque ; le bourg, avec l'église St-Paul-Serge relève du Vicomte ; la Ville neuve enfin est laissée aux Juifs. L'administration municipale est aux mains des consuls.
Au 12e s., un troubadour, Bertrand de Bar, dans une chanson de geste : « Aimeri de Narbonne » décrit la ville et « les grands navires cloutés de fer, les galères pleines de richesses qui font l'opulence des habitants de la bonne ville ».
A partir du 14e s., le changement du cours de l'Aude, les ravages de la guerre de Cent Ans, la peste, et le départ des Juifs font péricliter Narbonne.

L'arrestation de Cinq-Mars et de Thou (1642). — Le jeune Cinq-Mars, grand écuyer de France, a su conquérir l'amitié de Louis XIII. Grisé par sa réussite, il entreprend de renverser Richelieu. Son ami de Thou, conseiller d'État, est au courant de ses projets. Comme toute la noblesse de France, Cinq-Mars participe au siège de Perpignan, alors tenue par les Espagnols ; mais il a entamé des négociations avec l'Espagne.
Le cardinal, alité à Narbonne — il y rédigera son fameux testament —, se procure le texte de l'accord conclu avec l'ennemi et fait arrêter Cinq-Mars ; de Thou est pris aussi. Jugés à Lyon, les deux amis sont décapités le 12 septembre 1642.

Ensablement, déclin et renouveau. — Jusqu'au 14e s., Narbonne était restée une cité maritime ; mais progressivement les alluvions des cours d'eau et le sable comblèrent sa baie. L'étang de Bages et de Sigean, reste de l'antique golfe marin, présente sur ses rives de nombreux marais salants. A la Révolution Narbonne ne compte plus que quelques milliers d'habitants et perd son archevêché. De nos jours la richesse viticole de la région a rendu à la ville une importante activité et un dynamisme économique manifeste ; des quartiers nouveaux se développent. Sur la zone industrielle de Plaisance une base de roulage pour les pneus Michelin utilise une importante flotte de voitures de série.

(Photo Lauros/Giraudon)

Cathédrale St-Just. — Tapisserie du 15e s.

★ LE CENTRE MONUMENTAL *visite : 2 h 1/2*

★★ **Cathédrale St-Just** (BX). — La cathédrale actuelle est la 4e église élevée à cet emplacement depuis l'époque de Constantin. La première pierre en fut posée le 3 avril 1272, elle avait été envoyée de Rome par le pape Clément IV, ancien archevêque de la cité. En 1354 le chœur rayonnant était terminé dans le style des grandes cathédrales du Nord mais la construction du transept et de la nef qui aurait entraîné la démolition partielle du rempart ancien, encore utile aux périodes médiévales troublées, fut remise à plus tard... et tout juste ébauchée au 18e s.

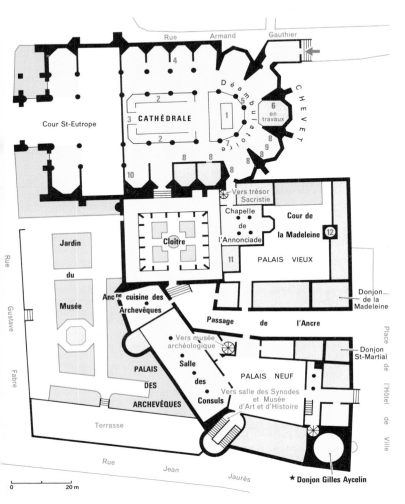

1 — Maître-autel (1694), à baldaquin et colonnes corinthiennes, dessiné par J. Hardouin-Mansart.
De part et d'autre de l'autel, les premiers piliers du chœur portent des peintures murales anciennes.

2 — Stalles du 18e s.

3 — Buffet d'orgues à deux corps (18e s.).

4 — Statue funéraire en marbre, du chevalier de la Borde (17e s.).

5 — Tombeau du cardinal Briçonnet ; œuvre Renaissance en marbre blanc.

6 — On a découvert dans cette chapelle, en 1981, un haut-relief représentant la Rédemption.

7 — Tombeau flamboyant du cardinal Pierre de Jugie.

8 — Tapisseries d'Aubusson et des Gobelins des 17e et 19e s.

9 — Dans cette chapelle est exposée une très belle Vierge à l'Enfant en albâtre (14e s.) qui, habituellement, se trouve dans la chapelle 6.

10 — Mise au tombeau en pierre polychrome de la fin du 15e s., provenant de Bavière.

Extérieur. — On admirera le chevet aux lancettes flamboyantes, les grands arcs surmontés de merlons à meurtrières qui surmontent les terrasses du déambulatoire, les arcs-boutants à double volée, les tourelles et les puissants contreforts défensifs, la haute tour Nord. Parvenu devant le mur qui clôt le chœur on est frappé par la puissance des piliers du 18e s. sur lesquels devaient prendre appui le transept et les 2 premières travées de la nef, et qui composent la cour St-Eutrope.

Du **jardin du musée**, ancien jardin des évêques (18e s.), belle vue sur les arcs-boutants et la tour Sud de la cathédrale et le bâtiment du Synode, cantonné de 2 tours rondes.

Cloître. — 14e s. Au pied de la face Sud de la cathédrale ; observer les hautes voûtes gothiques de ses galeries et dans la cour des gargouilles sculptées disposées dans ses contreforts.

NARBONNE

Droite (R.)	BX
Hôtel-de-Ville	BX
Jaurès (R. Jean)	ABX 6
Pt-des-Marchands (R. du)	BY 8
République (Cours)	BY
Garibaldi (R.)	BX 4
Gauthier (R. Armand)	BX 5
Sermet (Av. Élie)	BX 9

Intérieur. — Le chœur, seul achevé, frappe par ses belles proportions. La hauteur de se
voûtes (41 m) n'est dépassée que par celles d'Amiens (42 m) et de Beauvais (48 m). So
élévation est d'une grande pureté architecturale : grandes arcades dominées par u
triforium dont les colonnettes prolongent les lancettes des grandes verrières.

Long de 4 travées, entouré d'un déambulatoire et de chapelles rayonnantes, il abrite d
nombreuses œuvres d'art. Les cinq chapelles et les fenêtres hautes de l'abside, d
même que la 2e fenêtre haute sur le côté droit conservent de beaux vitraux d
14e s.

La chapelle de l'Annonciade, hors œuvre, datant du 15e s., est l'ancienne sall
capitulaire ; elle contient, face à l'entrée, un beau tableau de Nicolas Tournier (17e s
Tobie et l'Ange.

Trésor. — Il est installé dans une salle, au-dessus de la chapelle de l'Annonciade, dont l
voûte possède une curieuse propriété acoustique.

Il possède des manuscrits enluminés, des pièces d'orfèvrerie religieuse dont un bea
calice en vermeil de 1561. Et surtout l'admirable tapisserie flamande de la fin du 15e s
représentant la **Création** ★★ ; tissée d'or et de soie. La douceur des coloris, la finesse d
dessin, la physionomie des trois personnes de la Sainte Trinité créant les éléments e
l'homme, la beauté de la composition sont exceptionnelles. C'est la seule qui subsist
d'un lot de 9 pièces offertes au chapitre par l'archevêque François Fouquet.

Admirer aussi la finesse d'une plaque d'évangéliaire en ivoire sculpté de la fin du 10e s. e
un coffret de mariage en cristal de roche, orné d'intailles antiques qui servit d
reliquaire.

> *Sortir de la cathédrale par le cloître et les marches qui conduisent au passage d*
> *l'Ancre.*

Passage de l'Ancre (BX). — Sorte de rue fortifiée aux murs impressionnants, c
passage s'ouvre entre le donjon St-Martial et le donjon de la Madeleine. Il sépare l
Palais Vieux (12e s.) à gauche du Palais Neuf (14e s.) à droite.

Palais des Archevêques (BX). — Cette résidence ecclésiastique, modeste à l'origine
compose un ensemble architectural religieux, militaire et civil où les siècles ont laiss
leur empreinte : 12e s. au Palais Vieux, 13e s. aux donjons de la Madeleine et Aycelir
14e s. au donjon St-Martial et au Palais Neuf, 17e s. à la résidence des archevêques e
19e s. à la façade de l'hôtel de ville. Le Palais Vieux au Nord du passage de l'Ancre et l
Palais Neuf au Sud enserrent de belles cours intérieures.

Ancienne cuisine des Archevêques. — Cette belle salle du 14e s., dont la voûte est portée pa
un énorme pilier central, est consacrée à la sculpture médiévale : statues, bas-reliefs
inscriptions...

Cour de la Madeleine. — C'est la cour du Palais Vieux. Elle est entourée d'un petit donjon
clocher carré carolingien (11), de l'abside de la chapelle de l'Annonciade que domine a
Nord le chevet de la cathédrale à l'Est, d'une tourelle d'escalier carrée cantonnant un
façade romane ajourée d'arcatures (12), du donjon de la Madeleine portant à l'étage un
porte romane et au Sud d'une façade percée d'ouvertures romanes, gothiques e
Renaissance.

Salle des Consuls. — *Dans la cour du Palais Neuf.* Belle rangée centrale de piliers.

★ **Musée archéologique**. – *Entrée, dans la cour du Palais Neuf.* Les premières salles intéressent les antiquités préhistoriques et l'outillage à l'âge du bronze.

Dans la chapelle haute de la Madeleine sont réunis les objets découverts dans les fouilles de l'oppidum de Montlaurès. On y observe aussi des fresques du 14e s. (Annonciation), des vases grecs et une belle amphore.

Les salles suivantes évoquent la Narbonne romaine à travers ses institutions, sa vie quotidienne, sa vie religieuse, ses cultes : remarquer en particulier une très ancienne borne milliaire, un Silène ivre du 1er s., le sarcophage des Amours vendangeurs (3e s.), des stèles et, dans la salle basse de la Madeleine, une superbe mosaïque païenne, des sarcophages historiés ou à strigiles et un curieux reliquaire du 5e s. monolithe en marbre.

Salle des Synodes. – *Cour du Palais Neuf.* On y accède par un grand escalier à balustres construit en 1628 par l'archevêque Louis de Vervins. La salle du Synode, où se tinrent les États Généraux du Languedoc abrite quatre belles tapisseries d'Aubusson.

★ **Musée d'Art et d'Histoire**. – *Dans le même bâtiment que la salle des Synodes au 2e étage.* Il est aménagé au 2e étage, dans les anciens appartements des archevêques où séjourna Louis XII, lors du siège de Perpignan. Remarquer dans la chambre du Roi les plafonds à caissons représentant les neuf Muses et une mosaïque romaine aux couleurs magnifiquement conservées, à dessin géométrique, dans la chambre du Roi. Aux murs, peintures du 17e s. (portraits par Rigaud, Mignard, entre autres).

Dans la grande galerie belle collection de pots de pharmacie en faïence de Montpellier. Des collections de peinture, des faïences des plus grandes fabriques françaises, des émaux, un buste de Louis XIV par Coysevox retiendront aussi le visiteur.

★ **Donjon Gilles Aycelin**. – Ce donjon aux murs en bossage est établi sur les restes de rempart gallo-romain qui défendait jadis le port de Narbonne. Il affirmait la puissance épiscopale face à celle des vicomtes.

C'est un bel exemple de donjon de la fin du 13e s. au dispositif intérieur très soigné.

Voir au passage la « salle du Trésor » hexagonale et couverte d'une voûte en éventail. De la plate-forme (179 marches), le **panorama**★ se développe sur Narbonne et sa cathédrale, la plaine alentour, la Clape, les Corbières et les Pyrénées à l'horizon.

Place de l'Hôtel-de-Ville (BX). – La façade du palais des Archevêques donne sur cette place animée au cœur de la cité. Elle comporte 3 tours carrées datant des 13e et 14e s. : à droite, la plus ancienne, le donjon de la Madeleine ; au centre, le donjon St-Martial ; à gauche, le donjon Gilles Aycelin. Entre celui-ci et le donjon du centre, Viollet-le-Duc a construit l'hôtel de ville actuel dans un style néo-gothique.

AUTRES CURIOSITÉS

Basilique St-Paul-Serge (AY). – Elle a été édifiée à l'emplacement d'une nécropole constituée aux 4e et 5e s. autour du tombeau du premier évêque de la ville.

A l'intérieur, près de la porte Sud se trouve le célèbre et curieux bénitier « à la grenouille ». Le **chœur**★, construit en 1229, est remarquable par son élévation (grandes arcades, double triforium, fenêtres hautes), ses voûtes champenoises et son élégance. Dans le croisillon Nord du transept, contre le mur, deux beaux vantaux en bois sculpté (16e s.) sont surmontés de tapisseries d'Aubusson.

La perspective de la nef est coupée par 3 arcs massifs en anse de panier. Sous les grandes orgues, deux sarcophages chrétiens primitifs sont encastrés dans le mur, un troisième sert de linteau.

Crypte paléo-chrétienne. – *Accès par le portail Nord de l'église.* C'est une partie de l'importante nécropole constituée au début du 4e s. sous Constantin. Les restes d'un édifice composé d'une chambre carrée et d'une abside constituent une crypte dans laquelle sont conservés six sarcophages. L'un avec acrotères, un autre à rinceaux de l'école d'Aquitaine, et un troisième en marbre blanc qui évoque les sarcophages païens sont les plus intéressants.

Maison des Trois Nourrices (AY). – Du 16e s. Une légende la donne comme le lieu de l'arrestation de Cinq-Mars. Elle doit sa dénomination imagée aux formes généreuses des cariatides qui supportent le linteau d'une magnifique fenêtre Renaissance.

★ **Musée lapidaire** (BY). – Il est installé dans l'église désaffectée de N. D. de la Mourguié, du 13e s., ancienne église d'un prieuré rattaché en 1086 à l'abbaye bénédictine de St-Victor de Marseille. L'extérieur a fière allure avec ses contreforts saillants et son chevet crénelé.

A l'intérieur, la vaste nef est couverte d'une toiture apparente supportée par des arcs doubleaux brisés.

Près de 1 300 inscriptions antiques, des stèles, des linteaux, des bustes, des sarcophages, d'énormes blocs sculptés sont réunis là, entassés sur quatre rangées, provenant pour la plupart des remparts de la cité et témoignant du passé prestigieux de l'ancienne capitale de la Gaule narbonnaise.

Berges de la Robine (BY). – Le canal de la Robine est une dérivation de l'Aude. Ses cours plantés de platanes, le pont vieux et la pittoresque rue piétonne du Pont des Marchands qui le franchit, la passerelle et la promenade des Barques composent un quartier propre à la flânerie.

Maison vigneronne (BX). – Ancienne poudrière du 17e s. aux puissants contreforts bas.

⊙ **Horreum (Entrepôt romain)** (BX). — Cet entrepôt public comprend deux galeries actuellement prospectées et ouvertes à la visite sur lesquelles s'ouvrent des petites cellules facilitant le classement des marchandises.

Situé près du forum, sous le marché auquel il était relié par des monte-charges, il présentait une destination exclusivement utilitaire. Quelques sculptures et des bas reliefs y évoquent la civilisation antique.

Place Bistan (BX). — Elle occupe l'emplacement du forum et du capitole antiques. Des fûts de colonnes, des bases de pilastres, des fragments de chapiteaux évoquent, par leurs dimensions, le temple du 2ᵉ s.

⊙ **Église St-Sébastien** (BX). — Elle occuperait l'emplacement de la maison natale du saint. Édifiée au 15ᵉ s., elle fut agrandie au 17ᵉ s. Dans la chapelle de sainte Thérèse, droite en entrant, tableau de Mignard : l'Extase de sainte Thérèse.

EXCURSIONS

★ **Réserve africaine de Sigean.** — *17 km au Sud par ③ du plan, N 9. Description p. 122.*

Étang de Bages et de Sigean. — *29 km au Sud. Description p. 51.*

Montagne de la Clape. — *Circuit de 53 km − environ 3 h. Sortir par ② du plan, puis prendre à gauche le D 168 vers Narbonne-Plage.*

Le massif calcaire de la Clape domine de ses 214 m la mer, les étangs littoraux autour de Gruissan et la plaine de la basse vallée de l'Aude couverte de vigne.

La route, sinueuse et accidentée, offre de belles vues sur les falaises et les versants de la Clape.

Narbonne-Plage. — Lieu de séjour p. 8. La station s'étire en bordure du littoral ; elle est caractéristique des stations traditionnelles du littoral languedocien. On y pratique la voile et le ski nautique.

De Narbonne-Plage, poursuivre jusqu'à St-Pierre-sur-Mer.

St-Pierre-sur-Mer. — Station familiale. Au Nord, le gouffre de l'Œil-Doux est un curieux phénomène naturel. Large de 100 m, il abrite un lac salé à 70 m de profondeur où s'engouffre l'eau de mer.

Gruissan. — *Page 83.*

A la sortie de Gruissan, prendre à droite et aussitôt à gauche une petite route signalée vers N.-D.-des Auzils.

Cimetière Marin. — *Page 84.*

Poursuivre la petite route tracée sur les dernières pentes de la Clape. En débouchant sur le D 32, prendre à droite vers Narbonne. A Ricardelle, prendre, à droite, une petite route étroite et en forte montée.

Coffre de Pech Redon. — Point culminant de la montagne de la Clape, il apparaît au sommet de la montée. Vue pittoresque sur les étangs et Narbonne d'où émergent la cathédrale St-Just et le palais des Archevêques.

Faire demi-tour ; regagner Narbonne par le D 32.

Ginestas. — *740 h. 17 km au Nord-Ouest. Sortir par ⑤ du plan, D 607 ; après avoir traversé le canal du Midi, prendre à gauche.*

Entouré de vignes, ce village possède une **église** paroissiale faiblement éclairée, qui renferme quelques belles pièces dont un retable en bois doré du 17ᵉ s., la statue de N.-D.-des-Vals, une Vierge à l'Enfant d'une facture simple et une Sainte Anne, naïve statue polychrome du 15ᵉ s.

NAUROUZE (Seuil de)

Carte Michelin nº 🎟 pli 19 − 12 km à l'Ouest de Castelnaudary.

L'automobiliste imagine avec peine que ce « col » (alt. 194 m) fut longtemps un obstacle majeur pour les prédécesseurs de Riquet.

LE CANAL DU MIDI

L'idée de faire communiquer l'Océan et la Méditerranée remonte aux Romains. François Iᵉʳ, Henri IV, Richelieu font procéder à des études qui n'aboutissent pas. C'est finalement à **Pierre-Paul Riquet**, baron de Bonrepos (1604-1680), fermier de la gabelle du Languedoc, que revient le mérite d'avoir mené à bien, et à ses frais, cette entreprise.

La construction du port de Sète, du vivant de Riquet, l'ouverture, au 19ᵉ s., du canal du Rhône à Sète et du canal latéral à la Garonne ont parachevé son œuvre.

L'œuvre d'un seul homme. — Dans les projets de construction d'un canal « des Deux Mers », le franchissement du seuil de Naurouze était un obstacle insurmontable. En explorant le site dans tous ses détails, Riquet, homme de réflexion, trouva la solution : au seuil de Naurouze sourdait la fontaine de la Grave (disparue après les travaux) dont les eaux se séparaient immédiatement en deux ruisseaux coulant l'un vers l'Ouest, l'autre vers l'Est. Il suffisait donc d'accroître ce flot pour constituer un bief de partage suffisamment alimenté, permettant l'aménagement d'écluses sur l'un et l'autre

LE CANAL DU MIDI

Œuvres de P.P. Riquet

0   50 km

Canal latéral à la Garonne (1856)

TOULOUSE

Rigole de la Plaine — Revel — Bassin de St-Ferréol

Villefranche-de-Lauragais

Bassin de Lampy (1782) — Prise d'eau d'Alzeau

Rigole de la Montagne

Castelnaudary

Obélisque de Naurouze (1823)

Carcassonne

Canal du Rhône à Sète

Bassin de Thau

Béziers

Port de Sète

Narbonne

MER MÉDITERRANÉE

Canal de la Robine (1789)

Port-la-Nouvelle

Ouvrages de construction plus récente

versant. Pour ce faire, Riquet eut l'idée d'utiliser le réseau hydrographique de la Montagne Noire. Avec l'aide du fils d'un fontainier de Revel, il capta et amena les eaux de l'Alzeau, de la Vernassonne, du Lampy et du Sor.

En 1662, il réussit à intéresser Colbert à son projet. L'autorisation est accordée en 1666. Durant quatorze ans, 10 000 à 12 000 ouvriers sont au travail. Riquet engloutit dans cette œuvre gigantesque le tiers des dépenses des travaux, soit plus de 5 millions de livres, contractant les emprunts les plus onéreux, sacrifiant les dots destinées à ses filles. Épuisé, il meurt en 1680, six mois avant l'inauguration du canal. C'est seulement en 1724 que ses descendants, enfin libérés du passif de l'entreprise, commenceront à en tirer quelque profit. Rétablis dans leurs droits sous la Restauration, à l'exception des droits féodaux abolis, les représentants de la famille consentent en 1897 au rachat, par l'État, du canal, désormais administré sous le régime du service public.

L'héritage et l'avenir. — Long de 240 km, le canal de Riquet prend son origine à Toulouse au port de l'Embouchure, terminus du canal latéral à la Garonne ; il débouche dans l'étang de Thau, au port des Onglous. 103 éclusages sont nécessaires, mais il existe un bief de 54 km (une journée de navigation) entre Argens-Minervois et Béziers.

Le gabarit ancien du canal n'autorise qu'un trafic commercial modeste, encore très dépendant de l'agriculture : ses écluses, calculées à l'époque pour les navires de mer les plus courants en Méditerranée, n'admettent pas les bateaux de plus de 30 m de long (enfoncement : 1,60 m, 160 tonnes). La flottille actuelle comprend une centaine d'automoteurs.

La modernisation du canal a commencé par la section Toulouse—Villefranche-de-Lauragais (43 km), sur laquelle circulent les péniches du canal latéral à la Garonne : enfoncement : 2,20 m, longueur maximum : 40,50 m, charge : 350 t. Ce canal historique a une physionomie attrayante avec ses nombreuses courbes serrées, ses écluses aux bassins ovales ou ronds. Son cours rétréci par de gracieux ponts de brique, ses allées d'eau longuement accompagnées, sur le versant méditerranéen, — loin des grandes routes et du chemin de fer — de platanes, cyprès et pins parasols.

Après un siècle d'éclipse, le trafic des passagers assuré, avant l'ère du chemin de fer, par de légers «bateaux de poste» circulant à 11 km/h, ressuscite, sous le signe de la plaisance cette fois. Des sociétés de location de bateaux habitables se sont créées.

CURIOSITÉS

Obélisque de Riquet. — *Accès par le D 218, au Sud, que l'on prend à Labastide d'Anjou, sur la N 113.* L'obélisque, élevé en 1825 par les descendants de Riquet, se dresse dans un enclos sur le socle naturel des «pierres de Naurouze», entre le col de Naurouze (N 113) et le canal. Il est entouré d'une double couronne de cèdres fort beaux. Selon la légende, quand les fissures qui strient les pierres viendront à se fermer, la société sombrera dans la débauche et la fin du monde surviendra.

Montferrand. — 352 h. *1 km au Nord-Ouest. Laisser la voiture au Sud du village, près de la N 113, sur le côté d'une chapelle jouxtant un cimetière planté de cyprès.*

Une salle contiguë à la chapelle abrite des croix discoïdales et des chrismes. Le chrisme, monogramme du Christ dessiné par un X et un P entrelacés, s'accompagne souvent des lettres alpha et oméga, la première et la dernière de l'alphabet grec. Le chrisme apparaît fréquemment dans le Sud-Ouest au tympan des chapelles romanes. Ce motif fait partie, depuis le Moyen Age, du répertoire symbolique du compagnonnage, il est connu sous le nom de «pendule de Salomon».

Au Nord de la chapelle une ancienne nécropole révèle la pérennité de ce site choisi comme champ de repos et donc l'ancienneté de l'occupation humaine en ces lieux. Dans un enclos *(entrée à gauche au-delà du cimetière),* un abri sert de dépôt de fouilles aux Monuments Historiques. On y voit d'anciens sarcophages généralement dépourvus de motifs sculptés.

A l'usage des plaisanciers, une documentation sur le canal donne tous renseignements et conseils *(voir le chapitre des «Renseignements pratiques» en fin de guide).*

★★ NIAUX (Grotte de)

Carte Michelin n° 🔲🔲 Sud-Est du pli 4 — Schéma p. 78.

Cette grotte de la vallée de Vicdessos *(p. 86)* est célèbre pour ses dessins préhistoriques encore remarquablement conservés.

Accès par une route qui s'élève au départ du village de Niaux.

Le porche. — C'est depuis le vaste porche d'entrée de la grotte, à 678 m d'altitude, que l'on comprend parfaitement le travail de l'érosion glaciaire qui se produisit il y a des millénaires dans ce massif du Cap de la Lesse où est située la grotte. En effet, le glacier de Vicdessos montait beaucoup plus haut que l'entrée actuelle. L'énorme masse d'eau qui recouvrait toute la vallée que l'on voit aujourd'hui, en s'engouffrant dans les anfractuosités existantes *(voir à Lombrives, p.87),* fit exploser la paroi rocheuse et, en

tourbillonnant, forma ce porche immense qui s'ouvre à mi-hauteur de la montagne, au pied des falaises. Le niveau de la rivière, avec le temps, s'abaissa, pour n'être plus que le cours d'eau de fond de vallée glaciaire, en auge et aux versants abrupts — comme le sont toutes les vallées glaciaires — qui coule le long du D 8, une centaine de mètres plus bas.

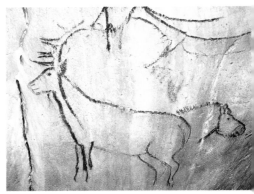

(Photo Delon/Pix)

Grotte de Niaux. — Renne.

La grotte. — Elle se compose de salles très vastes et hautes et de longs couloirs qui conduisent, à 900 m de l'entrée, à une sorte de rotonde naturelle appelée le « Salon noir » dont les parois sont décorées de dessins de bisons, de rennes, de cerfs, de bouquetins et de chevaux vus de profil. Remarquer l'utilisation judicieuse du relief naturel.

Les dessins, exécutés avec un mélange de graisse de bison et d'oxyde de manganèse, non rehaussés de couleurs, sont d'une pureté de trait étonnante. Ils marquent l'apogée de l'art magdalénien *(voir p. 21).* Quelques coulées de calcite recouvrent certains traits et authentifient leur ancienneté.

PAMIERS   15 191 h. (les Appaméens)

Carte Michelin n° 🔲🔲 pli 5 — Plan dans le guide Michelin France.

Situé en lisière d'une plaine fertile, à l'abri des inondations, Pamiers est la ville la plus importante de l'Ariège, sur la rive droite de la rivière du même nom.

La ville tire son nom d'Apamée, en Asie mineure, en souvenir de la participation à la première Croisade du Comte de Foix Roger II qui avait conclu, en 1111, un accord sous forme de pariage, avec l'abbé Isarn, alors administrateur du « pays ». Elle devint évêché en 1295 et abrite depuis quatre communautés d'ordres monastiques.

Pamiers est un bon point de départ vers les routes de l'Ariège et des Pyrénées.

CURIOSITÉS

Cathédrale St-Antonin. — *Place du Mercadal.* De l'église du 12e s., il ne subsiste que le portail. Le beau clocher octogonal, de style toulousain, repose sur une assise fortifiée.

Église N.-D.-du-Camp. — *Rue du Camp.* Elle présente une façade monumentale, crénelée, en brique, surmontée de deux tours. La nef unique fut reconstruite dans la 2e moitié du 17e s.

Vieilles tours. — Le touriste devra voir le clocher des Cordeliers (dans la rue du même nom), qui reproduit celui des Cordeliers de Toulouse, la tour de la Monnaie (près du CES Rambaud), la tour carrée du Carmel (place Eugène-Soula), à l'origine donjon construit par le comte de Foix Roger-Bernard III, en 1285, la tour de l'ancien couvent des Augustins (près de l'hôpital), la Porte de Nerviau (près de la mairie), en pierre et brique.

Promenade du Castella. — Elle est dessinée sur l'emplacement de l'ancien château dont on voit encore les soubassements en sortant par la porte de Nerviau et en se dirigeant vers le Pont Neuf. Sur la butte, aménagée pour servir de cadre à des manifestations touristiques, s'élève le buste du compositeur Gabriel Fauré, né à Pamiers en 1845.

Pour tout ce qui fait l'objet d'un texte dans ce guide
(villes, sites, curiosités, rubriques d'histoire ou de géographie, etc.),
reportez-vous à l'Index, à la fin du volume.

Carte Michelin n° 86 pli 19.

Ancienne capitale des comtes de Roussillon et des rois de Majorque, Perpignan, poste avancé de la civilisation catalane au Nord des Pyrénées, ville très vivante et commerçante, doit son expansion à l'exportation des fruits, primeurs et vins de la plaine ou des coteaux.

Débordant des remparts de Vauban, dont la démolition commença en 1904, la cité s'est développée à distance prudente de la Têt. L'administration, le négoce, le développement universitaire garantissent la rapide croissance de la ville, qui ne comptait encore que 39 000 habitants avant 1914.

Au 13e s., la ville tire bénéfice du grand courant d'affaires que les croisades ont engendré entre le midi de la France, les côtes d'Afrique du Nord et l'Orient. Elle devient, en 1276, la capitale du Roussillon dans la mouvance du Royaume de Majorque. Sa grande activité est alors l'apprêt et la teinture des étoffes qu'elle reçoit des grandes villes drapières d'Europe.

La seconde ville de Catalogne. — Après la disparition du royaume de Majorque en 1344, le Roussillon et la Cerdagne sont intégrés au principat de Catalogne qui, aux 14e et 15e s., constitue, au sein de l'état aragonais, une sorte de fédération autonome. Les « Corts » catalanes siègent à Barcelone, tête de la fédération, mais délèguent une « Députation » à Perpignan. Entre les deux versants pyrénéens se crée une communauté commerciale, linguistique et culturelle.

En 1463, Louis XI met 700 lances à la disposition du roi Jean d'Aragon pour l'aider à réduire les Catalans ; avec son grand sens pratique, il se paie en mettant la main sur Perpignan et le Roussillon. Mais les habitants gardent le nostalgie de leur autonomie catalane, la révolte couve. 10 ans plus tard, Jean d'Aragon rentre dans la ville où, après un régime de neutralité, les hostilités reprennent avec la France, dont les armées mettent le siège devant la ville. Malgré la famine, les Perpignanais résistent désespérément (longtemps, ils ont gardé le surnom de « mangeurs de rats »). Ils ne capitulent que sur l'ordre du roi d'Aragon qui décerne à la ville le titre de « Fidelissima » (très fidèle).

En 1493, Charles VIII, désireux d'avoir les mains libres en Italie, recherche l'amitié espagnole ; il restitue donc la province aux rois catholiques Ferdinand et Isabelle ; ces derniers, considérant Perpignan comme la clé de l'Espagne, en font l'une des places les plus fortes d'Europe. Mais, au 17e s., Richelieu mène méthodiquement sa politique des frontières naturelles, il saisit l'occasion que lui offre une révolte des Catalans contre le gouvernement de Madrid, en 1640, pour signer avec eux un traité d'alliance : Louis XIII devient, l'année suivante, comte de Barcelone.

Le dernier siège de Perpignan. — Mais une garnison espagnole tenant Perpignan, le siège est décidé. Louis XIII, en personne, vient sous les murs de la ville avec l'élite de l'armée française (le cardinal, malade, s'est arrêté à Narbonne). Siège peu glorieux au demeurant, la population en état d'hostilité latente avec ses défenseurs meurt de faim : « Perpignan, étroitement bloquée, se prit, pour ainsi dire, en jouant au maillet et aux boules ». La garnison espagnole, elle aussi en piètre état, capitule le 9 septembre 1642, avec les honneurs de la guerre.

Richelieu, près de mourir, éprouve « une indicible joye ». Cinq-Mars et de Thou venant d'être exécutés, il écrit au roi : « Sire, vos armes sont dans Perpignan et vos ennemis sont morts ».

Le traité des Pyrénées (voir p. 96) ratifiera la réunion du Roussillon à la couronne. Perpignan est définitivement française.

DU PALAIS DES ROIS DE MAJORQUE AU CASTILLET

visite : 3 h

★ **Palais des rois de Majorque** (CZ). — Depuis l'occupation française, sous Louis XI, et surtout depuis les travaux de fortification entrepris par Charles Quint et Philippe II, le palais est enclavé dans les casernes et les bastions. Il retrouve peu à peu son caractère.

Par une rampe voûtée on atteint la cour d'honneur carrée ajourée de deux étages de galeries à l'Ouest et à l'Est, très simple, romane au rez-de-chaussée, gothique aux ogives catalanes surhaussées à l'étage ; son appareillage est admirablement disposé avec ses rognons de silex et de galets de marbre, cloisonnés par endroits par des lits de briques.

Devant soi, on admire l'aile dominée par le donjon-chapelle Ste-Croix, aux deux sanctuaires superposés construits au début du 14e s. par Jacques II de Majorque, dans le style gothique flamboyant.

La chapelle basse, « de la reine », au pavement de céramique verte, montre des traces de polychromie gothique — fausses fenêtres, décoration des trompes d'angle — et une belle Vierge à l'Enfant du 15e s.

La chapelle haute, plus élancée, abrite un beau Christ catalan sur l'autel et présente le même jeu architectural des trompes d'angles.

Au 1er étage de l'aile Sud, la grande salle de Majorque abrite une cheminée à trois foyers.

Musée Hyacinthe-Rigaud (CY M). — Il porte le nom du célèbre artiste perpignanais, Hyacinthe Rigaud (1659-1743), dont les portraits — d'apparat pour la plupart — lui ont valu une célébrité telle que pour satisfaire sa clientèle, Louis XIV et la haute société, il dut créer un atelier. Ses œuvres, inspirées à la fois d'Antoine Van Dyck et de Philippe de

Champaigne, répondaient aux goûts des « anciens » et des « modernes » et sa réputation s'est étendue bien au-delà des frontières. Le joyau du musée, le « Portrait du Cardinal de Bouillon », a été défini ainsi par Voltaire : « Un chef-d'œuvre égal aux plus beaux chefs-d'œuvre de Rubens ». A côté d'autres tableaux du portraitiste, sont exposées des peintures de primitifs catalans. Section d'art contemporain, Maillol, Dufy, Picasso, Calder...

Place Arago (BY3). − Ornée de palmiers et de magnolias, elle est plaisante et très vivante grâce aux cafés qui la bordent, attirant une foule nombreuse. Au centre s'élève la statue du célèbre physicien et astronome François Arago (1786-1853) : personnalité hors du commun, animée par le goût de la recherche et de la vulgarisation scientifique − il fut admis à l'Académie des Sciences à l'âge de 23 ans − ainsi que par la passion politique. Il fit partie du gouvernement provisoire de 1848.

Palais de la Députation (CYB). − Du 15e s., il abritait au temps des rois d'Aragon la commission permanente ou « députation » représentant les « corts » catalanes. Remarquer les énormes claveaux du portail, typiquement aragonais, le bel appareil de la façade toute en pierrre de taille et les baies reposant sur des colonnettes de pierre très fluettes.

Face au palais de la Députation, faire une incursion dans la petite rue des Fabriques d'En Nabot (CY24), jadis en plein quartier des **« parayres »** (apprêteurs d'étoffes qui formaient aux 13e et 14e s. la première corporation de Perpignan). Au n° 2 se trouve la **maison Julia★** (CYD), l'un des rares hôtels particuliers bien conservés de Perpignan qui présente un patio à galeries gothiques du 14e s.

★ **Hôtel de Ville** (CYH). − Les grilles sont du 18e s. Dans la cour à arcades, bronze de Maillol : la Méditerranée. Sur la façade du bâtiment, trois bras de bronze qui passent pour symboliser les « mains » ou catégories de la population appelées à élire les cinq consuls, seraient, en fait, d'anciennes torchères. A l'intérieur, la salle des Mariages présente un beau plafond à caissons du 15e s.

Place de la Loge (CY33). − La place (avec une statue de Maillol : Vénus) et la rue de la Loge, pavée de marbre rose et réservée aux piétons, constituent le centre d'animation de la ville.

★ **Loge de Mer** (CY E). − Ce bel édifice, construit en 1397, remanié et agrandi au 16e s., était le siège d'un véritable tribunal de commerce. Cette juridiction arbitrait les contestations relatives au négoce maritime.

La Bourse était installée au rez-de-chaussée. La girouette, en forme de navire, à l'angle du bâtiment, est le symbole de l'activité maritime que déployaient les commerçants du Roussillon.

★ **Cathédrale St-Jean** (CY). − L'église principale commencée en 1324 par Sanche, deuxième roi de Majorque, a été consacrée seulement en 1509.

Par le passage à gauche, on peut s'approcher de l'ancien sanctuaire de St-Jean-le-Vieux. Un portail roman en marbre, dont le pendentif central est orné d'un Christ à l'expression mâle et sévère, subsiste.

La façade rectangulaire de la basilique est faite d'assises alternées de galets et de briques. Elle est flanquée, à droite, d'une tour carrée dont le beau campanile de fer forgé (18e s.) abrite un bourdon du 15e s.

La nef unique est imposante ; elle repose sur de robustes contreforts intérieurs séparant les chapelles. Ce qui caractérise St-Jean ce sont ses riches retables des 16e et 17e s. parmi lesquels il faut distinguer celui du maître-autel et ceux des chapelles de gauche (Ste-Eulalie, Ste-Julie, St-Pierre).

Dans la niche centrale du maître-autel, statue de saint Jean-Baptiste, patron de la cité : l'effigie du saint et la draperie « d'or à quatre pals (bandes) de gueules » (armes de l'Aragon et de la Catalogne royale) illustrent les armes de Perpignan.

A l'entrée du croisillon gauche, tombeau (17e s.) en marbre blanc et noir de l'évêque Louis de Montmort.

PERPIGNAN

Alsace-Lorraine (R d)   CY 2
Arago (Pl)   BY 3

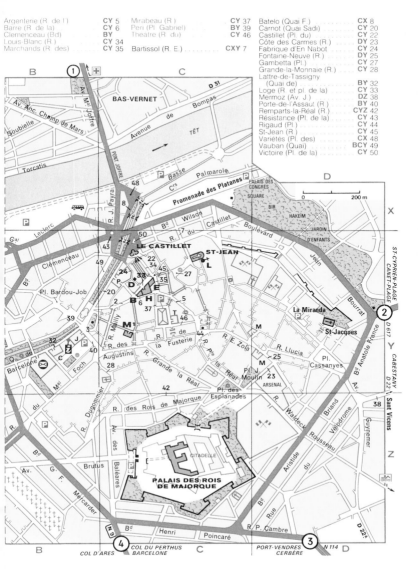

Argenterie (R. de l')	**CY**	5
Barre (R. de la)	**CY**	6
Clemenceau (Bd)	**BY**	
Louis-Blanc (R.)	**CY**	34
Marchands (R. des)	**CY**	35

Mirabeau (R.)	**CY**	37
Péri (Pl. Gabriel)	**BY**	39
Théâtre (R. du)	**CY**	46
Bartissol (R. E.)	**CXY**	7

Batelo (Quai F.)	**CX**	8
Carnot (Quai Sadi)	**CY**	20
Castillet (Pl. du)	**CY**	22
Côte des Carmes (R.)	**DY**	23
Fabrique d'En Nabot (R.)	**CY**	24
Fontaine-Neuve (R.)	**DY**	25
Gambetta (Pl.)	**CY**	27
Grande-la-Monnaie (R.)	**CY**	28
Lattre-de-Tassigny (Quai de)	**BY**	32
Loge (R. et Pl. de la)	**CY**	33
Mermoz (Av. J.)	**DZ**	38
Porte-de-l'Assaut (R.)	**BY**	40
Remparts-la-Réal (R.)	**CYZ**	42
Résistance (Pl. de la)	**CY**	43
Rigaud (Pl.)	**CY**	44
St-Jean (R.)	**CY**	45
Variétés (Pl. des)	**CX**	48
Vauban (Quai)	**BCY**	49
Victoire (Pl. de la)	**CY**	50

Sous le buffet d'orgue, un passage donne accès à la chapelle romane N.-D.-dels-Correchs. Là, a été déposé un gisant du roi Sanche, offert par la ville de Palma en 1971, et, dans le fond, une collection de reliquaires anciens protégée par des grilles de fer forgé.

En sortant de la cathédrale par le portail latéral droit, on verra dans la chapelle hors œuvre (**CX L**) le **dévôt Christ**★, œuvre poignante, en bois sculpté, vraisemblablement rhénane, du début du 14e s.

★ **Le Castillet** (**CY**). — Ce monument, emblème de Perpignan, sauvé de la destruction lors de la démolition de l'enceinte, domine la place de la Victoire. Ses deux tours sont couronnées de créneaux et de mâchicoulis exceptionnellement hauts ; remarquer leurs fenêtres à grilles de fer forgé.

A l'ouvrage de brique, commencé en 1368, fut accolée en 1483 une porte de ville dédiée à Notre-Dame. Le Castillet, au temps de Louis XI, protégeait contre l'ennemi du dehors et tenait en respect une ville souvent frondeuse.

⊘ **Casa Pairal.** — Musée catalan des arts et traditions populaires : meubles, outillage, art religieux, costumes, belle croix aux Outrages.

Du haut de la tourelle qui domine l'ouvrage (142 marches), on découvre une jolie **vue** sur les monuments de la ville, la plaine, la mer, le Canigou, les Albères au Sud et les Corbières au Nord.

AUTRES CURIOSITÉS

Promenade des Platanes (**CX**). — Rafraîchie par des fontaines. Les allées latérales sont agrémentées de mimosas et de palmiers.

La Miranda (**DY**). — Petit jardin public aménagé sur les anciens bastions, derrière l'église St-Jacques, en favorisant dans la mesure du possible les plantes de la garrigue, les arbres et arbustes indigènes ou acclimatés dans la région (grenadiers, oliviers, aloès, etc.).

Église St-Jacques (DY). —Sanctuaire élevé au 14e s. dans un ancien quartier de jardiniers et de gitans, au sommet des remparts. Sous le porche Sud, grande croix aux Outrages.

Dans l'absidiole de droite trouvent place plusieurs œuvres d'art : Christ du 14e s., statue de saint Jacques du 15e s. placée au-dessus d'une cuve baptismale toujours alimentée en eau vive, grand retable des Tisserands (fin 15e s.) consacré aux scènes de la vie de la Vierge.

Prolongeant la nef, à l'Ouest, une vaste chapelle ajoutée au 18e s. était réservée à la confrérie de la Sanch (du précieux « Sang »). Depuis 1416, cette confrérie de pénitents, qui assistaient les condamnés à mort, se formait en procession solennelle le Jeudi saint, en transportant ses « misteris » *(voir p. 47 à Arles-sur-Tech)* au chant des cantiques. La procession se déroule maintenant le jour du Vendredi saint *(voir le tableau des manifestations en fin de volume).*

Sant Vicens. — *Accès par l'avenue Guynemer et l'avenue Jean-Mermoz (Est du plan - D22).*

Centre d'artisanat d'art : fabrication de céramiques d'après des dessins de Jean Lurçat, Jean Picart le Doux... ; exposition-vente de céramistes roussillonnais. Beaux jardins.

EXCURSIONS

(Photo Serge Chirol)

Procession des Pénitents de la Sanch.

Circuit de 12 km. — *Environ 1 h.*

Quitter Perpignan par le D22, à l'Est du plan.

Casbestany. — 6 223 h. A l'intérieur de l'**église N.-D.-des-Anges**, sur le mur de la chapelle de droite, est déposé le célèbre **tympan★** roman, œuvre d'un sculpteur ambulant du 12e s., le maître de Cabestany, représentant la résurrection de la Vierge, son Assomption et sa Gloire entre le Christ et saint Thomas à qui elle avait envoyé sa ceinture.

Gagner la N 114 et prendre la direction de Villeneuve-de-la-Raho.

Mas Palégry. — Au milieu des vignobles, il sert de cadre à un musée d'aviation (avions et maquettes).

Regagner Perpignan par la petite route à l'Ouest, qui traverse les vignes avant de rejoindre la N 9.

Circuit de 93 km. — *Environ 5 h.*

Quitter Perpignan par ⑤, D 612 A.

Toulouges. — 3 637 h. Au flanc Sud et au chevet de l'église deux plaques et une stèle rappellent le souvenir du synode de 1027 et du concile de 1064-1066 instituant et développant l'une des plus fameuses « trêves de Dieu » de l'Occident. A l'extérieur de l'abside, est dressée une croix des Impropères ou des Outrages, croix de mission (1782) présentant les instruments de la Passion.

Thuir. — 6 358 h. (les Thurinois). Active « porte de l'Aspre » connue surtout pour ses **caves** de « Byrrh ».

Le « Cellier des Aspres » offre, d'autre part, une documentation sur les vins locaux et sur le développement de l'artisanat dans les villages voisins.

Prendre le D 48, à l'Ouest.

La route s'élève sur les coteaux de l'Aspre. Soudain, à la sortie d'un vallon, la **vue★** embrasse le village médiéval de Castelnou, le mont Canigou s'élevant au dernier plan.

Castelnou. — 152 h. Siège de l'administration militaire des comtes de Besalù *(voir p. 113)* au Nord des Pyrénées, le village fortifié se masse au pied du château féodal, remanié au 19e s. Quelques artistes et artisans concourent à son animation.

Les pentes de garrigue s'éraillent et la vue devient imposante, au Sud, sur le Roussillon, les Albères et la mer.

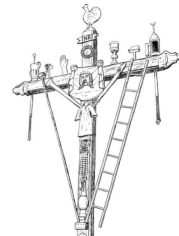

(D'après photo Léo Pélissier)

Croix des Outrages.

Église de Fontcouverte. — Église isolée dans un cimetière ombragé d'un gros chêne vert. Beau **site★** solitaire dominant la plaine.

Aussitôt après l'église, au bord de la route d'Ille, on peut faire halte sous les châtaigniers.

Ille-sur-Têt. — 5 259 h. Petite ville de plaine située entre la Têt et le Boulès, son affluent. C'est le point de départ de la route du Conflent *(p. 64),* vers Prades, aussi bien que celui de la route des Aspres *(p. 48),* vers Amélie-les-Bains. Remarquer l'imposante silhouette de son église.

La route (D 21) après avoir passé la rivière, se replie dans un vallon dominé par « les Orgues » *(illustration p. 33),* étonnante formation géologique constituée de cheminées des fées, colonnes de roches tendres couronnées de conglomérat dur.

On atteint Bélesta par une gorge taillée dans le granit.

Bélesta. — 247 h. Village remarquablement groupé sur un nez rocheux surgissant des vignes.

Prendre la direction du col de la Bataille.

Le château de Caladroi apparaît bientôt au milieu d'un parc planté d'essences exotiques.

Par un agréable tracé de crête entre les vallées de la Têt et de l'Agly on atteint le col puis, de là, l'ermitage de Força Réal.

Ermitage de Força Réal. — Le sommet culminant à 507 m et formant bastion avancé au-dessus du Roussillon, est occupé par une chapelle du 17e s., et une station de télécommunications.

Panorama★★ grandiose sur la plaine, la côte du cap Leucate au cap Béar, les Albères, le Canigou. Au Nord-Ouest, les deux crocs du Bugarach et le rocher de Quéribus pointent parmi les crêtes des Corbières méridionales.

Remarquer le contraste entre la vallée de la Têt, au damier de cultures maraîchères souligné par des rideaux d'arbres, et la vallée de l'Agly où le vignoble a gagné uniformément les versants.

Redescendre au col et, de là, à **Estagel,** patrie de François Arago dont le buste, par David d'Angers, est à la mairie.

Le long du D 117, à la sortie d'un grand virage à droite, remarquer, peu avant l'entrée de Cases-de-Pène, l'ermitage perché de **N.-D.-de-Pène** : le petit pignon blanc de la chapelle se distingue difficilement de son socle de falaises grisâtres entamées par une grande carrière.

Rivesaltes. — 7 454 h. L'une des capitales viticoles du Roussillon, sur la rive droite de l'Agly.

Ville natale du **maréchal Joffre,** dont la statue équestre est érigée sur l'allée-promenade, bordée de platanes, dédiée au grand soldat (1852-1931) : homme des situations critiques, au sang-froid inébranlable, secondé par un équilibre nerveux à toute épreuve.

Regagner Perpignan par le D 117 qui longe l'aéroport.

Le PERTHUS   644 h.

Carte Michelin n° 86 pli 19 — Schéma p. 35.

Depuis le passage d'Hannibal (218 avant J.-C.), le Perthus (qui vient du mot perthuis : défilé, couloir étroit) n'a cessé de connaître le flux et le reflux des hordes, des armées, des réfugiés, des touristes enfin. Le bourg a succédé au 19e s. à un simple village de cabanes de douaniers.

Jusqu'à l'ouverture de l'autoroute (1976), des millions de touristes ont « circulé » chaque année dans sa rue (la route de France) dont la chaussée sépare, sur 200 m, les territoires français et espagnol.

L'importance stratégique de ce col très déprimé (alt. 290 m) des Albères *(p. 34)* fut reconnue primordiale après le traité des Pyrénées.

ⓥ**Fort de Bellegarde.** — Isolé sur un rocher, à 420 m d'altitude, ce fort désaffecté domine l'agglomération.

A son emplacement s'élevaient la tour de Pompée et l'autel de César. Vauban les détruisit pour reconstruire cet ouvrage de grande puissance, entre 1667 et 1688. Il abrite une stèle commémorative de la mort du général français **Dugommier** (1738-1794) qui, nommé au commandement de l'armée des Pyrénées Orientales, rejeta les Espagnols en Catalogne.

Afin de donner à nos lecteurs l'information la plus récente possible, les Conditions de Visite des curiosités décrites dans ce guide ont été groupées en fin de volume.

Les curiosités soumises à des conditions de visite y sont énumérées soit sous le nom de la localité soit sous leur nom propre si elles sont isolées.

Dans la partie descriptive du guide, p. 33 à 137, le sigle ⓥ placé en regard de la curiosité les signale au visiteur.

★★★ PEYREPERTUSE (Château de)

Carte Michelin n° 86 pli 8 — Schéma p. 66.

Ce château de crête des Corbières, l'un des « cinq fils de Carcassonne », découpe, sur son éperon, une silhouette dont la hardiesse n'apparaît bien que des abords de Rouffiac, au Nord.

Peyrepertuse représente l'un des plus beaux exemples de pièces fortifiées des Corbières au Moyen Age.

De récentes découvertes feraient remonter l'occupation de la montagne de Peyrepertuse dès l'époque romaine (des fragments d'amphores, des morceaux de briques ont été trouvés en grand nombre).

⊙VISITE *environ 2 h*

Accès de Duilhac : 3,5 km par route étroite.

La route, signalée à l'entrée Sud du village de Duilhac, se rapproche de la muraille Sud de l'éperon.

Sur cette face, la forteresse ne présente guère que des débris déchiquetés ou perforés, se confondant avec la roche.

De l'aire de stationnement, suivre, en passant sur la face Nord, un sentier aboutissant à la porte d'entrée.

Nous ne saurions trop recommander la plus grande prudence lors de la visite de cette « citadelle du vertige ».

Peyrepertuse comprend deux ouvrages voisins mais distincts, ancrés à l'Est (Peyrepertuse proprement dit) et à l'Ouest (St-Georges) de l'éperon, mesurant 300 m dans sa plus grande longueur. L'un et l'autre ne furent jamais accessibles aux chevaux, ni même aux mulets.

Château bas. — C'est le château féodal à proprement parler, rendu semble-t-il sans combat en 1240 entre les mains du sénéchal de Carcassonne, représentant Louis IX, après l'échec du deuxième siège de Carcassonne *(voir p. 54)*. Il occupe le promontoire effilé en proue. Saint Louis y fit construire un escalier.

Donjon. — *Entrer par la porte haute.* Le donjon vieux, noyau du château, forme un quadrilatère dont on ne voit, de la cour, que la face flanquée d'une tour ronde (citerne).

L'ouvrage fut complété aux 12e et 13e s. par une chapelle fortifiée (mur de gauche) soudée au premier réduit par des courtines fermant les petits côtés de la cour.

Cour basse. — L'enceinte épouse l'éperon triangulaire. Elle n'est complète que du côté Nord, montrant sur cette face une forte courtine, à deux tours ouvertes à la gorge c'est-à-dire sans mur vers l'intérieur de la place.

Les défenses Sud se réduisaient à un simple parapet, reconstruit.

En revenant sur ses pas, admirer le front Est du donjon complètement remodelé au 13e s., avec ses tours demi-rondes, reliées par une courtine crénelée.

110

Château St-Georges. — *Traverser l'esplanade Ouest vers le roc St-Georges.* Au bord du précipice, un poste de guet isolé offre, par un trou béant, une vue sur Quéribus.

Un impressionnant escalier taillé dans le roc, dangereux par vent violent *(chaînes de fer servant de main courante)* donne accès aux ruines.

A 796 m d'altitude, cette forteresse royale domine d'une soixantaine de mètres le château bas. Elle fut construite en une seule campagne au point culminant de la montagne après la réunion du Languedoc au domaine royal. Elle conserve de hautes murailles en grand appareil, moins intéressantes toutefois que leur site aérien.

Gagner, à gauche, en revenant vers l'Est, le promontoire le plus avancé, site de l'ancienne chapelle, dominant le château bas. **Vues** sur l'ouvrage, dans son site panoramique : bassin du Verdouble, château de Quéribus, Méditerranée à l'horizon.

★ Le PLANTAUREL

Carte Michelin nº 86 plis 3, 4 et 5.

Le Plantaurel est le nom donné aux crêtes qui s'allongent d'Est en Ouest sur la bordure septentrionale des Pyrénées. Ce sont les avant-monts pyrénéens, culminant à 830 m. Les rivières qui le traversent (Touyre, Douctouyre, Ariège, Arize) ont formé des cluses, parties les plus animées du massif avec celles situées sur les contreforts des chaînons, en avant et en arrière.

DE MONTBRUN-BOCAGE A ROQUEFIXADE

69 km — environ une journée

Montbrun-Bocage. — *Page 137.*

> *Quitter Montbrun au Nord-Est et prendre à droite à Daumazan-sur-Arize. A Sabarat, prendre de nouveau à droite.*

La route, pittoresque, longe l'Arize qui coule dans un étroit défilé.

★★ **Grotte du Mas-d'Azil.** — *Page 89.*
Retrouvant le jour au porche Sud de la grotte, l'Arize coule dans une vallée passagèrement plus ample où l'on remarque, accrochées à la pente comme des nids dans la broussaille, les chapelles du chemin de croix de Raynaude.
Le dernier défilé, le long du D 15, aux ombrages agréables, décrit un angle droit et débouche après Durban dans la dépression du Sérou, zone particulièrement riche en percées hydrogéologiques *(voir p. 17).*

> *Prendre le D 117 à gauche.*

La Bastide-de-Sérou. — 962 h. (les Bastidiens). Lieu de séjour p. 8. Dans le noyau ancien du bourg, l'église abrite un Christ rhénan pathétique du 15e s. — à gauche en entrant — et une Pietà de la fin du 15e s., dans une chapelle à gauche du chœur.
Sur la place de la halle (mesures à grains, en pierre) et dans les petites rues du quartier au Sud de l'église, remarquer plusieurs maisons aux portails datés du 18e s.

> *A 7 km, tourner à gauche dans le D 11 puis à droite dans le D 1.*

★ **Rivière souterraine de Labouiche.** — *Page 84.*
La route pénètre à Foix par le pont sur l'Arget, offrant une vue privilégiée sur le château et ses trois tours.

★ **Foix.** — *Page 76.*

> *Quitter Foix au Sud-Est par ② N 20, puis prendre le D 9 à gauche.*

La route s'élève à flanc de montagne en laissant à droite le Pain de Sucre de Montgaillard : virant à l'Ouest, elle vient dominer la dépression évidée entre la dernière ride du Plantaurel et le massif cristallin du St-Barthélemy aux formes puissantes. Dès Caraybat le regard se fixe, au loin, sur le piton de Montségur. En avant se rapproche la muraille rocheuse de Roquefixade couronnée de ruines.

Roquefixade. — 168 h. Le château du village, lieu de refuge cathare, ne fut pas pris par les croisés mais saisi en 1272 par Philippe le Hardi en même temps que celui de Foix. Faire halte à l'entrée du village devant une croix. De cet endroit, la **vue** ★ s'étend, au-delà de la vallée coupée de rideaux de frênes semée de villages aux toits roses, sur le massif du St-Barthélemy et, vers l'aval, à droite au dernier plan, sur le massif des Trois-Seigneurs. Vers l'amont, au Sud-Est, on reconnaît le rocher de Montségur, avec lequel le château pouvait communiquer par feux.

PRADES
6 524 h. (les Pradéens)

Carte Michelin nº 86 plis 17, 18 — Schéma p. 52.

Prades, bâtie au pied du Canigou, au milieu des vergers, fut, depuis 1950, la ville d'élection du violoncelliste Pablo Casals (1876-1973). Les concerts du festival ont lieu à St-Michel-de-Cuxa *(p. 118).*
Dans le quartier ancien avoisinant l'église, les bordures de trottoirs, les caniveaux et les pierres de seuil sont fréquemment taillés dans le marbre rose du Conflent.

◷ **Église St-Pierre.** — Elle est flanquée d'un clocher roman. Le retable du maître-autel, œuvre du sculpteur catalan Sunyer (1699), est dédié à saint Pierre. Dans le croisillon gauche, un Christ « noir » du 16e s. est plus proche de la sensibilité moderne.

EXCURSIONS

Marcevol. – *Circuit de 35 km – environ 2 h. Suivre le D 619, route de Molitg, jusqu'à Catllar où l'on bifurque à droite dans le D 24.*

★ **Eus.** – 335 h. Très beau village étagé dont les maisons dévalent la soulane parmi les blocs de granit et les genêts, entre la grande église supérieure bâtie au 18e s. et la chapelle romane St-Vincent gardant le cimetière au fond de la vallée.

On fera quelques pas dans les ruines de la cité fortifiée, autour de l'église. Par les brèches des murailles, belles échappées sur le Canigou et la plaine du Conflent.

Poursuivre le parcours le long du D 35 en laissant à droite le pont de Marquixanes enjambant la Têt.

Marcevol. – Minuscule village de bergers et de viticulteurs. En contrebas, un ancien prieuré des chanoines du St-Sépulcre isolé sur un tertre gazonné dominant le Conflent, face au Canigou, montre un portail et une fenêtre romane en marbre rose et blanc. Les vantaux ont conservé leurs pentures à décor de volutes, motif typique de la ferronnerie romane en Conflent et en Vallespir.

Le prieuré abrite **l'association du Monastir** de Marcevol. Fondée en 1972, elle organise tout au long de l'année des stages et des rencontres.

5 km au-delà de Marcevol, prendre à droite le D 13 qui, par une gorge granitique fleurie de cistes au début de l'été, ramène à la vallée de la Têt.

Rentrer de Vinça à Prades par la N 116.

Mosset. – *24 km au Nord, par le D 619 et le D 14 – environ 1 h.*

Molitg-les-Bains. – 180 h. L'établissement thermal est installé dans le ravin boisé de la Castellane, site encaissé agrémenté de plantations, aménagé de sentiers et d'un plan d'eau.

On y soigne principalement les affections de la peau et des voies respiratoires.

Mosset. – 258 h. L'ancien village fortifié allongé sur une croupe semble barrer la vallée.

★ # PRATS-DE-MOLLO

1 146 h. (les Pratéens)

Carte Michelin n° 🔲🔲 plis 17, 18 – Lieu de séjour p. 8.

Prats-de-Mollo est bâtie dans la vallée épanouie du haut Tech dominée par les pentes rases du massif du Costabonne et du Canigou. Elle allie le cachet d'une ville close renforcée par Vauban au charme d'une cité catalane de montagne particulièrement enjouée.

CURIOSITÉS

Entrer dans la ville par la Porte de France et suivre la rue commerçante du même nom.

Face à la Place d'Armes, monter les degrés de la rue de la Croix-de-Mission, dominée par une croix des Outrages.

Église. – Une église romane, dont il subsiste le clocher crénelé, précéda le bâtiment actuel, de structure gothique, qui date du 17e s. Portail à pentures enroulées, dans le style du 13e s. Un curieux ex-voto est fiché sur le mur à droite : c'est une côte de baleine mesurant plus de 2 m. Dans la chapelle qui fait face à la porte est placée la statue de N.-D.-du-Coral, copie de celle du 13e s. vénérée dans l'ancien sanctuaire de bergers du même nom situé en

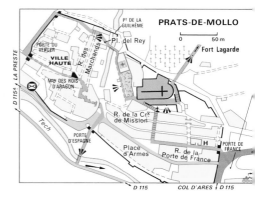

montagne. Le retable baroque du maître-autel représente la vie et le martyre des saintes Juste et Rufine, patronnes de la ville.

Longer le côté Sud de l'église et contourner le chevet par un chemin de ronde fortifié.

Sortir de l'enceinte et s'élever d'une centaine de mètres en direction du **fort Lagarde** (17e s.). En se retournant, joli coup d'œil sur les parties hautes de l'église.

Revenir au portail de l'église et prendre à droite.

En vue de l'hospice descendre les marches à gauche et suivre la rue longeant, en contrebas, le jardin de l'hospice. La vue sur la ville haute et la chaîne frontière est jolie ; on remarque la tour de Mir et le pic de Costabonne, au fond de la vallée. Traverser le torrent sur un pont fortifié immédiatement en aval du vieux pont en dos d'âne de la Guilhème. On pénètre dans la ville haute.

★ **Ville haute (Ville d'amoun).** — Place del Rey, où se dresse la maison du Génie militaire, s'élevait l'une des résidences des comtes de Besalù, ayant régné, au 12ᵉ s., sur l'une des pièces de la mosaïque des comtés catalans. Au départ de la rue des Marchands, monter à droite un escalier sculpté. Du sommet, vue sur l'église dominant la ville basse.

> *Longer le mur d'enceinte et sortir de la ville par une porte moderne pour y rentrer par la suivante (bretèche) « du Verger ».*

On arrive à un carrefour dominé par la « maison des rois d'Aragon » formant proue. Une ruelle en descente mène enfin à la porte de sortie. Passer la porte d'Espagne ; de la passerelle sur le Tech, vue sur le front Sud de la ville.

LA PRESTE

A la sortie Nord-Ouest de Prats-de-Mollo, le D 115ᴬ mène, en 8 km, à la station hydrominérale de la Preste (alt. 1 130 m). Ses cinq sources, jaillissant à 44°, traitent la collibacillose. C'est Napoléon III qui fit construire cette route d'accès. Souffrant, il avait l'intention de faire une cure à la station ; la guerre de 1870 l'obligea à y renoncer.

PUILAURENS (Château de)

Carte Michelin nº 🔲🔲 Sud du pli 7 — Schéma p. 66.

Le château est situé dans la vallée de la Boulzane.

> *On y accède depuis Lapradelle, sur le D 117, route de Perpignan à Quillan, par une petite route au Sud du village (D 22) et le chemin à droite en montée, 800 m après Puilaurens. Puis 3/4 h à pied AR.*

Ce « château de crête », à 697 m d'altitude, a conservé sa silhouette à peu près intacte. On remarque de loin son enceinte crénelée à quatre tours et merlons à redans défendant les approches du donjon.
Position la plus avancée du Roi de France face au royaume d'Aragon, depuis le traité de Corbeil en 1258, Puilaurens était encore en état de défense au 17ᵉ s. Les Espagnols le prirent finalement d'assaut en 1636.
On atteint la porte principale par une rampe en zig-zag coupée de chicanes. Débouchant dans la basse cour, ressortir par une poterne au pied de la tour Est pour gagner un bec rocheux d'où l'on apprécie la force de la position, du côté Nord, inaccessible, et la taille soignée des moellons à bossages. Au Nord-Est, se dresse le pic de Bugarach ; au Sud, par la vallée de la Boulzane, apparaît le Canigou.

PUIVERT   552 h. (les Puivertains)

Carte Michelin nº 🔲🔲 pli 6.

Le bassin de Puivert, dont le fond de prairies surprend dans le paysage très mouvementé et boisé des confins du Plateau de Sault, était encore immergé au Moyen Age. Le lac se vida subitement en 1279, dévastant les villes de Chalabre et de Mirepoix.

Château. — *Du hameau de Camp-Ferrier, sur la route de Quillan, 500 m par un mauvais chemin.* Pris d'assaut par les Croisés en 1210, il fut donné par Simon de Montfort au seigneur de Bruyères-le-Châtel (près d'Arpajon), dont les descendants firent dès lors souche dans la région. Les constructions visibles remontent aux 13ᵉ et 14ᵉ s.
Dans la salle haute du donjon, voûtée à l'époque gothique, on reconnaît huit représentations de musiciens. Cornemuse, tambourin, viole, luthée, harpe, psaltérion et rebec évoquent l'éclat de la vie seigneuriale à Puivert au temps des troubadours.

★ QUÉRIBUS (Château de)

Carte Michelin nº 🔲🔲 pli 8 — Schéma p. 66.

> *On y accède par le D 123, pris au Sud du village de Cucugnan, et, au Grau de Maury (p. 68), un chemin en forte montée.*

Le château donnait encore asile, en 1241, à des diacres cathares. Son siège, en 1255, dernière opération militaire de la croisade des Albigeois, 11 ans après la chute de Montségur, ne semble pas s'être terminé par un assaut en force. Quéribus est alors érigé en forteresse royale. Il occupe une position de frontière entre la France et l'Aragon, destinée à observer et à défendre la plaine du Roussillon.

★★ **Site.** — Le site de ce « dé posé sur un doigt » à 729 m d'altitude, stupéfie. Des terrasses intenables par vent violent, **vue★★** splendide sur la plaine du Roussillon, la Méditerranée, les Albères et le Canigou, les massifs du Puigmal et du Carlit.
Pendant la période de fermeture, on pourra admirer le site — mais non le panorama lointain — en prenant de la hauteur sur l'éminence, à gauche du parking.

Intérieur. — On s'attarde dans une haute salle gothique à pilier central. Les singularités de son plan et de son éclairage ont donné lieu, comme à Montségur, à des interprétations liées à un symbolisme solaire. Cependant, il ne reste presque rien de la première époque de construction du château qui fut transformé totalement pour répondre aux progrès de l'artillerie.

QUILLAN

Carte Michelin n° 86 pli 7 — Schéma p. 66 — Lieu de séjour p. 8.

Capitale touristique de la haute vallée de l'Aude *(p. 48)*, à l'entrée du défilé de Pierre-Lys Quillan constitue un des meilleurs centres d'excursions pour toute la région forestière des avant-monts pyrénéens. *Voir p. 120 le circuit en forêt de Comus et de la plaine.*
La passion du rugby, qui remonte à la dernière période faste de la chapellerie, entre les deux guerres, sous le mécénat de Jean Bourrel, imprègne toujours la population.
La ville tire son animation de son activité industrielle dans les secteurs des panneaux lamifiés, des meubles de luxe et de jardin, des pantalons et des chaussures.
Sur l'esplanade de la gare, original petit monument à l'abbé Armand *(p. 49)*.
Quillan conserve encore les ruines — malheureusement à l'abandon — d'une forteresse médiévale de plan carré, rare exemple de ce type d'architecture militaire dans la région.

RABASTENS

Carte Michelin n° 82 pli 9.

Sur la rive droite du Tarn, couverte de céréales, de vignes, de primeurs et d'arbres fruitiers, Rabastens est une ville active. De nouvelles industries (compteurs électriques, sous-vêtements, confection de « prêt-à-porter ») s'ajoutent à celle du meuble qui perpétue la tradition des ateliers d'ébénisterie et de sculpture sur bois du 17e s.
Du pont, on a de jolies vues sur les maisons anciennes qui dominent la rivière.

Église N.-D.-du-Bourg. — Fondée au 12e s., par les Bénédictins de Moissac dans la ville basse (le bourg), l'église de Rabastens se présente comme une forteresse dont la puissante façade est percée d'un portail aux beaux **chapiteaux**★ romans ; richement décorés de rinceaux, de feuilles d'acanthe et de personnages, ils représentent des scènes de la vie du Christ et de la Vierge : de gauche à droite, l'Annonciation, la Visitation, la Naissance du Christ, les Rois mages, la Présentation au temple, le Massacre des Innocents, la Fuite en Égypte, la Tentation.
A l'intérieur, les peintures de la nef, découvertes et restaurées au 19e s., sont du 13e s. comme celles du chœur, remarquable pour son élégant triforium.

EXCURSION

⊙ **Château de St-Géry.** — *4,5 km, puis 3 / 4 h de visite. Quitter Rabastens au Nord-Est en direction d'Albi, puis tourner à droite au panneau « Château de St-Géry ».*
Trois corps de bâtiment encadrent une cour d'honneur, gardée par deux sphinx. La façade sur la cour date de la fin du 18e s. ; la partie la plus ancienne est l'aile Est (14e s.). Dans l'ancien oratoire ont été découvertes des peintures des 16e et 17e s. Dans l'aile méridionale, salons, chambres et galeries, richement meublés, témoignent du passé du château. Remarquer la chambre où s'arrêta Richelieu en 1629, parée de meubles du 17e s. et de belles boiseries, ainsi que l'insolite salle à manger avec sa décoration de stucs sur fond bleu, inspirée des porcelaines anglaises de Wedgwood.

RIEUX

Carte Michelin n° 82 pli 17.

La ville a gardé intact le charme de son site, à l'intérieur d'une boucle de l'Arize, et de son vieux quartier de clercs dominé par l'une des plus jolies tours de brique toulousaines. Elle dut son rang de cité épiscopale aux attaches aquitaines du pape Jean XXII, originaire de Cahors, qui en 1317 démembra le vaste diocèse de Toulouse et celui de Pamiers en créant les évêchés de Rieux, Montauban, Lombez, St-Papoul, Mirepoix, Alet et Lavaur.

★ **Cathédrale.** — Prendre d'abord du recul en traversant le pont sur l'Arize, vers le calvaire
⊙ du monument aux morts, pour avoir une **vue**★ de l'édifice dans son ensemble. On a devant soi le chevet plat, fortifié, de la première église du 13e s., assise sur les maçonneries de l'ancien château fort, baignant dans la rivière. A droite se projette le vaisseau transversal du chœur des Évêques. La tour-clocher octogonale, avec ses trois étages ajourés, du 17e s., dans le style toulousain, se dresse à l'arrière-plan.
Par le grand portail gothique, mutilé, pénétrer dans la nef principale (14e s.).

Chœur des Évêques. — Construite au 17e s. pour le chapitre, cette chapelle est meublée de stalles de noyer inspirées de la cathédrale de Toulouse. Le maître-autel aux marbres polychromes — admirer le marbre jaune — lui donne son cachet « grand-siècle ».

⊙ **Sacristie des Chanoines.** — La salle conserve le **trésor**★ de Rieux. La grande armoire, du 14e s., avec ferrures d'époque, renferme des bustes-reliquaires et la châsse en bois de saint Cizi (1672), patron de l'ancien diocèse. La petite armoire abrite l'impressionnant buste-reliquaire de saint Cizi, en argent repoussé sur âme de bois, travail d'un orfèvre toulousain. Le soldat-martyr, mort sous les coups des Sarrasins lors des incursions arabes du 8e s. *(voir p. 88)*, est présenté sous les traits d'un guerrier antique.

⊙ **Ancien palais épiscopal.** — Établissement médical. On peut pénétrer dans la cour d'honneur pour admirer la légèreté de la tour de la cathédrale.

Autres dépendances. — Devant la cathédrale subsistent des maisons à colombage (15e et 16e s.) et, plus austère, l'ancien séminaire, devenu hôtel de ville.

ROUSSILLON (Plages du)

Carte Michelin n° 86 plis 10, 20 — Schéma p. 72.

La côte méditerranéenne décrite dans cet ouvrage offre au visiteur le calme visage de ses immenses étendues de vignobles.

Tout au long de la côte, de nombreux étangs se succèdent, isolés de la mer par de minces cordons littoraux (les « lidos » des géographes), ne communiquant avec elle que par des chenaux, les « graus ». En raison de son équipement insuffisant, cette partie du littoral restait à l'écart des grands mouvements touristiques malgré l'immensité de ses plages de sable fin, son ensoleillement exceptionnel et la présence de la mer.

Un plan d'État, établi en 1963 et en grande partie réalisé, a « lancé » l'aménagement touristique de la côte du Languedoc et du Roussillon. A partir de 1968, ce plan s'est traduit sur le terrain par le remodelage du cordon littoral de l'étang de Leucate. Cette frange côtière déserte, affouillée et remblayée, a donné naissance à deux stations nouvelles : Port-Leucate et Port-Barcarès. Les travaux ont été précédés par la construction d'une voie littorale rapide qui ne sera pas raccordée aux autres voies en un nouvel itinéraire côtier, qui contrarierait les mesures de protection de la zone littorale. Une campagne de « démoustication » et de plantations, un réseau d'adduction d'eau ont ensuite ouvert la voie aux constructeurs, promoteurs et animateurs. L'arrivant peut rechercher le long de cette côte un nouveau style de vacances associant la vie bigarrée, dans des stations différant chacune par l'originalité de l'urbanisme et de l'architecture, le nautisme, le cadre naturel sur les plages conservées intactes et la découverte d'un arrière-pays empreint de traditions.

Les stations traditionnelles sont aussi comprises dans ce plan. Leurs progrès se manifestent surtout dans leur meilleure ouverture sur la mer : à Collioure, à Banyuls, à Port-Vendres... des ports de plaisance ont été aménagés.

Les stations, anciennes ou nouvelles, bénéficient toutes de la proximité des étangs côtiers. Les espaces verts qui ont été créés sont patiemment préservés des embruns salins et continuellement arrosés (à Port-Barcarès principalement).

DU CAP LEUCATE A ARGELÈS-PLAGE

L'aménagement de nouvelles « unités touristiques » sur les plages de cette partie du Golfe du Lion accentue le contraste entre la côte basse, sableuse, et la côte rocheuse, découpée, décrite p. 72 (voir la Côte Vermeille).

★ **Cap Leucate.** — Ses falaises barrent, au Nord, l'étang de Leucate ou de Salses. Elles offrent de belles vues sur tout le Golfe du Lion.

Sémaphore du cap. — Du belvédère, **vue★** sur la côte, du Languedoc aux Albères.

La Franqui. — Petite station balnéaire. On peut y accéder à pied (1 h 1/2 AR) par le sentier de corniche qui part du sémaphore du cap Leucate. C'est ici que l'écrivain Henri de Montfreid (1879-1974), né à Leucate, aimait à se retirer.

★ **Port-Leucate et Port-Barcarès.** — Lieu de séjour p. 9. Les urbanistes disposaient ici de 750 ha. Ils ont cherché à répondre à la recherche contemporaine de bains de nature et de loisirs actifs, ainsi qu'aux développements du tourisme social, concurremment avec l'équipement hôtelier conventionnel. La structure urbaine fait une large place aux habitations groupées en essaims. Elle traduit l'abandon du « front de mer » : les accès à la plage se font par des voies en impasse.

Les couchers de soleil ont quelque chose d'héllénique, lorsque, derrière les eaux plombées de l'étang de Leucate, les Corbières se teintent de mauve.

Le nouvel ensemble portuaire de Port-Leucate et de Port-Barcarès constitue la plus vaste base de navigation de plaisance de la côte française de la Méditerranée. On y pratique la voile et le ski nautique. Un boulevard nautique d'une dizaine de kilomètres, indépendant de la mer et de l'étang de Leucate, forme un plan d'eau sans clapotis d'où se détachent les canaux secondaires « résidentiels » desservant les marinas.

★ **Port-Barcarès.** — Le **« Lydia »**, paquebot volontairement ensablé en 1967, constitue la ⊙ grande attraction de la nouvelle façade maritime du Roussillon. Le parc de la station offre de belles promenades. Un institut moderne de thalassothérapie propose ses méthodes de traitement aux surmenés, dépressifs, rhumatisants...

Les trois stations suivantes, animées de longue date par les « baigneurs » de la région ont été comprises dans le schéma d'aménagement du littoral. Les innovations y ont porté sur une meilleure ouverture à la navigation.

Canet-Plage. — 6030 h. (les Canétois). Lieu de séjour p. 9. La station classique des Perpignanais doit son animation intense à de nombreux clubs sportifs et aux programmes de son casino. Port de plaisance actif (voile).

★ **St-Cyprien.** — 4405 h. (les Cyprianais). Lieu de séjour p. 9. Station remodelée. L'animation est passée surtout dans le quartier du nouveau port, où l'urbaniste a trouvé un terrain vierge pour élever ses immeubles de 5 à 10 étages. L'extension raisonnable de ce port de plaisance (voile, ski nautique) et de pêche rend encore possible sa « visite », à pied, le long des quais.

Argelès-Plage. — 5 753 h. (les Argelèsiens). Lieu de séjour p. 9. Une soixantaine de terrains aménagés et de villages de toile, dans un rayon de 3 km, en font la capitale européenne du camping. Argelès-Plage marque le joint entre la côte basse du Roussillon (plage Nord, plage des Pins) et les premières criques rocheuses de la Côte Vermeille (le Racou). L'immédiat arrière-pays a gardé ses jardins irrigués, ses vergers où prospèrent les arbres fruitiers les plus délicats, les micocouliers, les eucalyptus, etc. En été, 200 000 à 300 000 séjournants donnent à la station une animation inoubliable.

ST-ANDRÉ

Carte Michelin n° 86 plis 19, 20.

Ce petit village de plaine, situé à 5 km de la mer et dominé par les Albères, au Sud, possède une église romane intéressante.

Laisser la voiture sur la placette ombragée à droite de la rue de traversée. Par une voûte, accéder à l'église.

Église. — L'édifice, du 12ᵉ s., présente extérieurement d'importants fragments d'appareil préroman en « arête de poisson ». Le portail est surmonté d'un linteau de marbre, de technique similaire à celui de St-Génis-des-Fontaines *(voir ci-dessous).* La fenêtre présente un décor de palmettes et de galons de perles avec, aux angles, les médaillons des Évangélistes. Intérieurement la nef principale offre un curieux dispositif de piles à colonnettes engagées reposant sur de hauts socles ne laissant entre les supports et le mur qu'un étroit passage. Les fenêtres ont été dotées, en 1973, de châssis vitrés rappelant les dalles ajourées des « claustras » antiques.

(D'après photo Serge Chirol)
St-Génis-des-Fontaines. — Le linteau.

La table d'autel à lobes fait apparaître des motifs décoratifs analogues à ceux du linteau.

EXCURSION

St-Génis-des-Fontaines. — 1298 h. *4,5 km à l'Ouest par le D 618 vers le Boulou.*
Dès la sortie de St-André, à droite, le tertre de la cathédrale d'Elne surgit de la plaine.
Le linteau *(illustration ci-dessus)* qui surmonte la porte de l'église du village de St-Génis-les-Fontaines est la plus ancienne pièce romane datée de France (1020). Deux groupes de trois apôtres entourent le Christ qui trône au centre d'une gloire portée par deux anges agenouillés.

En saison, le nombre de chambres vacantes dans les hôtels est souvent limité.
Nous vous conseillons de retenir par avance.

ST-FÉLIX-LAURAGAIS

Carte Michelin n° 82 pli 19 — Lieu de séjour p. 8.

Dans un **site ★** dominant la plaine du Lauragais, St-Félix est entré dans l'histoire (dans la légende disent certains) en 1167, quand les cathares y tinrent concile, pour organiser leur église.

Déodat de Séverac. — De sa musique Debussy a dit qu'elle « sentait bon ». St-Félix est fière d'avoir vu naître ce compositeur (1873-1921) à qui l'on doit surtout des mélodies qui évoquent la beauté de la terre et de la nature.

CURIOSITÉS

Château. — 14ᵉ-15ᵉ s. Il est entouré d'une agréable promenade qui procure des vues étendues à l'Est sur la Montagne Noire au pied de laquelle s'étend Revel *(voir le guide Vert Michelin Gorges du Tarn, Cévennes, Bas-Languedoc)* ; au Nord, on distingue le clocher de St-Julia et le château perché de Montgey. Non sans raison, les Révolutionnaires avaient rebaptisé St-Félix « Bellevue ».

Église. — Cette collégiale date du 14ᵉ s. et fut reconstruite au début du 17ᵉ s. On reconnaît à sa droite la sobre façade de la maison capitulaire.
A gauche du portail d'entrée un puits est creusé dans le mur. La légende le dit aussi profond que le clocher (de style toulousain : octogonal, avec deux étages de baies inscrites dans des arcs en mitre) est haut (42 m).
L'intérieur vaut surtout par l'élégance de l'abside à sept pans éclairée de fenêtres à remplage trilobé. La nef principale est surmontée d'une voûte en bois peinte, du 18ᵉ s. Dans la troisième chapelle à droite, belle Vierge à l'Enfant en bois polychrome, du 14ᵉ s. Les orgues sont du 18ᵉ s.

Promenade. — Non loin de l'église, un passage voûté y conduit : vue à l'Ouest sur un paisible paysage de collines et de cyprès.

LE LAURAGAIS

Ce petit pays du Languedoc s'est enrichi, au 16e s., grâce au pastel, plante dont les feuilles et les tiges fournissent une couleur bleue. C'est aujourd'hui une plaine de culture : blé, orge, colza, et élevage : bovins, ovins et volailles. Cette dernière activité a permis l'installation de manufactures de plumes et de duvets.

St-Julia. — 314 h. *5 km au Nord. Quitter St-Félix-Lauragais par le D 67.*
Ancienne ville «libre» fortifiée qui conserve des remparts et une église au curieux clocher-mur.

Montgey. — 215 h. *11 km au Nord-Est de St-Félix-Lauragais par les D 43 et D 51. A Auvezines, prendre à gauche le D 45.*
Construit sur une butte, ce village possède un vaste **château** ancienne forteresse médiévale prise par Simon de Montfort en 1211, puis remaniée au 16e s. et au 18e s. On y entre par une porte Renaissance. A l'extérieur, remarquer la cheminée de l'école de Fontainebleau.

Château de Montmaur. — *13 km au Sud de St-Félix. Traverser le D 622 et prendre la direction de Castelnaudary, puis celle de Cassès. A la sortie de ce village, suivre la direction de Montmaur.*
C'est une massive bâtisse datant du 16e s., remaniée au 17e s. et flanquée de tours d'angle. Une statue en pierre de la Vierge surmonte la porte.

★★ ST-MARTIN-DU-CANIGOU

Carte Michelin n° 86 pli 17 — 2,5 km au Sud de Vernet-les-Bains — Schéma p. 52.

Ce nid d'aigle constitue la promenade classique de Vernet-les-Bains.

Accès. — *2 h à pied AR. Laisser la voiture à Casteil. La route, en très forte montée, comprend 15 lacets, dont 9 très serrés.*

Abbaye. — L'abbaye, construite sur un rocher à pic, à 1 094 m d'altitude, se développe à partir du 11e s., comme fondation monastique. Abandonnée à la Révolution, elle fut restaurée de 1902 à 1932 par Mgr de Carsalade du Pont, évêque de Perpignan, et agrandie de 1952 à 1972.

Cloître. — Au début du siècle, il ne subsistait plus que trois galeries aux frustes arcades en plein cintre. La restauration a reconstitué une galerie Sud, ouvrant sur le ravin, en réutilisant des chapiteaux de marbre provenant d'un étage supérieur disparu.

Églises. — L'église inférieure (10e s.), dédiée à « N.-D.-sous-Terre » suivant une antique tradition chrétienne, forme crypte par rapport à l'église haute (11e s.). Celle-ci, juxtaposant trois nefs voûtées de berceaux parallèles, laisse encore une profonde impression d'archaïsme avec ses chapiteaux grossiers, sculptés en simple méplat. Une statue de saint Gaudérique rappelle que, à la suite d'un larcin de reliques, l'abbaye devint un grand lieu de rassemblement des paysans catalans.

(Photo Anne Gaël)
St-Martin-du-Canigou. — Abbaye.

Un chapiteau provenant de l'ancien cloître a été réemployé comme socle du maître-autel. On y reconnaît deux scènes de la vie de saint Martin.
Sur le côté Nord du chœur s'élève un clocher terminé par une plate-forme crénelée. A proximité de l'église, deux tombes sont creusées dans le roc : celle du fondateur, le comte Guifred de Cerdagne, creusée de sa propre main, et celle de l'une de ses femmes.

★★ **Site.** — *Pour bien saisir l'originalité du site de St-Martin prendre à gauche, en arrivant à l'abbaye (3/4 h à pied AR), un escalier (itinéraire n° 9) qui s'élève dans les bois. Dépasser la prise d'eau et poursuivre jusqu'à un rocher, à droite du chemin qui, dans un tournant à gauche, offre une vue plongeante en avant.*
De là, la vue sur l'abbaye, sur laquelle l'ombre du Canigou se projette tard dans la matinée et qui domine le vallon de Casteil et du Vernet d'une façon abrupte, apparaît dans toute son originalité.

Carte Michelin nº 86 plis 17, 18 – 3 km au Sud de Prades – Schéma p. 52.

L'élégante tour crénelée de St-Michel-de-Cuxa surgit dans la fraîcheur d'un vallon descendu du Canigou. Après bien des péripéties funestes, l'abbaye a repris son rôle de foyer de culture catalane au Nord des Pyrénées. Chaque été, elle sert de cadre aux « Journées romanes » et aux concerts du festival de Prades.

Quatre églises se sont succédé à Cuxa. La dernière, l'église actuelle, fut consacrée en 974. Fondée grâce à la protection des comtes de Cerdagne-Conflent, sous le patronage de saint Michel, l'abbaye se distingue de façon souveraine grâce à l'abbé Garin. Grand voyageur et homme d'action, Garin correspond avec Gerbert, l'homme le plus savant de son siècle qui devint pape sous le nom de Sylvestre II. Le doge de Venise, Pierre Orseolo, se retire dans l'abbaye en compagnie de saint Romuald, fondateur de l'ordre des Camaldules, et y meurt en odeur de sainteté.

Au 11ᵉ s., l'abbé Oliva, ardent bâtisseur, membre de la famille comtale, développe les grands monastères catalans : Montserrat, Ripoll et St-Michel. Il agrandit le chœur de l'église abbatiale qu'il dote d'un déambulatoire carré, ouvre des chapelles, fait élever les deux clochers dans le style dit lombard et ouvrir la chapelle souterraine de la Crèche. Il envoie quelques-uns de ses moines s'installer à St-Martin-du-Canigou *(p. 117)*.

Après une longue période de décadence, l'abbaye est abandonnée et vendue à la Révolution : les œuvres d'art disparaissent, les galeries du cloître sont éparpillées.

En 1907, le sculpteur américain Georges Grey Barnard retrouve et achète plus de la moitié des chapiteaux primitifs. Ils sont acquis en 1925 par le Metropolitan Museum de New York qui entreprend la reconstitution du cloître en y ajoutant des éléments nouveaux sculptés dans le même marbre des Pyrénées : depuis 1938, le cloître de Cuxa s'élève au milieu d'un parc, sur les hauteurs dominant la vallée de l'Hudson.

Dès 1952 sont entrepris à Cuxa des travaux considérables : restauration de l'église abbatiale et remise en place d'une partie des galeries du cloître à l'aide d'autres éléments récupérés (ceux-ci ont-ils bien repris leur place d'origine?). Depuis 1965, l'abbaye est occupée par des bénédictins dépendant de Montserrat.

VISITE *environ 3/4 h*

Contourner d'abord les bâtiments pour voir le beau **clocher**★ roman, à quatre étages de baies jumelées, surmontées d'oculi et de créneaux.

Une maquette fait comprendre ce qu'était l'abbaye sous l'autorité de l'abbé Oliva.

★ **Cloître.** — On a pu rassembler là les arcades et chapiteaux qui se trouvaient à Prades ou chez des particuliers. Les arcades de la galerie appuyée contre l'église ainsi que celles d'une grande partie de la galerie Ouest et l'amorce de la galerie Est ont été remontées, reconstituant ainsi près de la moitié du cloître. La sculpture des chapiteaux (12ᵉ s.) est caractérisée par l'absence de thème religieux : seul le souci du décor semble avoir compté pour l'artiste.

Église abbatiale. — Elle a perdu beaucoup de son aspect d'origine. On pénètre dans l'église par un portail reconstitué à partir d'une arcade, reste d'une tribune montée au 12ᵉ s. vers le fond de la nef. Le vaisseau est un des très rares spécimens de l'art préroman en France, caractérisé ici par l'arc en fer à cheval dit « wisigothique » qu'on peut voir dans la partie du transept dégagée des constructions postérieures. La nef centrale a retrouvé sa couverture en charpente ; elle est terminée par une abside rectangulaire ; les voûtes d'ogives du chœur remontent au 14ᵉ s. On pénètre dans chacune des deux nefs latérales par trois arcades en plein cintre.

Crypte de la Vierge de la Crèche. — Au centre d'un sanctuaire souterrain, échappé, depuis le 11ᵉ s., aux destructions et aux remaniements, cette chapelle circulaire est couverte d'une voûte soutenue par un unique pilier central. De construction originale, elle a beaucoup d'élégance malgré son absence de décoration. Elle était réservée au culte marial.

(Photo Serge Chirol)

St-Michel-de-Cuxa. — Abbaye.

Carte Michelin nº 86 pli 9 — 16 km au Nord de Perpignan — Schéma p. 67.

Le fort de Salses, élevé, au 15e s., sur la route romaine de Narbonne en Espagne, appelée « voie Domitienne », à l'endroit stratégique où les eaux de l'étang viennent presque baigner les pentes des Corbières, est un spécimen unique en France de l'architecture militaire médiévale espagnole, adaptée, par Vauban, au 17e s., aux exigences de l'artillerie moderne.

Émergeant des vignes, cette forteresse à demi-enterrée, sauvée de la démolition par une décourageante épaisseur de maçonnerie, surprend par ses dimensions. La couleur des briques, patinées par le soleil, s'allie harmonieusement à la teinte dorée des pierres.

(Photo G. Sioen/C.E.D.R.I.)

Le fort de Salses vu du ciel.

Le passage d'Hannibal. — En 218 avant J.-C., Hannibal s'apprête à traverser la Gaule pour envahir l'Italie. Reprenant la route suivie par Hercule, selon la légende, il doit franchir le Perthus, puis le pas de Salses qui fait communiquer le Roussillon avec les plaines du Bas-Languedoc. En toute hâte, Rome envoie, en ambassade, cinq vénérables sénateurs pour demander aux tribus gauloises de s'opposer au passage des Carthaginois. Un grand tumulte s'élève dans l'assemblée « tant le peuple trouve d'extravagance et d'impudence à ce qu'on lui proposât d'attirer la guerre sur son propre territoire pour qu'elle ne passât point en Italie ». Hannibal se présente « comme hôte » et conclut un traité à Elne. Une clause précise que si les habitants ont à se plaindre de ses soldats, chaque grief sera jugé par lui ou ses lieutenants. En revanche, si les Carthaginois ont des différends avec la population, le litige sera jugé par les femmes des indigènes.

Les Romains gardent un souvenir amer de cet épisode. Quand ils occupent la Gaule, ils fondent un camp à Salses et le relient, par une voie carrossable, au Perthus.

Une forteresse espagnole. — Après la restitution du Roussillon à l'Espagne en 1493, Ferdinand d'Aragon masse des troupes dans la province et, en 1497, fait construire, par son ingénieur-artilleur Ramirez, ce fort qui pouvait abriter une garnison de 1 500 hommes et satisfaire aux exigences de l'artillerie naissante.

Lorsque Richelieu entreprend la reconquête du Roussillon, Salses est l'enjeu d'une lutte implacable. Les Français enlèvent le fort en juillet 1639, mais le reperdent en janvier 1640. Finalement, on décide de donner un assaut combiné par terre et par mer : Maillé-Brézé dirige la flotte. Le gouverneur de Salses, apprenant la chute de Perpignan, se résout alors à demander à son tour les honneurs de la guerre. A la fin du mois de septembre 1642, la garnison reprend le chemin de l'Espagne.

En 1691, Vauban fait effectuer quelques travaux d'amélioration, réduire la hauteur du donjon et raser des superstructures plus décoratives qu'utiles à la défense ; il protège les courtines, et les bastions par des murailles bombées destinées à faire ricocher les obus rasants ; mais la ligne fortifiée est désormais assujettie à la nouvelle frontière « naturelle » des Pyrénées et le rôle militaire de Salses est terminé.

⊙**VISITE** *environ 1 h*

La forteresse, de plan rectangulaire, s'ordonne autour d'une cour centrale, ancienne place d'armes ; on y accède par un châtelet, une demi-lune et trois pont-levis.

Les bâtiments d'enceinte servaient de caserne, écuries (300 chevaux) ou casemates ; ils abritaient, en cas de siège, d'importants services d'intendance (boulangerie, étable). L'épaisseur du mur d'enceinte atteint 9 m (en moyenne). Une imposante salle voûtée à l'épreuve du feu et des bombes occupe l'aile Nord.

On débouche ensuite dans le réduit du donjon, isolé de la cour centrale par une muraille à éperon.

SALSES (Fort de) ★★

Le donjon est divisé en 5 étages alternativement plafonnés et voûtés. Destiné au logement du gouverneur, il servit de poudrière au 19e s. Des couloirs en chicane, pris sous le tir des guetteurs comme dans les grands bunkers de la Seconde Guerre mondiale, des pont-levis piétonniers en constituaient les ultimes défenses.
En fin de visite, on circule sur les parties hautes de l'enceinte, au Sud. Les courtines présentent une crête arrondie, dispositif rare destiné, par Vauban, à faire ricocher les boulets et à décourager l'escalade. Les tours étaient aménagées en plate-forme d'artillerie.

★ SAULT (Plateau de)

Carte Michelin n° 🎲🎲 pli 6.

Ce haut plateau venteux, à 1 000 m d'altitude moyenne, constitue le dernier bastion des Pyrénées calcaires à l'Est du pic de St-Barthélemy. Les escarpements qui le limitent du côté de la plaine, les gorges qui l'entaillent lui donnent un caractère âpre, accentué par la rudesse du climat.
La forêt constitue la richesse et le principal attrait de la région.

Le sapin de l'Aude. — Cette essence, bien adaptée au sol calcaire et au climat sévère du pays, fait la noblesse des forêts de Comus, de la Plaine, de la Benague, de Comefroide, de Picaussel et de Callong.

★★ FORÊTS DE COMUS ET DE LA PLAINE
Circuit au départ de Belcaire — *97 km — environ 4 h*

Cet itinéraire emprunte un tronçon impressionnant de la **route du Sapin de l'Aude** dont les futaies comptent des arbres de plus de 50 mètres.

Belcaire. — 421 h. Lieu de séjour p. 8. Village situé sur la D 613, à 1 002 m d'altitude. Quitter Belcaire par la route d'Ax-les-Thermes qui s'élève jusqu'au col des 7 Frères, puis gagner le bassin supérieur de l'Hers, où malgré la rudesse du climat les versants étaient naguère cultivés en terrasses.
Par la vallée sèche de l'Hers, rétrécie en entonnoir, dépasser Comus pour gagner les Gorges de la Frau.

★ **Gorges de la Frau.** — *1 h 1/2 à pied AR.* Laisser la voiture au point de départ d'une large route forestière remontant un vallon affluent et descendre la vieille route, jadis fréquentée par les charrois de bois et les troupeaux transhumants. On longe le pied de parois calcaires virant au jaunâtre. Après 3/4 h de marche faire 1/2 tour à l'endroit où la vallée dessine un brusque coude.

Revenir à Comus et prendre à gauche.

La route s'élevant rapidement pénètre dans la forêt de sapins.
Au col de la Gargante suivre, en avant et à droite, la route en montée signalée « belvédère à 600 m ».

★★ **Belvédère du Pas de l'Ours.** — *1/4 h à pied AR.* Du belvédère, vue grandiose sur l'entaille de la Frau ; 700 m plus bas, le piton de Montségur, la montagne de la Tabe ; en arrière on distingue très haut les déblais blancs de Trimouns *(p. 88).*

Revenir au col de la Gargante et prendre en arrière et à droite en direction de la Benague.

★ **Pas de l'Ours.** — Passage en haute corniche rocheuse au-dessus des gorges de la Frau.

La route décrit un large virage à gauche en descente.

Laisser la voiture dans un coude à droite, au pied des abreuvoirs de Langarail.

★ **Pâturage de Langarail.** — *3/4 h à pied AR.* Site pastoral. Suivre la direction donnée par la piste caillouteuse jusqu'aux bombements d'où la **vue** se dégage au Nord, au-delà de la forêt de Bélesta jusqu'aux avant-monts de la chaîne vers le Lauragais.

Poursuivre la route forestière vers la Benague où l'on prend à droite. Puis prendre à gauche la D 613 qui court sur le plateau de Sault.
A hauteur de Belvis, prendre à droite pour gagner la vallée du Rebenty que l'on descendra à gauche.

Défilé de Joucou. — Série de tunnels et de surplombs.

Joucou. — 25 h. Village bien situé dans un élargissement de la vallée, bâti autour d'une ancienne abbaye.

Marsa. — 50 h. *En aval de Joucou.* Village dominé par le curieux clocher-mur ajouré de son église romane.

Faire demi-tour.

Remonter les **gorges du Rebenty**. En amont du défilé de Jocou la route se glisse sous les impressionnants surplombs du **défilé d'Able**.

Niort. — 60 h. Remarquer l'église du village à clocher-mur. Des bois environnants, émergent des aiguilles rocheuses.

La Fajolle. — 20 h. *En amont de Niort.* Typique village de montagne pyrénéen. Les imposantes provisions de bois témoignent de la rigueur des hivers.

Faire demi-tour et, juste avant Niort, prendre à gauche pour regagner Belcaire par le col des 7 Frères.

★ DE MONTSÉGUR A QUILLAN

40 km − environ une demi-journée

> *On accède à Montségur par le D9 (au Sud de Lavelanet).*

La route descend vers la vallée du Touyre, sillon d'activité industrielle du Pays d'Olmes. Après Villeneuve-d'Olmes (textiles), et Montferrier où se fait déjà sentir la rudesse montagnarde, la montée à Montségur commence aussitôt. Le château apparaît à chaque virage, au cours d'un trajet accidenté sur les rebords du St-Barthélemy.

★ Château de Montségur. − *Page 96.*

La route s'échappe de la combe de Montségur − en arrière, perspective sur la cime dentelée du pic de Soularac − par une gorge rocheuse, au flanc Est du « pog ».

Au-delà du village de Fougax, avant que l'Hers ne s'encaisse en défilé, ne pas manquer, en arrière, une dernière **vue★★**, la plus étonnante, sur Montségur dont le rocher fait figure, sur cette face, de véritable piton, devant le massif du St-Barthélemy.

Fontaine intermittente de Fontestorbes. − Débouchant d'une voûte rocheuse dans la vallée de l'Hers, la source de Fontestorbes, résurgence des eaux infiltrées dans les terrains calcaires d'une partie du plateau de Sault, est intéressante par le phénomène d'intermittence qui la caractérise à l'époque des basses eaux (en général de mi-juillet à fin novembre). Le phénomène se déclenche dès que le débit s'abaisse à 1 040 litres/seconde, puis se répète avec régularité toutes les heures au début, pour augmenter par la suite jusqu'à 90 mn. Le débit oscille entre 100 et 1 800 litres/seconde. Lorsque le jaillissement s'arrête, on peut avancer au fond de la voûte *(rampe d'accès)*.

Au-delà de Bélesta, la route, tracée au pied du rebord boisé du plateau de Sault, offre, du col de la Babourade, une vue lointaine, en avant, sur les Corbières et le vigoureux sommet rocheux du pic de Bugarach (alt. 1 230 m), point culminant du massif.

Puivert. − *Page 113.*

Après Puivert, la traversée de plateaux moins sauvages s'achève par un parcours au-dessus de la vallée de l'Aude. Après une échappée sur la vallée et le Razès *(p. 49)*, la route atteint le col du Portel, début de la descente sinueuse vers Quillan.

Quillan. − *Page 114.*

★★ SERRABONE

Carte Michelin n° 86 pli 18.

Le chemin, tout en virages et en montée, qui accède à Serrabone, dans ce paysage austère du Roussillon, qu'on appelle les Aspres, ne laisse à aucun moment apercevoir le prieuré roman, terminus du parcours.

★★ LE PRIEURÉ *visite : 1/2 h*

Son aspect extérieur étonne par la rudesse de son architecture et la couleur sombre du schiste avec lequel il a été construit. Modeste édifice, sans luxe aucun − peut-être pour mieux être intégré à la sévérité du site − il réserve, une fois la porte franchie, la surprise d'un décor sculpté inattendu.

> *On pénètre dans l'église par la galerie Sud.*

★ Galerie Sud. − 12e s. Ouvrant sur le ravin, elle servait de promenoir aux chanoines. Les sculptures des chapiteaux rappellent les thèmes d'influence orientale, habituels aux sculpteurs romans du Roussillon *(voir p. 29)*. Remarquer la différence entre la valeur artistique des chapiteaux intérieurs, peu différents de ceux de la tribune, et celle des chapiteaux extérieurs, au relief à peine marqué, œuvres d'artisans assurément moins habiles.

Église. − La nef date du 11e s., le chœur, le transept et le collatéral Nord sont du 12e s. L'édifice renferme une **tribune★★** de marbre rose qui frappe par la richesse de sa décoration. Les dix colonnes et les deux piliers rectangulaires supportant les six croisées d'ogives sont ornés de chapiteaux qui représentent, de façon stylisée, des animaux affrontés : aigles, griffons, mais surtout lions − présents sur chacune des sculptures, tant était grand le rôle joué par ces animaux dans la bible, la mythologie ou les fables − des motifs floraux et aussi des anges. La partie la plus remarquable réside dans l'ornementation délicate des trois archivoltes, sculptées en méplat et en creux dans le marbre, et les écoinçons ornés de fleurs, « véritable broderie dans la pierre ».

(D'après photo Zodiaque)

Serrabone. − La tribune.

★ SIGEAN (Réserve africaine de)

Carte Michelin n° 🔳🔳 plis 9, 10 — 7 km au Nord-Ouest de Sigean — Schéma p. 67.

Ce parc animalier doit son caractère au paysage sauvage du littoral languedocien, aux garrigues éclaboussées d'étangs. *Accès signalé au départ de la N 9.*

Visite en voiture. — *1/2 h. Se conformer aux consignes de sécurité données à l'entrée.*
Les boucles du circuit routier sont tracées dans deux territoires réservés aux lions, ours du Tibet, rhinocéros blancs, en liberté.

Visite à pied. — *2 h. Partir des parkings centraux, à l'intérieur de la réserve.*
Elle familiarise le visiteur avec la faune des différents continents : dromadaires, antilopes, zèbres, guépards, alligators (installés dans une maison solaire) et surtout, aux approches de l'étang principal, avec la gent ailée : flamants roses, grues, canards, marabouts, aras, cygnes, pélicans.

TARASCON-SUR-ARIÈGE
3 848 h. (les Tarasconnais)

Carte Michelin n° 🔳🔳 plis 4, 5 — Schéma p. 78.

Le bassin de Tarascon occupe un **site** privilégié au centre du val d'Ariège. Les falaises calcaires, que la rivière a creusées ici, lui ont réservé un décor attrayant, encore agrémenté par le cours d'eau du Vicdessos, affluent de l'Ariège.
Tarascon vit s'éteindre, en 1932, le dernier haut fourneau des Pyrénées, mais garde une vocation métallurgique grâce aux fabrications de l'usine de Sabart (aluminium, électrodes).
C'est l'un des rendez-vous Pyrénéens de la spéléologie scientifique (étude du néolithique surtout), touristique et mythique, la légende et le mystère n'ayant pas cessé de fleurir dans ce confluent de vallées, connu, dans la géographie médiévale, sous le nom de **Sabarthès**, aux parois percées d'une cinquantaine de grottes préhistoriques.
A 3,5 km au Sud de Tarascon se trouve la petite station thermale d'**Ussat-les-Bains**.

TAUTAVEL
654 h. (les Tautavellois)

Carte Michelin n° 🔳🔳 Sud-Ouest du pli 9 — 9 km au Nord d'Estagel — Schéma p. 67.

Le village est situé sur le Verdouble, affluent de l'Agly.
Dans la grotte de la Caune de l'Arago, à l'Ouest du pli 9 en direction de Vingrau, M.H. de Lumley a exhumé, en juillet 1971, le plus ancien crâne humain connu à ce jour en Europe. Cette pièce capitale pour l'histoire des origines de l'homme remonte à 450 000 ans.

Musée de préhistoire. — Il est édifié sur une hauteur, au Nord du village, près de la cave coopérative. Il présente les grandes étapes de l'aventure humaine (les rameaux de l'espèce humaine, la chronologie des outillages et de l'industrie de la pierre taillée) et surtout les découvertes effectuées sur place, moulage des sols d'habitat tels qu'ils apparaissent aux chercheurs, moulage du crâne de l'Homme de Tautavel, reconstitutions du paysage et de l'environnement de ces temps très reculés.

TERMES (Château de)

Carte Michelin n° 🔳🔳 pli 8 — Schéma p. 66.

> *On accède au château par un chemin carrossable en forte rampe qui part du pont du village. Puis 1/2 h à pied AR en gravissant les gradins marquant les enceintes successives.*

Tenu par Ramon de Termes, hérétique notoire, le château ne tomba au pouvoir de Simon de Montfort qu'à l'issue d'un siège de 4 mois, d'août à novembre 1210, le plus dur de la première période de la croisade des Albigeois *(voir p. 124)*. La garnison, exposée au tir de nombreuses machines *(voir p. 28)* et minée par la dysenterie, ne survécut pas à une tentative de sortie générale.

Site. — Défendu par le formidable fossé naturel du Sou (gorges du Terminet), le site de promontoire a plus d'intérêt que les ruines croulantes de ce « fils de Carcassonne » qui couvrait 16 000 m² de superficie.
Des abords de la poterne Nord-Ouest *(pentes dangereuses)* et du sommet du roc, vues impressionnantes sur les gorges du Terminet *(p. 69)*.

LES GUIDES VERTS MICHELIN

Paysages
Monuments
Routes touristiques
Géographie, Économie
Histoire, Art
Itinéraires de visite
Lieux de séjour
Plans de villes et de monuments

Une collection de guides régionaux sur la France.

Carte Michelin n° 82 pli 8.

Métropole de la région Midi-Pyrénées, Toulouse est la sixième agglomération urbaine de France. Principal marché d'une région agricole, elle est devenue un grand centre industriel en tirant parti d'abord des ressources régionales en électricité et en gaz naturel. La cité, dotée d'équipements universitaires et scientifiques favorables au développement des secteurs de pointe – industries aérospatiales et électroniques – est aussi l'une des grandes villes d'art françaises.

La cité rouge. – «Ville rose à l'aube, ville rouge au soleil cru, ville mauve au crépuscule.» La brique, seul matériau fourni en abondance par la plaine alluviale de la Garonne, a longuement dominé dans les constructions toulousaines et donné son cachet à la cité. Légère et adhérente au mortier, elle a permis aux maîtres d'œuvre de lancer de larges voûtes couvrant une nef unique.

Une ville vibrante. – Très vivante, Toulouse offre une animation qui se poursuit jusqu'à une heure avancée de la nuit.
La longue rue Alsace-Lorraine est l'axe de cette activité, joignant la bruyante et populaire place Esquirol aux marchés des boulevards, attirant sur elle et dans les rues adjacentes commerces de luxe et grands magasins. Dans l'étroite rue des Changes prolongée par la rue St-Rome, des boutiques font vivre de vénérables façades.
Le soir la place Wilson a bien du charme, toute verte et rose autour de la fontaine dédiée au poète Godolin (prononcer Goudouli), «dernier des troubadours ou premier des félibres» (1579-1648) : y déguster l'apéritif à la terrasse d'un grand café est un plaisir fort prisé des Toulousains.

UN PEU DE GÉOGRAPHIE

La Garonne. – Entre la sortie de la montagne, à Montréjeau, et Agen la Garonne roule ses eaux rapides dans une plaine ou dans un couloir alluvial dont les terrasses sont livrées, suivant l'altitude, aux vergers, aux labours et aux bois. La partie de son cours comprise dans ce guide va de Boussens à Boudou (en aval de Moissac).

La navigation. – Le trafic de marchandises par barques et radeaux était actif à partir de Boussens, pour le transport des pierres et chaux vers Toulouse, mais la voie d'eau fut utilisée surtout, dès le temps des « coches », vers 1660, et non sans risques d'échouages et naufrages, entre Toulouse et Bordeaux.
Ces services de voyageurs connurent un éphémère regain de trafic avec la mise en service de bateaux à vapeur en 1830.
En 1856, l'ouverture du canal latéral à la Garonne permettant aux barques du canal du Midi de descendre à Bordeaux sans rupture de charge, vint trop tard, en plein essor ferroviaire. L'activité du canal, favorisée de nos jours par l'allongement des écluses et la création de la pente d'eau de Montech *(p. 95)*, devrait s'accroître avec la modernisation en cours du canal du Midi qui portera par étapes le gabarit à 350 t.
La correction du fleuve est restée un souci constant, en particulier dans la section de la Garonne moyenne, où les crues de printemps des affluents du Massif Central, surtout le Tarn, atteignent une brutalité catastrophique (inondations de 1930). A défaut d'une régularisation efficace du chenal, le fleuve est en partie dompté par des barrages à destination hydro-électrique et nautique : Palaminy, St-Julien, Carbonne et Malause, ce dernier ayant créé le plan d'eau «de Tarn-et-Garonne» noyant le confluent des deux rivières.
Depuis le 18ᵉ s., des plantations de peupliers permettent de tirer profit des terres inondables, le bois servant en menui-serie et papeterie, les «rideaux» qui accompagnent le fleuve créent de nobles avenues d'eau embellies de feuillages. Avant la guerre de 1914, la coutume des pères de famille de la région de St-Gaudens était de planter un hectare de «ramier» (île ou terre basse) à la naissance d'une fille. A vingt ans, l'héritière disposait d'une dot de 20 000 francs.

UN PEU D'HISTOIRE *(1)*

La ville des « capitouls ». – L'oppi-dum primitif des Volques, rameau des envahisseurs celtes – probablement situé à Vieille-Toulouse (9 km au Sud) – se déplace et se transforme en une grande ville dont Rome fait le centre intellectuel de la Narbonnaise. Au 3ᵉ s., gagnée par le christianisme, elle devient la troisième ville de la Gaule. Capitale des Wisigoths au 5ᵉ s., elle passe ensuite dans le domaine des Francs.

*(Photo J.-M. Albarel/
Bibliothèque Municipale de Toulouse)*
Torsin fait comte de Toulouse par Charlemagne.

(1) Pour plus de détails, lire : « Connaissance de Toulouse », par J. Coppolani (Toulouse, Privat) et « Les grandes heures de Toulouse », par P. de Gorsse (Librairie Académique Perrin).

TOULOUSE ★★★

Après Charlemagne, Toulouse est gouvernée par des comtes mais son éloignement du pouvoir franc lui laisse une grande autonomie. Du 9ᵉ au 13ᵉ s., sous la dynastie des comtes Raymond, elle est le siège de la cour la plus aimable et la plus magnifique d'Europe. Des consuls ou « capitouls » administrent la cité. Le comte les consulte pour la défense de la ville et pour toute négociation avec les féodaux des environs. Après le rattachement du comté à la couronne en 1271, il ne reste plus que 12 capitouls. Le Parlement, créé en 1420 et réinauguré en 1443, supervise la justice et les finances.

Le capitoulat permettait aux marchands toulousains d'accéder à la noblesse (pour marquer leur élévation, les nouveaux promus flanquaient leurs demeures de donjons).

La crise albigeoise. – Au début du 13ᵉ s. les domaines du comte de Toulouse et de ses vassaux s'étendent de Marmande, à la limite des États du roi d'Angleterre, duc d'Aquitaine, au marquisat de Provence, futur Comtat Venaissin, alors sous la mouvance du Saint Empire. Mais l'administration comtale est faible, comparée à celle du Capétien. Paradoxalement, celle du Haut Languedoc est la plus négligée, et l'hérésie cathare s'y répand (p. 22).

La lutte contre l'hérésie résolument prônée par la Papauté fait d'abord appel aux sanctions ecclésiastiques – excommunication de personnes, interdit jeté sur la province, suspension d'évêques – puis aux prédications des clercs réguliers. La mission de Dominique d'Osma et de ses premiers frères (voir p. 74) semble la mieux adaptée, mais, en 1208, le légat du pape, Pierre de Castelnau, est assassiné à St-Gilles (voir guide Vert Michelin Provence). Le pape Innocent III réagit en excommuniant le comte de Toulouse

Arènes Rom. (Av.)	AU 3
Barcelone (Allée de)	BU 8
Barrière de Paris	BT 10
Billières (Av. E.)	BU 13
Bonnefoy (R. du Fg)	BT 15
Brienne (Allée de)	BU 22
Catalans (Pt des)	BU 29
Corps-Franc-Pomiès (Av. du)	ABV 33
Coubertin (Pt P. de)	BV 35
Delacourtie (Bd)	BV 40
Demoiselles (Allée)	BU 42
Déodat de Sév. (Bd)	BV 43
Desbals (R. H.)	BV 45
Dillon (Cours)	BU 46
Dr Baylac (Pl. du)	AU 47
Embouchure (Bd)	BU 52
Embouchure (Port)	BU 53
États-Unis (Av. des)	BT 55
Fer-à-Cheval (Pl. du)	BU 56
Fitte (Allée Ch. de)	BU 59

Gare (Bd de la)	BU 65
Gangliano (Pt du)	BV 66
Gde-Bretagne (Av. de)	ABU 67
Griffoul-Dorval (Bd)	BU 72
Japon (R. du)	BU 78
Julien (Av. Jules)	BV 80
Kœnigs (Bd G.)	BU 81
Langer (Av. M.)	BV 84
Lascrosses (Bd)	BU 86
Lombez (Av. de)	ABU 88
Lyon (Av. de)	BU 89
Male (Pl. E.)	BU 93
Marengo (Allée)	BU 96
Marquette (Bd)	BU 97
Matabiau (Bd)	BU 101
Minimes (Av. des)	BT 104
Minimes (Bd des)	BU 105
Muret (Av. de)	BV 107
Patte d'Oie (Pl.)	BU 110
Pont de Guilherméry (R.)	BCU 119
Pujol (Av. C.)	CU 121
Recollets (Av. des)	BU 123
République (R.)	BU 124
Revel (Rte de)	CV 125
Riquet (Bd)	BU 128
St-Étienne (Port)	BCU 133
St-Sauveur (Port)	BCU 135
St-Simon (Rte de)	AV 136
Sarraut (Allée M.)	BV 138
Ségoffin (Av. V.)	BV 140
Séjourné (Av. P.)	BV 141
Serres (Av. Honoré)	BU 143
Trentin (Bd Silvio)	BT 148
URSS (Av. de l')	BV 154

TOULOUSE

Raymond VI, accusé de complicité, et en lançant l'appel à la croisade contre l'hérétique. Philippe Auguste décline l'invitation.

La croisade (1209-1218). – Les nouveaux croisés, casqués ou mitrés, « gens du Nord » en majorité (d'Ile-de-France, de Champagne, de Bourgogne, des Flandres et aussi d'Allemagne), se voient gratifiés des mêmes bénéfices spirituels que les volontaires pour la Terre Sainte : absolution des fautes passées, indulgences... Ils sont certes animés du désir de servir l'Église, mais les chances de conquête de terres appartenant aux seigneurs déchus, comme rebelles à la cause de l'orthodoxie, ne sont pas étrangères à leur démarche. Ils ne sont tenus, en droit féodal strict, qu'à un service de quarante jours, la quarantaine.

Après le massacre de Béziers et la prise de Carcassonne (1209), Simon de Montfort, promu chef de l'expédition, se saisit de la vicomté de Trencavel (voir p. 54). Toulouse est peu à peu débordée.

La folle conduite, à Muret, du roi paladin Pierre II d'Aragon, allié au Languedoc fidèle, mène au désastre (1213).

Aux assises de Pamiers (1212) les compagnons de lutte de Montfort, entre autres Guy de Lévis, avaient été installés dans les territoires confisqués et le clergé s'était vu reconnaître de nombreux privilèges. Pourtant Toulouse reste fidèle au comte

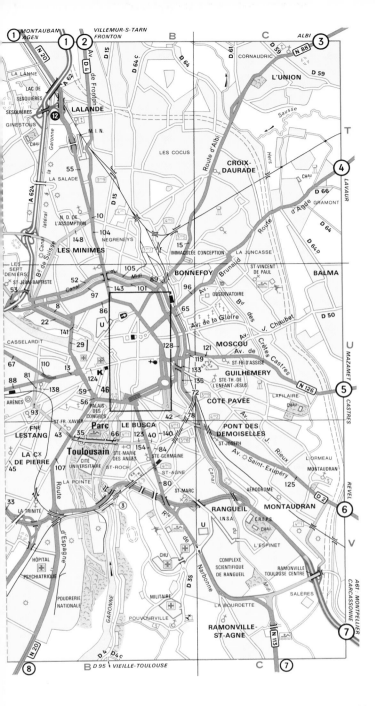

Raymond VI et s'aguerrit derrière ses murailles. En juin 1218, Simon de Montfort, assiégeant la cité pour la deuxième fois, est tué par un projectile lancé par une pierrière *(voir p. 28).*

L'engagement capétien (1224-1229). – La croisade des barons se disloque. Amaury, fils de Simon de Montfort, pourchassé par Raymond VII, l'héritier de Toulouse, abandonne le Midi et cède tous ses droits à Louis VIII de France (1224).

Cependant le comte de Toulouse joue perdant sur le terrain diplomatique. Tenu à l'écart des conciliabules entre la cour de Saint Louis et le cardinal de Saint-Ange, l'un des plus grands noms de la diplomatie vaticane, en butte à l'hostilité irréductible de l'épiscopat, démoralisé par la tactique de la « terre brûlée » inaugurée sur ses terres par le lieutenant du roi, Raymond se résout à accepter de négocier.

Le Jeudi saint 12 avril 1229, il se présente en pénitent sur le parvis de Notre-Dame-de-Paris et jure d'observer les clauses du traité dit de Paris (ou de Meaux). Le comte ne recouvre que le Haut-Languedoc et seulement à titre d'usufruit. Sa fille unique Jeanne est donnée en mariage à Alphonse de Poitiers, frère de Saint Louis.

A la succession de ces princes – sauf enfants à naître de cette union – le domaine comtal reviendra, à son tour, au roi. Raymond s'engage encore à démanteler les remparts de Toulouse, à entretenir à ses frais pendant dix ans « quatre maîtres en théologie,

TOULOUSE

Alsace-Lorraine (R. d')	**DXY**	
Capitole (Pl. du)	**DY**	
Lafayette (R.)	**DY**	
Metz (R. de)	**DEY**	
Rémusat (R. de)	**DX**	
St-Antoine du T. (R.)	**EY**	
St-Rome (R.)	**DY**	
Wilson (Pl. Prés.)	**EY**	
Arnaud-Bernard (R.)	**DX**	4
Astorg (R. d')	**EY**	5
Baour-Lormian (R.)	**DY**	7
Bayard (R. de)	**EX**	12
Boulbonne (R.)	**EY**	18
Bouquières (R.)	**EZ**	19
Bourse (Pl. de la)	**DY**	20
Cantegril (R.)	**EY**	23
Cartailhac (R. E.)	**DX**	26
Chaîne (R. de la)	**DX**	31
Cujas (R.)	**DY**	36
Daurade (Quai de la)	**DY**	38
Demoiselles (Allée des)	**EZ**	42
Esquirol (Pl.)	**DY**	54
Fonderie (R. de la)	**DZ**	60
Frères Lion (R.)	**EY**	62
Grand Ramier (Av. du)	**DZ**	71
Henry-de-Gorsse (R.)	**DZ**	76
Jules-Chalande (R.)	**DY**	79
Lapeyrouse (R.)	**EY**	85
Magre (R. Genty)	**DY**	91
Malcousinat (R.)	**DY**	92
Marchands (R. des)	**DY**	95
Martyrs-de-la-Libération (R. des)	**EZ**	99
Mercié (R. Antonin)	**DEY**	103
Pélissier (R. du Lieut.-Col.)	**EY**	112
Peyras (R.)	**DY**	113
Pleau (R. de la)	**EY**	114
Poids-de-l'Huile (R.)	**DY**	115
Polinaires (R. des)	**DZ**	116
Pomme (R. de la)	**DEY**	117
Riguepels (R.)	**EY**	127
Romiguières (R.)	**DY**	129
Ste-Ursule (R.)	**DY**	137
Sémard (R. Pierre)	**EX**	142
Seres (Av. Honoré)	**DX**	143
Suau (R. Jean)	**DY**	146
Temponières (R.)	**DY**	147
Trinité (R. de la)	**DY**	149
3-journées (R. des)	**EY**	152
3-Piliers (R. des)	**DX**	153

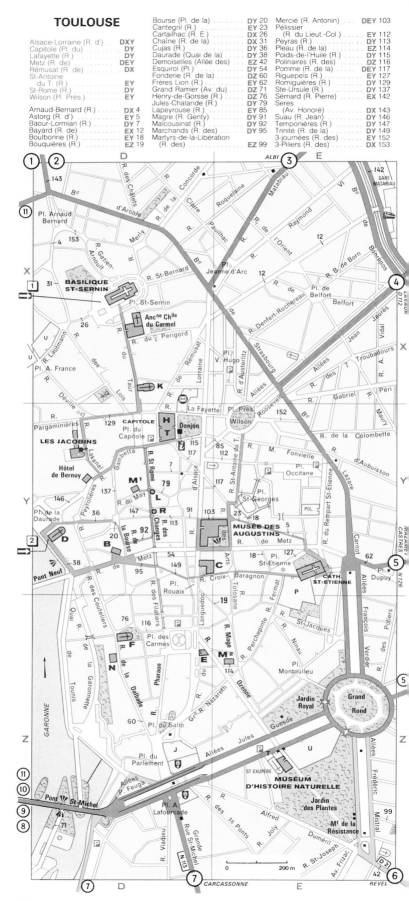

deux en droit canon, six maîtres-ès-arts et deux régents de grammaire », formule qui constitue l'acte de naissance de l'Université toulousaine. 1271 marque la perspicacité des négociateurs français. Alphonse et Jeanne décèdent sans héritier à trois jours d'intervalle. Le Languedoc dans son entier est réuni à la couronne.

La doyenne des académies. – Après la tourmente albigeoise, Toulouse retrouve son rayonnement artistique et littéraire. En 1323, sept notables qui veulent « maintenir » la langue d'Oc fondent la « Compagnie du Gai-Savoir », la plus ancienne des sociétés littéraires d'Europe. Chaque année, le 3 mai, les mieux « disants » des poètes reçoivent une fleur d'orfèvrerie. Ronsard et Victor Hugo en furent honorés ainsi que Nazaire-François Fabre (1755-1794), auteur du calendrier républicain et de la romance « Il pleut, il pleut bergère », qui tint à immortaliser son prix en modifiant son patronyme en Fabre d'Églantine.

En 1694, Louis XIV érige la société en **Académie des Jeux floraux.**

Une tête qui tombe. – Un épisode de la rébellion de la noblesse contre Richelieu connaît sa conclusion tragique à Toulouse. **Henri de Montmorency,** gouverneur du Languedoc, « premier baron chrestien », appartient à la plus grande famille de France. D'une bravoure éclatante, beau, généreux, il devient rapidement populaire dans sa province d'adoption.

Entraîné par Gaston d'Orléans, frère de Louis XIII, il prend les armes en 1632. Tous deux sont défaits à Castelnaudary. Montmorency s'est battu désespérément ; atteint de dix-sept blessures, il est fait prisonnier. Le Parlement de Toulouse le condamne à mort.

Personne n'imagine possible l'exécution d'un si haut personnage ; mais le roi, qui est venu en personne à Toulouse avec le cardinal, résiste aux supplications de la famille, de la cour et du peuple. « Je ne serais pas roi, si j'avais les sentiments des particuliers » se contente-t-il de répondre. La seule faveur accordée au condamné est d'être décapité à l'intérieur du Capitole, au lieu de subir son supplice sous les halles.

L'échafaud est dressé dans la cour intérieure, au pied même de la statue de Henri IV. Le duc – il a 37 ans – meurt avec l'élégance d'un grand seigneur. Le peuple, assemblé sur la place du Capitole, pousse des cris de vengeance à l'adresse du cardinal quand, d'une fenêtre, le bourreau vient montrer la tête sanglante.

Le boom du pastel. – Au début du 16ᵉ s., une sorte de très grosse salade aux feuilles bleu-vert envahit les parcelles cultivées du Toulousain et de l'Albigeois. Broyées puis putréfiées et agglomérées en « coques » les feuilles de pastel ou « guède » dégorgent un jus bleu tenace, très propre à teindre les draps de qualité.

Le commerce des coques jette les négociants toulousains dans l'aventure du trafic international : Londres et Anvers figurent parmi les principaux débouchés. La spéculation permet aux Bernuy, aux Assézat de mener un train princier. Les hôtels de briques se multiplient. Les robins prospèrent. Mais, à partir de 1560, arrive en Europe l'indigo (teinture « des Indes ») et le marasme s'installe avec les guerres de Religion. Le système s'effondre.

La « ligne ». – Toulouse a pris de l'importance entre les deux guerres, comme base de la première ligne aérienne régulière exploitée au départ de France, grâce aux efforts déployés par des industriels comme P. Latécoère, des organisateurs comme D. Daurat, des pilotes comme Mermoz, Saint-Exupéry, Guillaumet...

25 décembre 1918 : premier vol d'études sur le parcours Toulouse-Barcelone.

1ᵉʳ septembre 1919 : inauguration officielle de la première liaison postale entre la France et le Maroc.
Les appareils de type militaire, à peine modifiés, relient Toulouse-Montaudran à Rabat, avec escales à Barcelone, Alicante, Malaga, Tanger.

1ᵉʳ juin 1925 : Dakar est atteinte. Les « défricheurs » opèrent en Amérique du Sud.

12 mai 1930 : première traversée commerciale de l'Atlantique-Sud par l'équipage Mermoz-Dabry-Gimié. Désormais, la liaison aérienne France-Amérique du Sud devient réalité.

2 mars 1969 : premier vol d'essai de « Concorde 001 ».

① De St-Sernin à la place de la Daurade

★★★ **Basilique St-Sernin** (DX). – C'est la plus célèbre et la plus belle des grandes églises romanes de pèlerinage du Midi, la plus riche de France en reliques *(voir p. 29)*.
Sur son emplacement s'élevait, à la fin du 4ᵉ s., une basilique qui abritait le corps de saint Sernin (ou Saturnin). Cet apôtre du Languedoc, premier évêque de Toulouse, fut martyrisé en 250, attaché à un taureau.
Charlemagne ayant enrichi l'église de reliques, on y venait de tous les points de l'Europe : c'était aussi une étape pour les pèlerins qui se rendaient à St-Jacques-de-Compostelle. L'édifice actuel fut construit pour répondre à ces besoins nouveaux. Commencé vers 1080, il a été achevé au milieu du 14ᵉ s. La restauration générale a été entreprise à partir de 1855 par Viollet-le-Duc et terminée par Baudot.

Extérieur. – St-Sernin est construite en brique et pierre. Dans le chevet, commencé à la fin du 11ᵉ s., la pierre domine ; dans la nef, c'est la brique, employée finalement seule dans le clocher.
Le **chevet**, du 11ᵉ s., est la partie la plus ancienne du monument. Les cinq chapelles de l'abside et les quatre chapelles des croisillons, les toitures étagées du chœur et du transept, dominées par le clocher, forment un magnifique ensemble.

Le **clocher** octogonal à cinq étages s'élève sur la croisée du transept. Les trois étages inférieurs sont ornés d'arcades romanes en plein cintre (début du 12e s.). Les deux étages supérieurs ont été ajoutés 150 ans plus tard ; les baies, en forme de mitre, sont surmontées d'un petit fronton décoratif. La flèche a été élevée au 15e s.

La **porte des Comtes**, primitivement dédiée à saint Sernin s'ouvre dans le croisillon Sud. Les chapiteaux de ses colonnettes *(suivre le déroulement des scènes de droite à gauche)*, d'une facture encore fruste, se rapportent à la parabole de Lazare et du Mauvais riche et surtout aux châtiments encourus par celui-ci pour ses péchés d'orgueil (portail de droite, 1er chapiteau de gauche), d'avarice (portail de gauche, 1er chapiteau de gauche), de luxure (portail de gauche, 2e chapiteau de gauche) ; de part et d'autre du pilier central : le riche, demandant à revenir sur la terre pour avertir son frère, est maintenu en enfer (la répétition du même motif marque l'éternité du châtiment).

A gauche du portail, une niche grillagée abrite trois sarcophages ayant servi de sépulture à des comtes de Toulouse, d'où le nom donné à la porte. Plus à gauche, une arcade Renaissance subsiste de l'enceinte qui entourait, jusqu'au début du 19e s., l'église, les bâtiments du chapitre des chanoines, les cimetières adjacents.

La sculpture romane de la **porte Miége-ville** a fait école dans tout le Midi. Exécutée au début du 12e s., elle recherche l'expression et le mouvement beaucoup plus que les œuvres du siècle précédent.

Intérieur. — St-Sernin est le type accompli de la grande église de pèlerinage. Son plan est conçu pour faciliter les dévotions des foules et rendre possible la célébration des offices par un chœur de chanoines (dispersés à la Révolution, ils occupaient autrefois le cloître et les bâtiments qui s'étendaient au Nord de l'église) : une nef flanquée de doubles collatéraux, un immense transept et un chœur avec déambulatoire sur lequel ouvrent cinq chapelles rayonnantes.

Pour un édifice roman, St-Sernin est particulièrement vaste : longueur 115 m, largeur au transept 64 m, hauteur sous voûte 21 m. La nef fait grand effet. La perspective du chœur

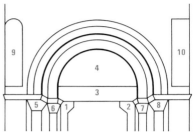

(D'après photo Jean Dieuzaide)

Porte Miégeville

1) Le roi David. — 2) Deux femmes assises sur des lions. — 3) Les Apôtres, la tête renversée, assistent à l'Ascension du Christ. — 4) Ascension du Christ entouré par les Anges. — 5) Le Massacre des Innocents. — 6) L'Annonciation et la Visitation. — 7) Adam et Ève chassés du paradis terrestre. — 8) Deux lions adossés. — 9) Saint-Jacques. — 10) Saint Pierre.

est cependant un peu étranglée par les gros piliers du transept, renforcés lors de la surélévation du clocher.

La coupe de l'église montre la perfection de son élévation et de son équilibre. La nef principale voûtée en berceau plein cintre est épaulée par un premier bas-côté voûté d'arêtes et surmonté de tribunes très décoratives (voûtées en demi-berceau), qui lui-même prend appui sur un second bas-côté de moindre hauteur, encore voûté d'arêtes et adossé à un contrefort. Ainsi, tous les éléments de cette énorme masse concourent harmonieusement à la solidité de l'ensemble.

Chœur. — Sous la coupole de la croisée, belle table en marbre de St-Béat de l'ancien autel roman signée Bernard Gilduin et consacrée en 1096 par le pape Urbain II.

Transept et déambulatoire. — Le vaste transept présente une structure à trois nefs et chapelles orientées. Admirer les chapiteaux de la galerie de la tribune et les peintures murales romanes.

Dans le croisillon droit, voir particulièrement la chapelle orientée dédiée à la Vierge (statue de « N.-D.-la-Belle » du 14e s.) : au cul-de-four, fresques superposées mêlant les thèmes de la Vierge assise « en Majesté » (13e s.) et du couronnement de la Vierge. Contre le mur tournant de la **crypte** sont appliqués sept impressionnants **bas-reliefs** ★★ de la fin du 11e s., en marbre de St-Béat, provenant de l'atelier de Bernard Gilduin : le Christ en Majesté, avec les symboles des Évangélistes, entourés d'anges et d'apôtres.

Le croisillon gauche ont été mis au jour deux ensembles de peintures murales romanes. Au mur Ouest de la 1re travée, la Résurrection : de bas en haut, les Saintes femmes au tombeau et l'ange, deux prophètes de l'Ancienne loi, le Christ glorieux entre la Vierge et saint Jean-Baptiste ; à la voûte : l'Agneau de Dieu présenté par des anges (même scène à la voûte de la 2e chapelle orientée du transept).

Parties hautes. — On peut admirer les chapiteaux, depuis la tribune.

★★ **Musée St-Raymond (DX).** — C'est le musée archéologique de la ville de Toulouse. Il est installé depuis 1891 dans le bâtiment de l'ancien Collège, reconstruit en 1523 par Louis Privat et restauré en 1852 par Viollet-le-Duc.

Le rez-de-chaussée est réservé à la sculpture romaine, remarquablement présentée : des milliers d'objets en bronze, fer, ivoire, os, verre, bois, céramique, de provenances très diverses. On y voit en particulier une très belle collection de clefs et de figures de bronze et encore le plus bel ensemble de portraits impériaux qui puisse se trouver hors d'Italie. Le 1er étage est consacré aux arts appliqués, des origines de l'humanité à l'an mil. Outre une très importante collection de monnaies antiques et médiévales, sont exposés des sculptures, des inscriptions, des lampes chrétiennes, des vases liturgiques, des bijoux, etc.

Ancienne chapelle du Carmel (DX). — Sa décoration : boiseries et peintures célébrant la gloire de l'ordre du Carmel (œuvre du peintre toulousain Despax) constitue un très bel ensemble du 18e s.

Église N.-D.-du-Taur (DXK). — Appelée St-Sernin-du-Taur jusqu'au 16e s., elle a remplacé le sanctuaire élevé à l'endroit où le taureau avait traîné saint Sernin et où le corps du martyr fut inhumé. Le mur-pignon de la façade *(illustration p. 29),* percé d'arcs en mître, est d'un type fréquent dans la région où il servit de modèle à maintes églises de campagne. Avec son clocher garni de créneaux et de mâchicoulis, c'est un des rares vestiges de l'ancienne enceinte. On peut observer ici les combinaisons décoratives que permet la brique : baies en losange, frises en dents d'engrenage.

★★ **Les Jacobins** (DY). — En 1215, saint Dominique, effrayé par les progrès de l'hérésie albigeoise, avait fondé l'ordre des Frères Prêcheurs *(voir p. 74).* Le premier couvent des Dominicains fut installé à Toulouse en 1216 ; les religieux arrivent à Paris un an plus tard et s'installent près de la porte St-Jacques, ce qui leur vaut le nom de « Jacobins ». La construction de l'église et du couvent — première Université toulousaine — commencée en 1230, se poursuit aux 13e et 14e s. L'ensemble avait été défiguré par sa transformation en quartier d'Artillerie sous le Premier Empire, l'église servant d'écurie.

Des travaux de dégagement et de restauration ont été entrepris. Ils se sont étalés sur plus d'un siècle et ont abouti, en 1974, au dégagement et à la réhabilitation de l'église, du cloître ainsi que des bâtiments conventuels rescapés, à l'exception de la grande sacristie.

Église. — L'église de briques est un chef-d'œuvre de l'école gothique du Midi, dont elle marque le développement. L'« église mère » de l'ordre des Frères Prêcheurs, achevée vers 1340, accueillit en 1369 le corps de saint Thomas d'Aquin. Extérieurement, elle frappe par ses grands arcs de décharge disposés entre les contreforts et surmontés d'oculi et par sa tour octogonale allégée d'arcs en mitre qui servit de modèle pour de nom-

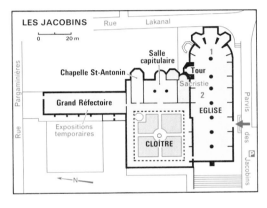

breux clochers d'églises bien pourvues de la région ; elle reçut, à son achèvement (1299), la cloche unique de l'Université dominicaine.

Le grandiose vaisseau à deux nefs fut bâti par agrandissements et surélévations successifs. Il traduit le rayonnement de l'ordre, sa prospérité et ses deux missions bien tranchées : le service divin et la prédication.

Sur le pavement, le plan du premier sanctuaire (1234), rectangulaire et couvert de charpente, est rappelé par 4 dalles de marbre noir (base des anciens piliers) et par un cordon de carreaux, également noirs (les murs). Les sept colonnes portent la voûte à 28 m de hauteur sous clé. Sur la dernière (1) repose la voûte tournante de l'abside : ses 22 nervures alternativement minces et larges évoquent les branches d'un palmier.

La décoration polychrome des murs ayant heureusement subsisté en grande partie, les restaurateurs ont pu restituer l'ambiance colorée de l'église. Jusqu'à l'appui des fenêtres hautes, les murs présentent un faux appareil de pierres ocre et rosées. D'autres contrastes de teintes soulignent l'élan des colonnettes engagées, la souplesse des nervures de la voûte.

Les verrières (grisailles dans le chœur, vitraux plus chaudement colorés dans la nef) ont été posées à partir de 1923. Seules les deux roses de la façade datent du 14e s.

Depuis les solennités du septième centenaire de la mort de Thomas d'Aquin en 1974, les reliques du « Docteur angélique » sont à nouveau exposées sous un maître-autel (2) en marbre gris, provenant de Prouille *(p.74).*

Cloître. — La porte Nord ouvre sur un cloître à colonnettes jumelées typique du gothique languedocien (autres exemplaires à St-Hilaire et Arles-sur-Tech). Les galeries Sud et Est, qui avaient disparu vers 1830, ont pu être reconstituées à partir d'épaves, retrouvées çà et là dans la région, ou d'autres fragments de la même école.

Grand réfectoire. — Il s'élève à l'angle Nord-Est du cloître. Construit en 1303, c'est un vaste vaisseau avec couverture de charpente supportée par six arcs diaphragme. Il sert de cadre à des expositions temporaires.

Salle capitulaire. — Construite vers 1300. Deux fines colonnes prismatiques en supportent les voûtes. La gracieuse absidiole a retrouvé son décor polychrome.

Chapelle St-Antonin. — A gauche de la salle capitulaire, elle fut élevée de 1337 à 1341 comme chapelle funéraire par le frère Dominique Grima, devenu évêque de Pamiers (clé de voûte au-dessus de la tête du Christ de l'Apocalypse).

Des caveaux creusés dans le sol de la nef, les ossements étaient transférés dans un ossuaire, sous l'autel surélevé. La chapelle constitue une délicate œuvre gothique, parée, en 1341, de peintures murales à dominante bleue.

Les médaillons inscrits dans les voûtains sont consacrés à la deuxième Vision de l'Apocalypse : l'Agneau, immaculé, les pieds sur le livre aux sept sceaux, le Christ maître du monde entouré des symboles des évangélistes et des 24 vieillards. Sur les murs, au-dessous d'anges musiciens, se déroulent, en deux registres, les scènes de la fantastique légende de saint Antonin de Pamiers dont la clé de voûte de l'abside donne la conclusion : les reliques du martyr naviguent sous la garde de deux aigles blancs.

Hôtel de Bernuy (Lycée Pierre de Fermat) (DY). – Bâti en deux campagnes au début du 16e s. La porte (1, rue Gambetta) associe courbes et contre-courbes, de tradition gothique, à des médaillons. La 1re cour offre un intermède d'architecture de pierre. Le faste de la Renaissance s'y manifeste par un portique à loggia, au revers de l'entrée, et par une arcade très surbaissée, à droite. Par le passage voûté d'ogives gagner la 2e cour où l'on retrouve le charme de la « ville rouge ». La **tour d'escalier★** octogonale montée sur trompe, la plus haute du vieux Toulouse, prend jour par des fenêtres gracieusement agencées à la rencontre de deux pans.

★ **Capitole** (DYH). – C'est l'hôtel de ville de Toulouse : il tire son nom de l'ancienne assemblée des « capitouls ». La façade sur la place date du milieu du 18e s. Longue de 128 m, ornée de pilastres ioniques, elle est un bel exemple d'architecture colorée, jouant habilement des alternances de la brique et de la pierre. Dans l'aile se trouve le théâtre, réaménagé en 1974.

Pénétrer dans la cour : au-dessus d'un portail Renaissance, statue de Henri IV érigée sous son règne. C'est ici qu'eut lieu, en 1632, la fameuse exécution du duc de Montmorency *(voir p. 127)*, gouverneur du Languedoc, entré en rébellion armée contre le pouvoir de Louis XIII (dalle commémorative sur le pavé).

L'escalier, le vestibule et diverses salles, surtout la salle des Illustres, dédiée aux gloires toulousaines, ont été décorés, avec une pompe appropriée à leur destination, par des peintres témoins de l'art officiel, aux temps de la IIIe République.

Traverser la cour puis le jardin en biais pour aller voir le donjon, reste de l'ancien Capitole (16e s.), restauré par Viollet-le-Duc au 19e s. Il abrite le syndicat d'initiative.

Rue St-Rome (DY). – *Réservée aux piétons.* Tronçon de l'antique voie qui traversait la ville du Nord au Sud, elle devient le domaine des « boutiques ». A son début (n° 39), remarquable maison du médecin de Catherine de Médicis (Augier Ferrier). Dans la **rue Jules-Chalande** (DY 79), on verra la belle tour gothique de Pierre Séguy (L).

Musée du Vieux-Toulouse (DY M¹). – Installé dans l'hôtel du May (16e- 17e s.), il réunit des collections concernant l'histoire de la ville, l'art régional populaire. Céramiques.

(Photo Pix)

Toulouse au 19e s.

Rue des Changes (DY). – Le carrefour dit « Quatre coins des Changes » est dominé par la tour de Sarta (R). Remarquer les numéros 20, 19 et 17 ; au n° 16 l'hôtel d'Astorg et St-Germain (16e s.) présente une façade à « mirandes » – larges ouvertures ou galeries sous comble – et une cour pittoresque avec ses galeries et escaliers de bois.

Rue Malcousinat (DY 92). – Au n° 11, aimable corps de logis gothique-Renaissance flanqué d'un sévère donjon du 15e s.

Rue de la Bourse (DY). – S'arrêter au n° 20 : maison de Pierre Del Fau (15e s.), qui espéra être capitoul – d'où la tour – mais ne le fut jamais.

Par la rue Cujas, gagner la place de la Daurade.

Basilique N.-D.-de-la-Daurade (DY D). – Héritière d'un temple dédicacé à la Vierge dès le 5e s., l'église actuelle remonte au 18e s. Les Toulousains y sont très attachés (pèlerinage à N.-D.-la-Noire, cérémonies de la recommandation des futures mères et de la bénédiction des fleurs décernées aux lauréats des Jeux floraux). Sa façade au lourd péristyle dominant la perspective de la Garonne est intéressante.

② De la place de la Daurade à la place Wilson

une 1/2 journée

Flâner un moment sur le quai de la Daurade, en aval du pont Neuf (16e-17e s.) : vue sur le quartier St-Cyprien (rive gauche) avec l'Hôtel-Dieu et le dôme de l'hospice de la Grave.

Prendre la rue de Metz à gauche et obliquer de nouveau à gauche.

★ **Hôtel d'Assézat (DY A).** — C'est le plus bel édifice particulier de Toulouse, élevé ⊙ en 1555-1557 sur les plans de Nicolas Bachelier, le plus grand architecte toulousain de la Renaissance, pour le capitoul d'Assézat, négociant enrichi dans le commerce du pastel.

Sur les façades des bâtiments de gauche et de face s'est développé, pour la première fois à Toulouse, dans toute sa noblesse, le style classique caractérisé par la superposition des trois ordres antiques : dorique, ionique, corinthien. Pour donner de la variété à ces façades, l'architecte a ouvert, au rez-de-chaussée et au 1er étage, des fenêtres rectangulaires sous des arcades de décharge. Au 2e étage, c'est l'inverse : la fenêtre est en plein-cintre sous un entablement droit.

A cette recherche, correspond la décoration poussée des deux portes, l'une avec ses colonnes torses, l'autre avec ses cartouches et ses guirlandes. l'art de la sculpture s'est, en effet, ranimé à la Renaissance, la pierre recommençant à être employée à Toulouse en même temps que la brique.

Au revers de la façade donnant sur la rue s'ouvre un portique élégant, à quatre arcades, surmonté d'une galerie. Le 4e côté est resté inachevé, Assézat, converti au protestantisme, ayant été exilé et ruiné. Le mur est seulement décoré d'une galerie couverte reposant sur de gracieuses consoles.

L'hôtel abrite les six sociétés savantes de Toulouse, dont l'Académie des Jeux floraux *(voir p. 127)*. Au second étage, a été ouvert un musée de la Médecine.

Montée à la tour. — On découvre un **panorama** sur le vieux Toulouse, ses églises, ses toits en désordre d'où émergent çà et là quelque tour de capitoul. Par temps clair (vent d'antan) se découpe la barrière des Pyrénées.

Suivre à droite la rue des Marchands, la rue de la Trinité, puis la rue Croix-Baragnon.

Plusieurs demeures d'antiquaires ont été restaurées : au n° 15, « la plus vieille maison de Toulouse » du 13e s. se reconnaît à ses baies géminées.

Hôtel de Fumel (Palais consulaire) (DEY C). — Siège de la Chambre de Commerce. Belle façade du 18e s., en équerre, sur jardin.

A l'angle de la rue Tolosane on a devant soi la façade et la tour de la cathédrale tandis qu'on aperçoit sur la gauche la tour des Augustins entourée de verdure. Au n° 24 rue Croix-Baragnon, Centre culturel de la ville.

On atteint la place St-Étienne agrémentée d'une fontaine du 16e s. portant un nom particulier « le Griffoul ».

★ **Cathédrale St-Étienne (EY).** — Comparée à St-Sernin, la cathédrale apparaît curieusement disparate. Sa construction s'est étendue du 13e au 17e s. ; les « écoles » gothiques du Midi et du Nord s'y sont affrontées. Les fonds manquant, on ne put achever la construction de la nef et l'élévation du chœur. Dans la façade de l'église primitive commencée en 1078, les évêques et le chapitre ont fait percer une rose au 13e s. ; puis, au 15e s., un portail a été ouvert ; enfin, au 16e s., on a élevé un clocher-donjon rectangulaire sans rapport avec les clochers polygonaux ajourés de la région.

Entrer par le portail de la façade.

Intérieur. — La nef et le chœur ne sont pas dans le même axe et donnent l'impression de n'être pas faits l'un pour l'autre.

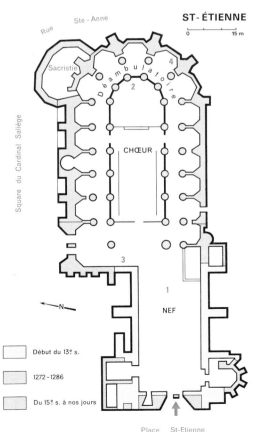

ST-ÉTIENNE

0   15 m

Rue   Ste - Anne

Sacristie

Déambulatoire

Square du Cardinal Saliège

CHŒUR

N

NEF

Début du 13e s.

1272 – 1286

Du 15e s. à nos jours

Place   St-Etienne

Cela tient à ce que l'on commença la reconstruction (après la réunion du comté à la couronne) par le chœur, sans se préoccuper de la nef, bâtie en 1209, que l'on comptait jeter bas. On se contenta de procéder à un raccordement de fortune exigeant des prouesses architecturales dans ce qui aurait dû devenir le bras gauche du transept.

La nef unique, aussi large que haute, est la première manifestation de l'architecture gothique du Midi *(voir p. 29)* et l'on peut juger du progrès réalisé : la voûte unique de St-Étienne est large de 19 m alors que la voûte romane de St-Sernin n'en a que 9.

L'austérité de ses murs est corrigée par une belle collection de tapisseries des 16e et 17e s. retraçant la vie de saint Étienne, exécutées à Toulouse. A la clé de la 3e voûte, remarquer la « croix aux douze perles » (1), armes des comtes de Toulouse, puis de la province de Languedoc.

La construction du chœur, commencée en 1272, fut arrêtée quatorze ans après. Deux siècles plus tard, les murs furent terminés et l'édifice couvert d'une charpente. En 1609, cette charpente, détruite par un incendie, est remplacée par la voûte actuelle qui n'a que 28 m de haut au lieu des 40 m prévus au plan initial.

Le retable du maître-autel (2), les stalles, le buffet d'orgues (3), les vitraux des cinq grandes fenêtres de l'abside datent du 17e s. Dans le déambulatoire, on verra des vitraux anciens, notamment dans la chapelle immédiatement à droite de la chapelle axiale, un vitrail du 15e s. qui reproduit les traits de Charles VII (couronné et revêtu d'un manteau bleu fleurdelisé d'or) et de Louis, dauphin, futur Louis XI (représenté à genoux, vêtu comme un chevalier). Ce vitrail est appelé le « vitrail du roi de France » (4).

Sortir par la porte droite et contourner l'église ; extérieurement, la puissance des contreforts du chœur est révélatrice de l'ambition des projets irréalisés.

Traverser la rue de Metz, puis par la rue d'Astorg, la rue Cantegril, la rue Antonin-Mercié, gagner la rue d'Alsace-Lorraine.

★★ **Musée des Augustins** (DEY). — Le musée est installé dans les bâtiments désaffectés du couvent des Augustins. Le bâtiment qui borde la rue d'Alsace-Lorraine a été construit par Viollet-le-Duc et Darcy au 19e s. On visite le grand cloître (14e s.), fort beau, la sacristie (14e s.) où sont exposées les sculptures de la fin du 13e et du 14e s. et la salle capitulaire (fin 15e s.) qui abrite la célèbre Pietà des Récollets.

Les admirables **sculptures romanes**★★★ (12e s.), qui proviennent essentiellement de l'abbaye St-Sernin, du monastère de la Daurade et des bâtiments du chapitre de la cathédrale St-Étienne, sont les pièces maîtresses du musée. On admirera particulièrement les chapiteaux : Vierges sages et Vierges folles, mort de St-Jean-Baptiste, Histoire de Job, etc.

L'église conventuelle abrite des sculptures des 16e, 17e et 18e s. ainsi que des peintures religieuses de la même époque (Pérugin, Rubens, Murillo, Simon Vouet, Nicolas Tournier...).

Le musée expose, en outre, des peintures néoclassiques, des œuvres du 19e s., modernes et contemporaines.

En sortant du musée, achever de contourner les bâtiments du couvent ; du jardin (entrée rue de Metz), vue sur le clocher et la nef de l'ancienne église des Augustins.

La rue St-Antoine-du-Taur mène à la place du Président-Wilson, centre élégant de Toulouse.

AUTRES CURIOSITÉS

★ **Musée Paul-Dupuy** (EZ M²). — Ce musée est consacré aux arts appliqués du Moyen Age à nos jours : arts du métal, du feu, du bois ; horlogerie ; métrologie ; numismatique ; reconstitution de l'apothicairerie du collège des Jésuites (1632). Le cabinet de dessins et d'estampes offre une riche iconographie du Languedoc et des provinces voisines.

Rue Mage (EZ). — Une des mieux conservées de Toulouse : demeures d'époque Louis XIV (n° 20 et n° 16) et Louis XIII (n° 11) ; au n° 3, hôtel d'Espie, de style Régence.

Rue Bouquières (EZ 19). — L'hôtel de Puivert (18e s.) y déploie sa grande architecture d'apparat.

Hôtel Béringuier-Maynier (ou du Vieux-Raisin) (DZ E). — Le corps de logis au fond de la cour marque la première manifestation de la Renaissance italianisante à Toulouse, dans le style des châteaux de la Loire. Le décor des ailes, aux fenêtres à cariatides, reflète un style plus tourmenté, proche du baroque.

Rue Pharaon (DZ). — Hôtel du capitoul Marvejol (jolie cour) au n° 47, façade du 18e s. au n° 29, tour de 1478 au n° 21.

Rue de la Dalbade (DZ). — Les demeures parlementaires s'y succèdent. Les numéros 7, 11, 18 et 20 montrent d'élégantes façades du 18e s. Remarquer au n° 22 le grand portail sculpté, d'inspiration très païenne (16e s.), de l'hôtel Molinier. Au n° 25, l'**hôtel de Clary** (DZ N) comporte une belle cour intérieure Renaissance ; sa façade, un peu chargée, fit sensation lorsqu'elle fut élevée en pierre au 17e s. — signe d'opulence en cette ville de brique (l'édifice en a gardé le nom d'« hôtel de pierre »).

L'hôtel des chevaliers de St-Jean-de-Jérusalem (n° 30), robuste et noble construction du 17e s., fut le siège du Grand prieuré de l'ordre de Malte.

Église N.-D.-de-la-Dalbade (DZ F). — Le nom de l'église est dérivé de la blancheur des murs du premier édifice. L'église actuelle, construite au 16e s., endommagée par l'écroulement du clocher en 1926, a été restaurée et son bel appareil de briques remis en valeur. Portail Renaissance (le tympan en céramique date du 19e s.).

Rue Ozenne (EZ). – Au n° 9, remarquable ensemble de la fin du 15e s. : l'hôtel Dahus et la tour de Tournoër.

★★ **Museum d'Histoire Naturelle** (EZ). – Très importantes collections d'Histoire Naturelle et particulièrement d'ornithologie, de préhistoire et d'ethnographie.

Jardin des Plantes, jardin Royal et Grand rond (EZ). – Bel ensemble planté. Dans le jardin des Plantes, Museum d'Histoire Naturelle.
Dans le jardin Royal, monument à la gloire des équipages pionniers de la ligne France-Amérique du Sud, œuvre de Maillol.
A l'extrémité Sud des allées Frédéric-Mistral, **monument de la Résistance**. Un jeu de lentilles ne distribue la lumière du soleil dans la crypte que le 19 août, jour anniversaire de la libération de Toulouse.

Musée Georges-Labit (BU M³). – *Plan p. 125*. Le musée est installé dans la villa mauresque où Georges Labit (1862-1899), négociant toulousain passionné par l'Asie, des Indes à l'Extrême-Orient, avait réuni les objets rapportés de ses voyages : sculptures khmères, indiennes, peintures et céramiques de la Chine et du Japon, estampes japonaises. Au sous-sol, antiquités égyptiennes et arts himalayens. La collection, enrichie et harmonisée depuis, offre un panorama rapide mais précieux des arts reflétant les grandes civilisations asiatiques.

Le pont St-Michel et les bords de la Garonne (DZ). – Ouvrage en béton précontraint d'une grande simplicité de ligne, le pont St-Michel offre un point de vue intéressant. Se placer entre le milieu du pont et la rive gauche : par temps clair la chaîne des Pyrénées se profile au Sud.
Du côté opposé le regard embrasse une bonne partie de la ville : des Jacobins à la Dalbade, la plupart des monuments se repèrent facilement ; c'est au coucher du soleil qu'on jouit le mieux de ce paysage urbain animé par les rougeoiements de la brique.
Le cours Dillon(BU 46) et la rive gauche de la Garonne forment une zone ombragée réservée aux piétons d'où l'on a des points de vue inattendus sur la ville.

Galerie municipale du Château d'eau (BU K). – La tour de brique d'un ancien château d'eau (1822), située à la tête du Pont Neuf, a été aménagée, en 1974, en galerie d'art photographique. Expositions, documentation (2 000 ouvrages).

Parc toulousain (BV). – *Plan p. 125*. Aménagé dans une île de la Garonne, ce parc compte trois piscines de plein air et une piscine couverte, le Stadium, le parc des Expositions et le palais des Congrès.

*Les **guides Rouges**, les **guides Verts** et les **cartes Michelin***
composent un tout.
Ils vont bien ensemble, ne les séparez pas.

★ Le VALLESPIR

Carte Michelin n° 86 plis 18 à 20.

Le Vallespir est la région des Pyrénées-Orientales constituée par la vallée du Tech.
En amont d'Amélie-les-Bains, la région, au charme pastoral et montagnard, présente des aspects extrêmement variés et toujours séduisants. C'est, de plus, une curiosité géographique en ce sens qu'elle comprend les communes les plus méridionales du territoire français.
Les vergers et les cultures ne trouvent plus place ici que dans les fonds de vallée. Des forêts de châtaigniers, de hêtres et, surtout, de vastes pâturages les remplacent.
Une activité industrielle bien vivante, des traditions folkloriques encore vivaces, achèvent de donner au pays sa physionomie particulière.
C'est dans ses réjouissances qu'il faut voir cette population catalane, même si l'intérêt « régionaliste » de ces fêtes paraît un peu mince au premier abord, en raison de la disparition progressive des costumes locaux. Qui aura eu la chance de voir danser ou plutôt célébrer la sardane, « expression la plus humaine des émois et des transports d'une âme collective », ne sera pas près de l'oublier.

La crosse et l'épée. – Le comté de Cerdagne de Wifred-le-Velu *(p. 59)* est divisé en 990 à l'occasion d'une succession : Bernard dit « Taillefer » prend le titre de comte de Bésalu (petite ville de l'Ampurdan – la plaine jumelle du Roussillon – au Sud des Albères) et reçoit la haute vallée du Tech. Dès 1111, cette branche s'éteint et ses domaines passent aux comtes de Barcelone.
L'abbaye bénédictine de Ste-Marie d'Arles est, au Moyen Age, le grand centre religieux du pays. Son rayonnement s'accroît encore à la fin du 10e s., grâce à la translation des reliques des saints martyrs orientaux Abdon et Sennen, toujours très populaires dans le pays. Les abbés exercent naturellement une juridiction temporelle sur de nombreuses terres. Les moines, désireux de mettre en valeur le bassin supérieur du Tech, fondent une colonie agricole qui devient rapidement une petite ville, Prats-de-Mollo, dont les rois d'Aragon, appréciant déjà la situation et le climat, font une de leurs villégiatures d'été préférées.
Les seigneurs de Serralongue, de Corsavy, ont des préoccupations moins pacifiques ; ils élèvent des châteaux et des tours de guet qui, aujourd'hui encore, attirent le regard.

Le VALLESPIR ★

DU COL D'ARES AU BOULOU

68 km — environ 5 h

★ **Col d'Ares.** — Alt. 1 513 m. Situé à la frontière, il ouvre la route vers l'Espagne (Ripoll, Vic, Barcelone).

Dans la descente on découvre tout de suite vers le Nord, la tour de Mir, l'une des tours à signaux *(voir p. 27)* les plus élevées du Roussillon. Bientôt apparaît sur la droite la chapelle N.-D.-du Coral. Plus loin, on reconnaît les tours de Cabrens dans l'éventail des vallées boisées convergeant vers Serralongue. Passé le col de la Seille (1 185 m), agréable vue sur Prats-de-Mollo, groupé au pied du fort Lagarde. La route descend à travers les bosquets de châtaigniers, face au massif du Canigou et aux amples contreforts pastoraux de son versant Sud.

★ **Prats-de-Mollo.** — *Page 112.*

Continuer par le D 115.

Défilé de la Baillanouse. — La route, emportée par les inondations catastrophiques d'octobre 1940, fut reconstruite plus haut. On reconnaît encore, à gauche, un arrachement de terrain au flanc du Puig Cabrès. De là descendit un éboulement énorme (6 à 7 millions de m³) ayant barré la vallée sur une hauteur de 40 m.

Le Tech. — 124 h. Village d'éperon, au confluent du Tech et de la Coumelade, dont le quartier bas fut anéanti par l'inondation de 1940 *(voir p. 13)*. Le monument aux morts de 1914-1918 a été remplacé en 1964 par un sobre mémorial. L'église a été rebâtie sur le promontoire.

1 km après le Tech, prendre à droite le D 44.

Serralongue. — 205 h. *Monter à pied à l'église.* Sur l'esplanade a poussé un micocoulier, arbre dont le bois servait jadis à la confection des célèbres fouets appelés « perpignans ».

Poursuivre jusqu'au sommet de la colline pour voir la ruine d'un conjurador, édicule à quatre ouvertures, au-dessus desquelles des niches abritaient autrefois les quatre Évangélistes. Lorsque l'orage menaçait les récoltes, le curé venait réciter les prières appropriées pour « conjurer » le péril en se tournant du côté de l'horizon assombri par les nuées.

Faire demi-tour et prendre à droite le pittoresque D 64. A la Forge-del-Mitg, tourner à gauche dans le D 3.

La route est agréablement tracée sur le versant « ombrée » du Vallespir foisonnant en verdures (érables, châtaigniers) avivés par de nombreux ruisseaux. En arrière et à gauche, s'éloignent les trois tours de Cabrens.

Le D 3 débouche sur le D 115 où prendre à droite.

Arles-sur-Tech. — *Page 47.*

Après Arles, la route passe de la rive gauche à la rive droite du Tech.

★ **Amélie-les-Bains-Palalda.** — *Page 42.*

Quittant Amélie-les-Bains, on aperçoit tout de suite Palalda, à gauche, qui s'étage sur la rive abrupte du Tech. Le D 115, çà et là bordé de platanes, laisse le Vallespir montagnard pour entrer dans le bassin de Céret-le-Boulou.

Céret. — *Page 62.*

Par le D 618 on rejoint la N 9 qui mène au Boulou.

ⓥ **Chapelle St-Martin-de-Fenollar.** — Les peintures murales romanes illustrent le mystère de l'Incarnation. Elles représentent le Christ en majesté, entouré des quatre Évangélistes figurés par des anges tenant chacun un livre et le symbole approprié (sauf l'ange symbolisant saint Matthieu qui ne peut être montré tenant une figure d'homme), les 24 vieillards de l'Apocalypse, l'Annonciation, la Nativité, l'Adoration des Mages et le retour des Mages dans leur pays.

Tourner à gauche en sortant de la chapelle. Après le grand virage apparaissent les thermes du Boulou.

Thermes du Boulou. — On y traite surtout les affections hépato-biliaires. Certaines sources se prêtent à l'embouteillage et l'eau de table du Boulou, gazeuse, peut être demandée dans la région. Le casino attire les Catalans d'Espagne en grand nombre.

Le Boulou. — 4 292 h. Petit bourg de la rive gauche du Tech, bien abrité au pied des Albères. Sa position de carrefour sur les routes Perpignan-le Perthus et l'Espagne et Argelès-Amélie-les-Bains lui assure le passage de nombreux touristes.

Le Boulou, situé en lisière des bois de chênes-lièges, compte deux usines importantes de fabrication de bouchons (à Champagne pour la plus grande part) et trois artisans.

VALS

Carte Michelin nº 🗆🗆 pli 5 — 12 km à l'Ouest de Mirepoix.

L'oppidum de Vals, occupé dès l'âge du bronze le fut jusqu'au Moyen Age, comme en témoignent d'abondantes trouvailles de céramiques, de verrerie et d'ossements. Le Roc de l'Éperon semble taillé selon une technique archaïque, tandis que la case-encoche du Roc Taillat présente des cannelures probablement travaillées au moyen d'outils de métal. L'ensemble de la plate-forme a pu être la base d'un ancien temple.
Depuis 1980, des fouilles ont lieu, qui apportent un regain d'intérêt et une meilleure connaissance du site.

Église. — On y accède par un escalier creusé dans un boyau rocheux. C'est une église rupestre, à deux nefs superposées, portant la marque d'époques très différentes. La nef basse, ou crypte, est carolingienne, l'abside du 11e s.; la tour massive dressée sur le socle rocheux abrite une chapelle romane (terminée au 14e s.), dédiée, comme de nombreux hauts-lieux du Moyen Age, à l'archange saint Michel.
Dans l'abside, des peintures murales du 12e s. présentent une remarquable unité et montrent, selon un plan logique assez rare, trois aspects de la vie du Christ : sa naissance (Annonciation, Bain de l'Enfant Jésus, Adoration des Mages), sa vie publique (les Apôtres) et sa glorification.
Ces tableaux stylisés, dessin au trait plutôt que peinture, présentent des personnages aux grands yeux en amande, figés dans des attitudes hiératiques selon la tradition byzantine. Par leur composition schématique et naïve, sans recherche de profondeur, ils s'apparentent aux fresques catalanes de l'époque romane.

⊙**Musée archéologique.** — Il est situé sur la place de l'église.
La salle Henri-Breuil présente le produit des fouilles qui ont été découvertes dans l'ancien oppidum de Vals.

★ VERNET-LES-BAINS

Carte Michelin nº 🗆🗆 pli 17 — Schémas p. 52 — Lieu de séjour p. 8 — Plan dans le guide Michelin France.

Le **site★** de Vernet, au pied des contreforts boisés du Canigou où s'accroche le clocher de St-Martin, est l'un des plus frais des Pyrénées-Orientales ; le grondement du torrent du Cady apporte un bruit de fond montagnard, inattendu dans ce décor méditerranéen aimé de Rudyard Kipling.
On soigne dans l'établissement thermal, doublé d'un centre de rééducation fonctionnelle et motrice, les rhumatismes et les affections oto-rhino-laryngologiques.
Le vieux Vernet massé sur la rive droite du Cady, offre au flâneur ses ruelles déclives.

Le Vieux Vernet. — De la place de la République, monter au « puig » (piton) de l'église par la rue J. Mercader bordée de petites maisons colorées et fleuries, souvent décorées d'une treille.

⊙**Église St-Saturnin.** — Sa jolie situation, en vue du cirque du haut Cady et de la tour de St-Martin, fait son principal intérêt.
Cette ancienne chapelle N.-D.-del-Puig (12e s.), adossée à un château fort (reconstitué), mérite une visite pour la présentation de son mobilier et de différents vestiges lapidaires : une cuve baptismale (face à l'entrée), une prédelle de la Crucifixion ayant fait partie d'un retable peint du 15e s., la table d'autel romane et, surtout, l'impressionnant Christ (14e s.) suspendu dans l'abside.

(Photo Gazuit / Rapho)

Vernet-les-Bains. — Au fond, le Canigou.

EXCURSIONS

★★ **Abbaye St-Martin-du-Canigou.** – *2,5 km au Sud jusqu'à Casteil. Accès et description p. 117.*

★ **Col de Mantet.** – *20 km au Sud-Ouest – environ 1 h. Route très abrupte, en corniche étroite (croisement très difficile) en amont de Py.* Sortir de Vernet par le D 27 à l'Ouest et remonter, à partir de Sahorre, la vallée de la Rotja d'abord parmi les pommiers puis dans une gorge entaillée dans les granits.

Au-dessus de **Py** (113 h.), petit village pittoresque situé à 1 023 m d'altitude, la route escalade des pentes raides hérissées çà et là de rochers granitiques. A 3,5 km, dans un large virage, **belvédère**★ sur le village aux toits rouges et le Canigou.

Le col de Mantet s'ouvre à 1 761 m d'altitude près des couverts de résineux de la forêt de la Ville. Faire quelques pas sur le versant opposé pour découvrir le site, impressionnant d'austérité, de **Mantet**, village à peu près déserté (12 h.), tapi dans un repli de terrain.

★ VILLEFRANCHE-DE-CONFLENT

294 h.

Carte Michelin n° 🆖 pli 17.

Au confluent du Cady et de la Têt, Villefranche, fondée en 1092, bastionnée par Vauban au 17e s., occupe une position encaissée surprenante : des roches voisines, suivant le rapport du grand ingénieur, des tireurs auraient pu « canarder à coup de fusil tout ce qui paraîtrait dans ses rues ».

Ce « verrou » stratégique fut surtout, à partir du traité de Corbeil (1258), un poste avancé du royaume d'Aragon face à la ligne des « fils de Carcassonne » *(voir p. 66)*. Une garnison française l'occupa du traité des Pyrénées (1659) à 1925.

Les carrières des environs ont fourni le marbre rose qui ennoblit les nombreux monuments de la ville, aussi bien que maints d'entre eux en Roussillon.

La foire de la Saint-Luc, qui se perpétue depuis 1303, témoigne de l'activité économique de la ville, qui fut grande au Moyen Age, dans la teinture et le commerce des draps notamment.

★ LA VILLE FORTE

visite : 2 h

> *Laisser la voiture à l'extérieur des remparts, sur le parking aménagé au confluent de la Têt et du Cady.*

Pénétrer dans l'enceinte par la porte de France, ouverte sous Louis XVI à gauche de l'ancienne porte comtale.

Au revers de celle-ci gravir l'escalier menant à une salle haute, point de départ de la visite du chemin de ronde.

⊘ **Remparts.** – Aux abords de la porte d'Espagne encadrée, par Vauban, des bastions du Roi et de la Reine, le circuit fait parcourir deux étages de galeries superposées : le chemin de ronde proprement dit et le boyau de circulation inférieur qui remonte à la construction de la forteresse (11e s.).

De retour à la porte de France, traverser toute la ville en suivant la rue St-Jean (remarquer la statue en bois, du 14e s., de saint Jean l'Évangéliste) dont les maisons des 13e et 14e s. ont souvent gardé leur porche en plein cintre ou en arc brisé. Belles enseignes de corporations en fer forgé.

(Photo J.-D. Sudres / Scope.
Villefranche-de-Conflent. – Guérite de veille.

Église St-Jacques. – Des 12e et 13e s., elle assemble deux nefs parallèles. Pénétrer dans l'église par le portail « à quatre colonnes » et archivolte torsadée ; les chapiteaux appartiennent à l'école de St-Michel-de-Cuxa.

Dans la nef gauche, la profondeur de la cuve baptismale en marbre rose s'explique par la coutume du baptême par immersion pratiquée en Catalogne jusqu'au 14e s. Une Vierge à l'Enfant du 14e s., N.-D.-de-Bon-Succès, en marbre, est invoquée contre les épidémies ; l'Enfant tient un fruit de la main droite, un oiseau dans la main gauche. Au-dessus de l'autel de la petite nef, retable N.-D.-de-Vie (1715) de Sunyer *(voir p. 80)*.

Dans la nef droite, la chapelle latérale du milieu abrite un grand Christ en croix (14e s.), dans la tradition réaliste catalane.

Au fond de l'église, comme en Espagne, se trouve le chœur Ouest (le mot chœur vient de chorus : chanter en chœur) appelé chœur des stalles ; celles-ci datent du 15e s. (rosaces flamboyantes aux joués) ; sur le podium repose un Christ gisant, œuvre d'art populaire poignante du 14e s. Les statues de la Vierge et de Joseph d'Arimathie sont des pièces rapportées, plus tardives.

Porte d'Espagne. — Réaménagée comme la porte de France en entrée monumentale sous Louis XVI. La machinerie de l'ancien pont-levis subsiste.

Faire demi-tour et prendre, à gauche, la rue St-Pierre.

On accède au petit pont fortifié St-Pierre, jeté sur la Têt. Du pont part l'escalier souterrain, muré, d'un millier de marches montant au château. Des quatre femmes inculpées dans l'affaire des Poisons qui y furent enfermées, la dernière mourut en 1724 après 40 ans de détention.

AUTRE CURIOSITÉ

Grotte des Canalettes. — *Parking à 700 m au Sud, en contrebas de la route de Vernet.*
Les concrétions étonnent par la variété de leurs formes : coulées de calcite, excentriques. Parmi les plus belles on remarquera la Table, un gour que la calcite a peu à peu rempli, et un bel ensemble de draperies d'une blancheur étincelante.

Le VOLVESTRE

Carte Michelin n° 🎲🎲 pli 17.

Le Volvestre est le pays de coteaux de « terreforts » *(voir p. 15)* entre Garonne et Ariège, traversé par l'Arize avant son confluent avec la Garonne.

DE RIEUX À MONTBRUN-BOCAGE *20 km – environ 3/4 h*

Rieux. *— Page 114.*
Au départ de Rieux, la route (D 627) s'engage dans la dépression de l'Arize, rivière sourdant, à 1 200 m d'altitude, dans un massif boisé *(voir « Route verte » p. 78).*

Montesquieu-Volvestre. — 2 113 h. (les Montesquiviens). Calme ville, rebâtie en brique au 16e s. et ceinturée de boulevards ombragés. L'église fortifiée du 14e s. se distingue par sa tour polygonale à 16 pans donnant l'illusion d'une construction ovale.

A Daumazan-sur-Arize, prendre à droite le D 19.

Montbrun-Bocage. — 356 h. La petite église abrite un vaste ensemble de **peintures murales**★ du 16e s., interrompu par une voûte gothique postiche ; on reconnaît dans le chœur, saint Christophe, l'Arbre de Jessé, des scènes de la vie de saint Jean-Baptiste ; au côté Nord, des scènes de la Passion et l'Enfer.
Montbrun-Bocage est le point de départ de l'itinéraire décrit p. 111, à travers les monts du Plantaurel.

Participez à notre effort permanent de mise à jour.

Adressez-nous vos remarques et vos suggestions.

**Cartes et Guides Michelin
46, avenue de Breteuil
75341 Paris Cedex 07**

Index

Aguilar . . . . Villes, curiosités et régions touristiques.

Arago (François). . . . . Noms historiques et termes faisant l'objet d'une
explication.

Les curiosités isolées (abbayes, barrages, cascades, châteaux, grottes, pics, vallées...
sont répertoriées à leur nom propre.

A

Able (Défilé) 120
Ader (Clément) . . . 97
Aguilar (Château) . . . 66
Aguzou (Grottes) . . . 49
Alan (H.-Gar.) 88
Albères (Route) 34
Albi (Tarn) 36
Les Albigeois 37
Alet (Étroit d') 49
Alet-les-Bains (Aude) . 42
Amboise (Louis d') . 36
Amélie-les-Bains-Palalda
  (Pyr.-Or.) 42
Andorre (Principauté) . 42
Andorre-la-Vieille . . . 44
Angoustrine (Pyr.-Or.) . 60
Arago (François) . . . 106
Ares (Col) 134
Argelès-Plage (Pyr.-Or.) 115
Arget (Vallée) 78
Ariège (Haute vallée) . 45
Arifat (Cascade) . . . 47
Arles-sur-Tech
  (Pyr.-Or.) 47
Arques (Château) . . . 67
Les Aspres 48
Aude (Haute vallée) . 48
Aude (Gorges) 49
Auriac (Cimetière) . . 67
L'autan 9
Avignonet-Lauragais
  (H.-Gar.) 50
Ax-les-Thermes
  (Ariège) 50
Ax 1400 (Ariège) . . . 50

B

Bages (Aude) 51
Bages (Étang) 51
Baillanouse (Défilé) . 134
Banyuls-sur-Mer
  (Pyr.-Or.) 51
Banyuls 31-51
La Bastide-de-Sérou
  (Ariège) 111
Bastides 30
Béar (Cap) 73
Bédeilhac (Grotte) . . 79
Bedos (Col) 67
Belbèze (Carrières) . . 58
Belcaire (Aude) 120
Bélesta (Pyr.-Or.) . . . 109
Belpuig (Château) . . 48
Blanquette 31-86
Bolquère (Pyr.-Or.) . . 60
Bonascre (Plateau) . . 50
Bonshommes 21
Boudou (T.-et-G.) . . . 92
Bouillac (T.-et-G.) . . . 83

Bouillinade 31
Bouillouses (Lac) . . . 96
Boulbènes 15
Le Boulou
  (Thermes) 134
Bourdelle
  (Antoine) 93
Bourg-Madame
  (Pyr.-Or.) 59
Bugarach (Pic) 67

C

Cabestany (Pyr.-Or.) . 108
Canalettes (Grotte) . . 137
Can Damon 73
Canet-Plage (Pyr.-Or.) 115
Le Canigou 52
Canillo (Andorre) . . . 44
Le Capcir 49
Cap Leucate 115
Capitouls 123
Carol (Vallée) 59
Carcassonne (Aude) . 54
Cargolade 31
Cassoulet 31-57
Castanet
  (Bernard de) 36
Castelnau-de-Lévis
  (Tarn) 41
Castelnaudary (Aude) . 57
Castelnou (Pyr.-Or.) . . 108
Cathares 21
Caudiès-de-Fenouillèdes
  (Pyr.-Or.) 75
Caune de l'Arago . . 20
Cayla (Musée) 71
Cazères (H.-Gar.) . . . 58
Cerbère (Pyr.-Or.) . . . 72
La Cerdagne 59
Céret (Pyr.-Or.) 62
Chapellerie 49
Chioula (Signal) 51
Cimetière marin . . . 84
Cinq-Mars 98
Clape (Montagne) . . 102
Cobla 10
Coffre de Pech Redon 102
Collioure (Pyr.-Or.) . . 63
Combret
  (Bernard de) 36
Comus (Forêt) 120
Le Conflent 64
Conques-sur-Orbiel
  (Aude) 65
Le consolamentum . 21
Le Corbières 31
Les Corbières 65
Cordes (Tarn) 69
Corneilla-de-Conflent
  (Pyr.-Or.) 71
Corsavy (Pyr.-Or.) . . . 47

Cortalets (Chalet-Hôtel) 53
La Cortinada (Andorre) 45
La Côte Vermeille . . 72
Couiza (Aude) 49
Coustouges (Pyr.-Or.) . 73
Crouzette (Route) . . . 78
Croyants 21
Cubières (Moulin) . . . 67
Cucugnan (Aude) . . . 68

D

Diable (Pont) 46
Dominique (Saint) . . 74
Le Donézan 49
Dorres (Pyr.-Or.) . . . 60
Dugommier (Général) 109
Duilhac-sous-Peyrepertuse
  (Aude) 68
Durfort (Château) . . . 68

E

Égat (Col) 60
Elne (Pyr.-Or.) 73
Engolasters (Lac) . . . 45
Envalira (Port) 45
Escalade 31
Escala de L'Ours . . . 53
Escale (Pas) 68
Estagel (Pyr.-Or.) . . . 109
Eus (Pyr.-Or.) 112
Eyne (Pyr.-Or.) 61

F

La Fajolle (Aude) . . . 120
Fanges (Forêt) 68
Fanjeaux (Aude) . . . 74
Le Fenouillèdes . . . 75
Fenouillet (Pyr.-Or.) . . 75
Fitou 31
Foix (Ariège) 76
Foix (Comtes de) . . . 76
Fontcouverte (Église) . 109
Fontestorbes (Fontaine) 121
Fontfrède (Pic) 34
Fontfroide (Abbaye) . 79
Font-Nègre (Cirque) . . 45
Fontpédrouse
  (Pyr.-Or.) 64
Font-Romeu (Pyr.-Or.) . 80
Força-Réal (Ermitage) . 109
Fou (Clue) 75
Fou (Gorges) 48
Fourtou (Col) 48
La Franqui (Aude) . . . 115
Frau (Gorges) 120
Fresquel (Bataille) . . 57

G

Gaillac (Tarn) 80
Galamus (Gorges) . . 82
La Garonne 123
Gaston Fébus 76
Gaussan (Château) . . 80
Ginestas (Aude) . . 102
Gisclard (Pont) 64
Graulhet (Tarn) 82
Grau de Maury . . . 68
Grenade (H.-Gar.) . . . 82
Grésigne (Forêt) . . . 83
Gruissan (Aude) . . . 83
Guérin (Maurice et
    Eugénie de) . . . 71

H - I - J

Hannibal 119
Hix (Pyr.-Or.) 62
Ille-sur-Têt (Pyr.-Or.) . 109
Ingres (Dominique) . . 93
Innocent III (Pape) . . 37
Jeux Floraux
    (Académie) 127
Joffre (Maréchal) . . 109
Joucou (Défilé) 120
Joucou (Aude) 120

L

Labouiche
    (Rivière souterraine) 84
Lacamp (Plateau) . . . 68
Laffon (Tour) 78
Lagrasse (Aude) . . . 84
Lafrançaise (T.-et-G.) . 95
Lamparo 15
Langarail (Pâturage) . 120
Laroque-de-Fâ
    (Aude) 68
Le Lauragais 117
Lautrec (Tarn) 85
Lavaur (Tarn) 85
Lers (Étang) 86
Lers (Route du port) . 86
Lescure
    (Église St-Michel) . 41
Leucate (Cap) 115
Limoux (Aude) 86
Lisle-sur-Tarn (Tarn) . 81
Llech (Gorges) 53
Llo (Pyr.-Or.) 61
Lombrives (Grotte) . . 87
Lordat (Château) . . . 88
Luzenac (Ariège) . . . 88

M

Madeloc (Tour) 72
Maillol (Aristide) . . . 52
Mancioux (Menhirs) . . 88
Mantet (Col) 136
Marcevol (Pyr.-Or.) . . 112
Le marin 9
Marquixanes (Pyr.-Or.) 65
Marrous (Col) 78
Marsa (Aude) 120
Martres-Tolosane
    (H.-Gar.) 88
Mas-d'Azil (Grotte) . . 89
La Massana (Andorre) 45
Maury 31
Meaux (Traité) 37
Mercus (Église) 46
Mérens (Centrale) . . 46
Mérens-les-Vals
    (Ariège) 46
Meritxell (N.-D.-de) . . 44

Midi

Midi (Canal) 102
Miquelou (Lac) 82
Mirepoix (Ariège) . . . 89
Moissac (T.-et-G.) . . 90
Molitg-les-Bains
    (Pyr.-Or.) 112
Mondony
    (Gorges et vallée) . 42
Monestiès (Tarn) . . . 71
Montauban (T.-et-G.) . 92
Montbrun-Bocage
    (H.-Gar.) 137
Montech (Pente d'eau) 95
Montesquieu-Volvestre
    (H.-Gar.) 137
Montferrand (Aude) . . 103
Montferrer (Pyr.-Or.) . 48
Montfort (Simon de) . 37
Montgeard (H.-Gar.) . 95
Montgey (Tarn) 117
Montlouis (Pyr.-Or.) . . 96
Montmaur (Château) . 117
Montmorency
    (Henri de) 127
Montségur (Ariège) . . 96
Mosset (Pyr.-Or.) . . . 112
Muret (H.-Gar.) 97
Muscat de Rivesaltes 31

N

Narbonne (Aude) . . . 98
Narbonne-Plage
    (Aude) 102
Naurouze (Seuil) . . . 102
Niaux (Grotte) 104
Niort (Aude) 120
N.-D.-de-Consolation
    (Ermitage) 72
N.-D.-de-Laval
    (Ermitage) 75
N.-D.-de-Marceille
    (Église) 87
N.-D.-de-Pène
    (Ermitage) 109
N.-D.-des-Auzils
    (Chapelle) 84

O

Oc (Langue d') 21
Odeillo (Pyr.-Or.) . . . 60
Olette (Pyr.-Or.) 64
Ombrée (Route) 60
Ordino (Andorre) . . . 45
Orlu (Vallée) 50
Osséja (Pyr.-Or.) . . . 61
Ouillat (Col) 34

P

Padern (Aude) 68
Pain de Sucre 46
Palalda (Pyr.-Or.) . . . 42
Palégry (Mas) 108
Del Pam (Col) 80
Pamiers (Ariège) . . . 104
Parfaits 21
Pas-de-la-Case
    (Andorre) 45
Pas-de-l'Ours
    (Belvédère) 120
Péguère (Col) 78
Perpignan (Pyr.-Or.) . 105
Le Perthus (Pyr.-Or.) . 109
Peyre Auselère
    (Ariège) 86
Peyrepertuse (Château) 110
Peyriac-de-Mer
    (Aude) 51
Pierre-Lys
    (Défilé) 49
La Plaine (Forêt) . . . 120

Planès (Pyr.-Or.) . . . 96
Le Plantaurel 111
Pont d'Orbieu (Aude) . 68
Port (Col) 78
Port-Barcarès (Pyr.-Or.) 115
Portel (Sommet) . . . 78
Port-la-Nouvelle (Aude) 51
Port-Leucate (Aude) . 115
Port-Vendres (Pyr.-Or.) . 73
Pradel (Col) 50
Prades (Pyr.-Or.) . . . 111
Prats-de-Mollo
    (Pyr.-Or.) 112
La Preste (Pyr.-Or.) . . 113
Puigmal (Station) . . . 61
Puilaurens (Château) . 113
Puivert (Aude) 113
Puycelci (Tarn) 83
Puymorens (Col) . . . 46
Py (Pyr.-Or.) 136
Pyrénées (Traité) . . 96
Pyrénéisme 18

Q

Quéribus (Château) . . 113
Quérigut (Plateaux) . . 49
Quillan (Aude) 114

R

Rabastens (Tarn) . . . 114
Ras del Prat Cabrera . 53
Rassisse (Barrage) . . 47
Razès (Pays) 49
Rébenty (Gorges) . . . 120
Réderis (Cap) 72
Redoulade (Col) . . . 68
Rialsesse (Forêt) . . . 68
Ribéral 15
Rieux (H.-Gar.) 114
Rieux-Minervois (Aude) 65
Rigaud (Hyacinthe) . . 105
Riquet (Pierre-Paul) . 102
Rivesaltes (Pyr.-Or.) . 109
Rivesaltes 31
Roquefixade (Château) . 111
Roussillon (Plages du) . 115

S

Le Sabarthès 122
Saillagouse (Pyr.-Or.) . 61
St-André (Pyr.-Or.) . . 116
St-Antoine-de-Galamus 82
St-Cyprien (Pyr.-Or.) . 115
St-Félix-Lauragais
    (H.-Gar.) 116
St-Genis-des-Fontaines
    (Pyr.-Or.) 116
St-Georges (Gorges) . 49
St-Géry (Château) . . 114
St-Hilaire (Aude) . . . 87
St-Julia (H.-Gar.) . . . 117
St-Laurent-de-Cerdans
    (Pyr.-Or.) 73
St-Lieux-les-Lavaur
    (Tarn) 85
St-Louis (Col) 68
St-Martin-de-Fenollar
    (Chapelle) 134
St-Martin-du-Canigou
    (Abbaye) 117
St-Michel-de-Cuxa
    (Abbaye) 118
St-Papoul (Aude) . . . 58
St-Paul-de-Fenouillet
    (Pyr.-Or.) 75
St-Pierre-sur-Mer
    (Aude) 102

St-Polycarpe (Aude) . 69
Ste-Léocadie
(Table d'orientation) 61
Les Salanques 13
Salses (Fort) 119
Sant Antoni (Gorges) . 45
Sant Joan de Caselles
(Andorre) 44
Sapin de l'Aude
(Route) 120
Saquet (Plateau) . . . 50
Sardane 10
Sault (Plateau) 120
Sauvetés 30
Sègre (Gorges) 61
Séjourné (Pont) 64
Sérembarre (Pic) . . . 50
Serrabone (Prieuré) . . 121
Serralongue (Pyr.-Or.) . 134
Séverac
(Déodat de) 116
Sigean (Aude) 51
Sigean (Étang) 51
Sigean
(Réserve africaine) . 122
Soldeu (Andorre) . . . 45
Sorède (Pyr.-Or.) . . . 35
Soulane (Route) . . . 60

T

Tarascon-sur-Ariège
(Ariège) 122
Le Tarn 36
Targassonne
(Chaos) 60
Tautavel (Pyr.-Or.) . . 122
Le Tech (Pyr.-Or.) . . . 134
Termes (Château) . . 122
Terminet (Gorges) . . 69
Les terreforts 15
Thou (François de) . 98
Thueis-les-Bains
(Pyr.-Or.) 64
Thuir (Pyr.-Or.) 108
Toulouges (Pyr.-Or.) . 108
Toulouse (H.-Gar.) . . 123
Toulouse-Lautrec
(Henri de) 37
La tramontane 9
Trencavel
(Raymond-Roger) . 54
Trimouns (Carrières) . 88
Trinité (Chapelle) . . 48
3 Termes (Pic) 34
Tuchan (Aude) 69

U - V

Unac (Ariège) 88
Ussat-les-Bains
(Ariège) 122
Usson (Château) . . . 49
Valira del Nord
(Andorre) 45
Valira d'Orient
(Andorre) 44
Le Vallespir 133
Valmigère (Aude) . . 69
Vals (Ariège) 135
Vauban 28
Vernaux (Ariège) . . . 88
Vernet-les-Bains
(Pyr.-Or.) 135
Verte (Route) 78
Vicdessos (Ariège) . . 86
Villefranche-de-Conflent
(Pyr.-Or.) 136
Villemur-sur-Tarn
(H.-Gar.) 95
Vinça (Barrage) 65
Vindrac (Tarn) 70
Voltes (Col) 53
Le Volvestre 137

Renseignements pratiques

LOISIRS

Pêche en eau douce. — Quel que soit l'endroit choisi il convient d'observer la réglementation en vigueur et de prendre contact avec les associations de pêche et de pisciculture, les syndicats d'initiative, les offices de tourisme ou les représentants des Eaux et Forêts. Documentation courante : la carte-dépliant commentée « Pêche en France » publiée et diffusée par le Conseil supérieur de la Pêche, 10, rue Péclet, 75015 Paris, ☏ 48 42 10 00. On peut également se procurer ce document auprès des Associations départementales de Pêche et de Pisciculture dont les sièges sont situés à Albi, Toulouse, Carcassonne, Perpignan.
Pour la région des Bouillouses, avec sa vingtaine de lacs, s'adresser à l'office de tourisme de Font-Romeu.

Chasse. — Pour toute information concernant la chasse, se renseigner auprès du « St-Hubert Club de France », 10, rue de Lisbonne, 75008 Paris, ☏ 45 22 38 90, ou auprès des secrétariats des fédérations de chasse départementales.

Ski de fond. — S'adresser aux offices départementaux du Tourisme. Renseignements par téléphone à Paris, au 45 72 64 40.

Randonnées pédestres. — Les topo-guides sont édités par :
— la Fédération française de la Randonnée pédestre, 64, rue de Gergovie, 75016 Paris, ☏ 45 45 31 02 : Sentier de Grande Randonnée nº 10 « Pyrénées » ou G.R.10 (4 topo-guides d'Hendaye à Banyuls) ;
— G. Véron, 10, rue Pierre de Fermats, 65000 Tarbes, ☏ 62 31 53 11 : D'Hendaye à Banyuls en suivant les crêtes au plus près ;
— les Éditions Randonnées pyrénéennes, 09200 St-Girons : Traversée en 45 étapes (autant de variantes).
D'autres guides de montagne sont publiés par les sections locales du C.A.F. (Perpignan...). Se renseigner sur place.

Randonnées à bicyclette. — Les listes des loueurs de cycles sont généralement fournies par les syndicats d'initiative et les offices de tourisme.
Certaines gares SNCF : Argelès-sur-Mer, Carcassonne, Castelnaudary, Foix, Moissac, Narbonne, Pamiers, Perpignan, La Tour de Carol, proposent également deux types de bicyclettes : des vélos de type randonneur, des vélos de type traditionnel, pour la journée (ou la demi-journée) ou pour plusieurs jours. En fonction de la durée de la location, des tarifs dégressifs sont appliqués.

Randonnées équestres. — Renseignements auprès de l'Association régionale pour le Tourisme équestre et l'Équitation de loisir en Cévennes, Roussillon et Languedoc (ATECREL), 14, rue des Logis, Loupian, 34140 Mèze, ☏ 67 43 82 50.

Spéléologie. — S'adresser à la Fédération française de Spéléologie, 130, rue St-Maur, 75011 Paris, ☏ 43 57 56 54.

Canoë-Kayak. — Informations auprès de la Fédération française de Canoë-Kayak, 17, route de Vienne, 69007 Lyon, ☏ 78 61 32 74.

Tourisme fluvial. — Demander la liste des sociétés de bateaux habitables à la Fédération des Industries nautiques, port de la Bourdonnais, 75007 Paris, ☏ 45 55 10 49, ou à l'Agence nationale d'Information touristique (A.N.I.T.), service de la Documentation, 8, avenue de l'Opéra, 75001 Paris, ☏ 42 96 10 23.
Documentation sur le canal du Midi, à l'usage des plaisanciers :
— dépliant-guide des canaux du Midi : s'adresser au Comité régional de Tourisme, 12, rue Salambo, 31000 Toulouse, ☏ 61 47 11 12 ;
— carte-guide Vagnon, nº 7 à 1/100 000 : canaux du Midi (Éditions du Plaisancier, BP 27, 69641 Caluire Cedex, ☏ 78 23 31 14) ;
— carte-guide à 1/50 000 du canal des Deux-Mers de Bordeaux à l'étang de Thau (Éditions maritimes d'Outre-Mer, 77, rue Jacob, 75006 Paris, ☏ 46 34 03 10) ;
— itinéraire nautique : les canaux du Midi (nouveau T.C.F., commission de Tourisme fluvial).

Voile. — Renseignements à la Fédération française de voile, 55, avenue Kléber, 75084 Paris Cedex 16, ☏ 45 53 68 00.

Hébergement rural. — S'adresser à la Fédération française des gîtes ruraux, 35, rue Godot-de-Mauroy, 75009 Paris, ☏ 47 42 25 43, qui donne les adresses des comités locaux.

Maisons des provinces françaises à Paris :
— Maison du Tarn, 34, avenue de Villiers, 75017, ☏ 47 63 06 26.
— Maison des Pyrénées, 15, rue St-Augustin, 75002. ☏ 42 61 58 18.

Artisanat. — Pour les métiers d'art, les expositions de la production artisanale de création, les stages d'artisanat, on peut s'adresser à la Galerie Traces, 42, rue Pharaon, 31000 Toulouse, ☏ 61 87 15 15.

DATE, LIEU ET NATURE DE LA MANIFESTATION

Février

Prats-de-Mollo . .   Carnaval traditionnel *(semaine des congés scolaires)*.
Journée de l'Ours *(le dimanche)*.

Dimanche avant les Rameaux

Limoux . . . .   Carnaval traditionnel : en plus des 3 sorties *(11 h, 17 h, 21 h)*, a lieu, à minuit, l'enterrement de sa Majesté Carnaval.

Vendredi Saint

Arles-sur-Tech . .   Procession traditionnelle des Pénitents Noirs *(à 20 h 30)*.
Collioure . . . . . .   Procession de confréries de Pénitents.
Perpignan . . . . .   Procession des Pénitents Noirs *(voir p. 108)*.

1er dimanche après la Pentecôte

Martres-Tolosane   Le Dimanche tolosan : Fête de la Trinité *(voir p. 88)*.

23 juin

Perpignan . . . . .   Fête des Feux de la Saint-Jean.

Juin à septembre

Albi . . . .   Spectacle multivision « Albi, une cité... Lautrec, un regard... » *(tous les soirs à 21 h, au Théâtre municipal)*.

1re quinzaine de juillet

Montauban . . . .   Festival d'Occitanie : théâtre.
Foix . . . .   Les journées médiévales de Gaston Phoebus (défilés en costumes, spectacle son et lumière).

14 juillet

Carcassonne . . .   Embrasement.

Juillet-août

Albi . . . .   Visite commentée de la cathédrale illuminée *(tous les soirs à 20 h 45, sauf soirées de concert)*.

16-17-18 juillet

Prats-de-Mollo . .   Fête patronale.

Fin juillet / début août

Albi . . . .   Festival de Musique.
St-Michel-de-Cuxa   Festival de Prades (concerts à l'abbaye).

Fin juillet / début septembre

Cordes . . . .   Festival de Musique.

30 juillet / 3 août

Albi . . . .   Festival international du Cinéma amateur 9,5 mm.

2e et 3e semaines d'août

Montauban . . . .   Fête de l'Été : ballets.

Avant-dernier dimanche d'août

Céret . . . .   Festival de la Sardane (400 danseurs costumés).

8 septembre

Méritxell (Andorre)   Fête nationale de l'Andorre.

25 décembre

Vals . . . .   « Noël à Vals » (crèche vivante, Noëls occitans).

QUELQUES LIVRES

Ouvrages généraux – Géographie – Histoire

Pyrénées françaises, par J.-J. CAZAURANG *(Paris et Grenoble, Arthaud, collection « Le monde en images »).* Grand tourisme.

Montagnes Pyrénées, par J.-L. PÉRES et J. UBIERGO *(Paris et Grenoble, Arthaud).* Axé sur l'alpinisme et la conquête des Pyrénées.

Languedoc méditerranéen et Roussillon, par M. DURLIAT *(Paris, Arthaud).*

Le Midi toulousain, par F. TAILLEFER *(Paris, Flammarion).*

L'Ariège et l'Andorre, par F. TAILLEFER *(Toulouse, Privat, collection « Pays du Sud-Ouest »).*

Languedoc-Roussilon ; Midi pyrénéen *(Larouse, Sélection du Reader's Digest, collection « Pays et gens »).*

Flore et Faune des Pyrénées *(Colmar-Ingersheim, SAEP).*

Guide bleu « Pyrénées-Gascogne » *(Paris, Hachette).*

Splendeurs et gloires des Pyrénées, par P. de GORSSE *(Paris, France-Empire).*

Histoire du Languedoc *(Toulouse, Privat, collection « Univers de la France »),* ouvrages collectifs de conception universitaire.

Toulouse d'hier et d'aujourd'hui, par F. COUSTEAUX, M. VALDIGUIÉ et J. DIEUZAIDE *(Toulouse, Daniel Briand).*

Histoire d'Albi, de Carcassonne, de Montauban, de Perpignan *(Toulouse, Privat, collection « Pays et villes de France »).*

La Citadelle du vertige, par M. ROQUEBERT et C. SOULA *(Toulouse, Privat).*

Le bûcher de Montségur, par Z. OLDENBOURG *(Paris, Gallimard).*

Les Cathares, par R. NELLI *(Paris, Marabout).*

L'Épopée cathare *(3 vol.),* par M. ROQUEBERT *(Toulouse, Privat).*

La Vie quotidienne des Cathares, entre autres ouvrages, par R. NELLI *(Hachette, collection « La Vie Quotidienne »).*

Les Châteaux cathares... et les autres, par R. QUEHEN et D. DIELTIENS *(Montesquieu-Volvestre, René Quéhen).*

La Croisade albigeoise, par M. ZERNER-CHARDAVOINE *(Paris, Gallimard-Julliard).*

Littérature – Art – Tourisme – Contes

La vie de Toulouse-Lautrec, par H. PERRUCHOT *(Paris, Marabout).*

Itinéraires romans en Roussillon, par A. DUPREY *(collection Zodiaque, exclusivité Weber).*

Le Canal du Midi, par O. ROQUETTE-BUISSON et Ch. SARRAMON *(Rivages / Technal).*

Gîtes et refuges en France, par A. et S. MOURARET *(édition Créer).*

Haute Route des Pyrénées à vélo, par G. VERON, D. MAZE, P. ROQUES *(éditions Randonnées pyrénéennes, 09200 St-Girons).*

En Roussillon, chroniques et contes buissonniers, par Y. HOFFMANN *(Perpignan, Sofreix).*

Conditions de visite

En raison des variations du coût de la vie et de l'évolution incessante des horaires d'ouverture de la plupart des curiosités, nous ne pouvons donner les informations ci-dessous qu'à titre indicatif.

Ces renseignements s'appliquent à des touristes voyageant isolément et ne bénéficiant pas de réduction. Pour les groupes constitués, il est généralement possible d'obtenir des conditions particulières concernant les horaires ou les tarifs, avec un accord préalable.

Les églises ne se visitent pas pendant les offices ; elles sont ordinairement fermées de 12 h à 14 h. Les conditions de visite en sont données si l'intérieur présente un intérêt particulier. La visite de la plupart des chapelles ne peut se faire qu'accompagnée par la personne qui détient la clé. Une rétribution ou une offrande est toujours à prévoir.

Des visites-conférences sont organisées de façon régulière, en saison touristique, à Albi, Carcassonne, Cordes, Foix, Ille-sur-Têt, Mirepoix, Montauban, Narbonne, Pamiers, Perpignan, Toulouse. S'adresser à l'office de tourisme ou au syndicat d'initiative.

Dans la partie descriptive du guide, p. 33 à 136, les curiosités soumises à des conditions de visite sont signalées au visiteur par le sigle ⊙

a

ALAN

Ancien Palais des Évêques. − Visite accompagnée (1/2 h) de juillet à septembre le matin et l'après-midi. Fermé le mardi. 8 F. ☎ 61 98 72 12.

ALET-LES-BAINS

Ruines de la cathédrale. − S'adresser au bureau de tabac en face (sauf le dimanche après-midi). ☎ 68 69 92 94.

AGUZOU

Grottes. − Visite accompagnée sous forme de « safaris spéléologiques » (une journée sous terre). S'adresser à M. Jean Bataillou, conservateur, Rouze 11140 Axat. ☎ 68 20 40 77.

ALBI

Clocher de la cathédrale. − Provisoirement fermé : travaux de restauration en cours. Réouverture prévue fin 1986.

Musée Toulouse-Lautrec. − Visite le matin et l'après-midi. Fermé les mardis d'octobre à mars et les 1er janvier, 1er mai, 1er novembre et 25 décembre. 12 F.

Maison natale de Toulouse-Lautrec. − Visite de début juillet à mi-septembre, le matin et l'après-midi. 15 F.

Musée de Cires. − Visite de début juin à fin septembre le matin et l'après-midi (sans interruption à midi en juillet et août) ; le reste de l'année, visite l'après-midi seulement. 10 F.

Église St-Michel-de-Lescure. − Si l'église est fermée, s'adresser à la mairie de Lescure. ☎ 63 38 07 91.

Musée de la carte postale (à l'intérieur de l'église). − Visite l'après-midi en juillet et août. Fermé le lundi. 7 F.

ANDORRE

Pour les relations avec la France, s'adresser au bureau de poste français et utiliser les boîtes aux lettres jaunes du type français. Certaines opérations postales sont désormais possibles (livret de caisse d'Épargne, carte de dépannage CCP plus carte 24 h sur 24 et carte bleue).

Maison des Vallées (Casa de la Vall). — Visite le matin et l'après-midi. Fermé le samedi après-midi et le dimanche toute la journée.

ANGOUSTRINE

Église. — S'adresser au café d'Angoustrine.

ARQUES

Château. — S'adresser à la mairie.

AVIGNONET-LAURAGAIS

Église N.-D.-des-Miracles. — Visite de Pâques à fin juin, le matin. Ou bien s'adresser à M. le Curé : ☎ 61 81 63 91, ou à la mairie : ☎ 61 81 63 67.

b

BANYULS-SUR-MER

Aquarium. — Visite le matin et l'après-midi. 10 F.

Caves. — Visite le matin et l'après-midi (sans interruption à midi de début juin à fin septembre).

BEDEILHAC

Grotte. — Visite toute la journée sans interruption à midi en juillet et en août ; visite à 15 h et à 16 h 30, excepté le mardi, des vacances de Pâques à fin juin et en septembre ; visite à 15 h et 16 h 30 également, le dimanche en octobre. 18 F.

c

CARCASSONNE

Château Comtal. — Visite de début avril à fin septembre toute la journée sans interruption à midi ; le reste de l'année, le matin et l'après-midi. 13 F.

Musée des Beaux-Arts. — Visite le matin et l'après-midi. Fermé les dimanches et jours fériés.

CASTELNAUDARY

Église St-Michel. — Fermée le dimanche après-midi.

Moulin de Cugarel. — Visite accompagnée (1/2 h) de juin à mi-septembre le matin. 3,50 F.

CAUDIÈS-DE-FENOUILLÈDES

Église Notre-Dame-de-Laval. — Visite en juillet et août.

LE CAYLA

Musée. — Visite accompagnée, sans interruption. Fermé le vendredi. 3 F.

CAZÈRES

Église. — Fermée le dimanche après-midi.

CERDAGNE

Le « petit train Jaune ». – Services réguliers assurés. Aux arrêts facultatifs, pour monter faire signe au conducteur ; pour descendre, prendre place dans la voiture de tête et prévenir le chef de gare. Dépliants disponibles dans les gares SNCF de la région.

CÉRET

Musée d'Art moderne. – Visite le matin et l'après-midi. Fermé les mardis et jours fériés. 9 F.

COLLIOURE

Trésor de l'église St-Vincent. – Visite de début juillet à fin octobre le matin et l'après-midi.

Château Royal. – Visite de Pâques à fin septembre, l'après-midi. 10 F.

CONQUES-SUR-ORBIEL

Église. – Visite accompagnée le dimanche matin seulement. S'adresser à M. Guilhem. ☎ 68 77 18 87.

CORDES

Musée Charles-Portal. – Visite l'après-midi des dimanches et jours fériés de Pâques à la Toussaint (tous les jours en juillet et août). 6 F.

Maison du Grand-Fauconnier. – S'adresser à la mairie, sauf le samedi. ☎ 63 56 00 40.

Musée Yves-Brayer. – Visite accompagnée du dimanche des Rameaux à fin octobre le matin et l'après-midi. Fermé le samedi. 3 F.

Puits. – Éclairage par minuterie. 1 F.

Église St-Michel. – S'adresser au syndicat d'initiative.

Maison du Grand Veneur. – On ne visite pas.

CORNEILLA-DE-CONFLENT

Église. – Visite accompagnée, l'après-midi. S'adresser à M. Pérez, ☎ 68 05 64 64.

COUIZA

Château. – Pour visiter la cour intérieure, s'adresser au bureau de la C.I.V.A.M., de début septembre à fin juin.

d - e

DORRES

Église. – Ouverte le dimanche de 10 h à 11 h.

ELNE

Cloître. – Visite le matin et l'après-midi. Fermé les dimanches d'octobre à mai. 5,40 F.

f

FANJEAUX

Église et trésor. – Visite accompagnée sur demande à M. le curé, le matin, ou par ☎ : 68 24 70 22, le soir.

FOIX

Château et Musée de l'Ariège. – Visite accompagnée (3/4 h) le matin et l'après-midi. 6 F. ☎ 61 65 56 05.

FONTFROIDE

Abbaye. — Visite accompagnée (1/2 h) le matin et l'après-midi. Fermé le mardi en hiver. Fermé également en janvier, sauf le dimanche. 14 F.

FONT-ROMEU

Ermitage. — Visite de la chapelle de début juillet à début septembre. Le reste de l'année, ouverture pour les offices seulement.

FOU

Gorges. — Visite du 23 mars au 1er novembre le matin et l'après-midi. ☎ 68 39 12 22 ou 68 39 16 21.

GAILLAC

Musée du parc de Foucaud. — Visite accompagnée (1 h) de début juin à fin septembre le matin et l'après-midi. Fermé le mardi. En hiver visite l'après-midi des mercredis et dimanches ; fermé les 1er et 11 novembre.

GAUSSAN

Château. — Visite libre de l'extérieur. Visite accompagnée de l'intérieur (1/2 h) le matin et l'après-midi, sauf les samedis et dimanches d'octobre à mars. ☎ 68 45 16 32.

h - l

HIX

Église. — S'adresser à la ferme en face.

LABOUICHE

Rivière souterraine. — Visite accompagnée (1 h 1/4) de début avril à la Pentecôte l'après-midi en semaine, le matin et l'après-midi les dimanches et jours fériés ; de la Pentecôte à fin septembre, tous les jours le matin et l'après-midi (sans interruption à midi en août). 23 F.

LAGRASSE

Abbaye. — Visite accompagnée (3/4 h) le matin (sauf les dimanches, lundis et jours de fêtes religieuses) et l'après-midi. 10 F. ☎ 68 43 13 97.

Ancien logis abbatial. — Visite de mi-juin à mi-septembre le matin et l'après-midi. 8 F. Le reste de l'année s'adresser à la mairie : ☎ 68 43 10 05.

LAUTREC

Musée archéologique. — Visite en juillet et août, le matin et l'après-midi. 3 F.

LIMOUX

Caves. — Visite fléchée toute l'année en semaine ; en été tous les jours, toute la journée sans interruption à midi.

LOMBRIVES

Grotte. — Visite accompagnée (1 h 3/4) tous les jours de début juillet à fin septembre : accès par petit train pour la moitié du parcours (7 mn), départ tous les 1/4 h sans interruption à midi ; des Rameaux à fin juin et en octobre, visite les samedis, dimanches et jours fériés seulement : départ du petit train à 10 h, 14 h, 15 h 45 et 17 h 30. 21 F plus 4 F pour le petit train. Visite conférence, visite longue durée à caractère spéléologique, sur rendez-vous : ☎ 61 05 98 40.

MARCEVOL

Association du Monastir. — Pour tout renseignement téléphoner au 68 96 54 03 ou 68 96 21 85.

MAS-D'AZIL

Grotte. — Visite accompagnée (3/4 h) de mi-juin à fin mars tous les jours le matin et l'après-midi. Le reste de l'année en semaine l'après-midi, les dimanches et jours fériés le matin et l'après-midi. 10,90 F.

Musée de la préhistoire. — Visite accompagnée (3/4 h) de Pâques à mai l'après-midi, de juin à septembre le matin et l'après-midi, en octobre et novembre seulement le dimanche après-midi. 6,55 F.

MAS PALÉGRY

Musée d'aviation. — Visite de mi-juin à mi-septembre le matin (sauf les dimanches et lundis) et l'après-midi. ☎ 68 54 08 79.

MÉRENS

Centrale. — On ne visite pas.

MIREPOIX

Cathédrale. — Visite toute la journée. Pour une visite accompagnée, s'adresser au syndicat d'initiative.

MOISSAC

Cloître. — Visite le matin et l'après-midi. Fermé les 1er janvier et 25 décembre. Visites accompagnées en juillet et août. 7,50 F. Cloître et musée moissagais : 9,70 F.

MONTAUBAN

Musée Ingres. — Visite le matin et l'après-midi. Fermé le lundi, le dimanche matin, les 1er janvier, 1er mai, 14 juillet, 1er novembre, 25 décembre. 4,50 F, 9 F lors des expositions.

Église St-Jacques. — Visite seulement en été, lors des expositions.

Cathédrale Notre-Dame. — Fermée le dimanche après-midi.

Musée du Terroir. — Visite le matin et l'après-midi. Fermé les lundis, dimanches et jours fériés. 5 F.

Musée d'Histoire Naturelle. — Visite le matin et l'après-midi. Fermé le lundi toute la journée et le dimanche matin. 5 F. ☎ 63 63 10 45.

Salles de Préhistoire. — S'adresser au Musée d'Histoire Naturelle.

MONTBRUN-BOCAGE

Église. — S'adresser à Mme Bouzour, au village.

MONTFERRAND

Chapelle. — Visite provisoirement suspendue. Pour voir les croix, dans la salle contiguë, s'adresser à la mairie.

MONTGEARD

Église. — S'adresser à Mme Lamarque, maison dans la rue en descente à droite de l'église.

MONTGEY

Château. — Visite accompagnée (1 h) de mars à novembre les dimanches et jours fériés après-midi. 10 F. ☎ 63 59 18 29.

MONT-LOUIS

Puits des Forçats. — Visite éventuelle par groupe après accord du commandant d'armes.

Four solaire. — Visite accompagnée de mi-juin à mi-septembre le matin et l'après-midi. Le reste de l'année les dimanches et jours fériés seulement. 5 F. ☎ 68 04 21 18.

MONTSÉGUR

Château. – Visite de début mai à fin septembre, toute la journée sans interruption à midi. 7 F (billet donnant droit à la visite du musée).

Musée archéologique. – Visite de début mai à fin septembre, le matin et l'après-midi ; le reste de l'année visite les week-ends, les jours fériés et pendant les vacances scolaires : s'adresser à la mairie. 7 F (billet donnant droit à la visite du château).

MURET

Église St-Jacques. – On ne visite pas le dimanche. Pour visiter la crypte, téléphoner au 61 51 14 68.

n

NARBONNE

Centre Monumental : musée archéologique, musée d'Art et d'Histoire, musée lapidaire, Horreum, crypte St-Paul. – Visite de mi-mai à fin septembre tous les jours le matin et l'après-midi ; de début octobre à mi-mai fermé le lundi. Fermé également les 1er janvier, 1er mai, 14 juillet, 1er novembre et 25 décembre. 5 F pour les 5 musées (gratuit le mercredi).

Ancienne cuisine des Archevêques. – Visite de mi-juin à fin septembre le matin et l'après-midi.

Trésor de la cathédrale. – Visite le matin et l'après-midi. Fermé les dimanches et jours fériés. 2 F.

Donjon Gilles-Aycelin. – Visite de mi-juin à fin septembre le matin et l'après-midi.

Basilique St-Paul-Serge. – Fermé le dimanche après-midi.

Église St-Sébastien. – Fermé actuellement pour cause de travaux. Demander la clé à la cathédrale. ☏ 68 32 09 52.

NIAUX

Grotte. – Nombre de visiteurs limité à 20 par groupe. Visite accompagnée (1 h 1/4) de juillet à septembre le matin et l'après-midi. 16 F. Le reste de l'année une visite le matin et deux l'après-midi. 13 F.

o - p

ODEILLO

Four solaire. – Visite du hall d'exposition : panneaux explicatifs, maquettes, projection vidéo, toute la journée sans interruption à midi.

PEYREPERTUSE

Château. – Visite de mars à septembre toute la journée. 6 F. ☏ 68 45 40 55 ou 68 45 41 55.

PERPIGNAN

Palais des rois de Majorque. – Visite le matin et l'après-midi. Fermé le mardi, les 1er janvier, 1er mai et 25 décembre. 5 F. ☏ 68 34 48 29.

Musée Hyacinthe-Rigaud. – Visite le matin et l'après-midi. Fermé le mardi.

Hôtel de ville. – Visite le matin et l'après-midi du lundi au vendredi, le samedi le matin seulement.

Place de la Loge. – En juillet et août, on y danse la sardane 2 fois par semaine.

Cathédrale St-Jean. – La plupart des retables peuvent être éclairés (minuteries) ; certains font l'objet d'un commentaire enregistré.

Casa Pairal. – Visite le matin et l'après-midi. Fermé les mardis et jours fériés (sauf à Pâques et à la Pentecôte).

Église St-Jacques. – S'adresser au presbytère. ☏ 68 50 34 05.

Centre d'artisanat d'art Sant Vicens. – Ouvert le matin et l'après-midi.

LE PERTHUS

Fort de Bellegarde. — S'adresser au secrétariat de la mairie. ☎ 68 83 60 15.

PEYRIAC-DE-MER

Musée archéologique. — S'adresser à M. Barbouteau. ☎ 68 41 62 09.

PLANÈS

Église. — S'adresser au presbytère ou à Mlle Vergès, rue Mirabeau.

PORT-BARCARÈS

Promenade sur le lac marin. — Le Coche d'eau « le Barcarésien » effectue plusieurs « croisières » par jour. Départ du port. Renseignements à l'office de tourisme : ☎ 68 86 16 56.

PORT-VENDRES

Pêche aux « lamparos ». — En été, départ de l'anse Gerbal ou du Vieux Port, à 21 h.

PUILAURENS

Château. — Visite de début juin à fin septembre le matin et l'après-midi. 6 F. Le reste de l'année, visite gratuite.

PUIVERT

Château. — 6,20 F.

q - r

QUÉRIBUS

Château. — Visite de fin mars à début novembre tous les jours le matin et l'après-midi (jusqu'à 20 h) ; le reste de l'année les dimanches seulement le matin et l'après-midi (jusqu'à 17 h). 6 F.

RIEUX

Cathédrale. — Visite accompagnée de début juin à fin septembre, le matin et l'après-midi. Pas de visite le dimanche, ni le lundi matin.

Sacristie des chanoines. — Visite le dimanche après l'office (11 h) ou bien se renseigner à la mairie (hors saison). ☎ 61 87 61 17.

Ancien palais épiscopal. — On ne visite pas.

s

ST-GÉRY

Château. — Visite accompagnée (3/4 h) l'après-midi des dimanches et jours fériés de mi-avril à mi-octobre, tous les jours en août. 15 F.

ST-HILAIRE

Église. — Visite accompagnée le matin et l'après-midi, de début juin à fin septembre.

ST-LIEUX-LES-LAVAUR

Promenade en « tortillard ». — Fonctionne les dimanches et jours fériés, de Pâques à fin octobre, les samedis, dimanches et lundis du 14 juillet à fin août. 12 F. Renseignements : ☎ 61 47 44 52.

ST-MARTIN-DE-FENOLLAR

Chapelle. — Visite tous les après-midi en été (sauf le lundi), le vendredi après-midi en hiver. ☏ 68 83 06 28.

ST-MARTIN-DU-CANIGOU

Abbaye. — Visite de début mars à fin octobre à 10 h, 11 h (12 h le dimanche), 14 h, 15 h, 16 h et 17 h - en juillet et août, 2 visites supplémentaires : 18 h et 18 h 30 ; de début novembre à fin février, visite à 11 h (12 h le dimanche), 14 h, 15 h et 16 h. 10 F.

ST-PAPOUL

Abbaye. — Visite de début mai à mi-octobre le matin et l'après-midi. Le cloître est ouvert toute l'année, sans interruption.

ST-POLYCARPE

Église. — S'adresser à Mlle Chaubet, à gauche de l'église, ou à la mairie.

SALSES

Fort. — Visite accompagnée le matin et l'après-midi. Fermé les 1er janvier, 1er mai, 1er et 11 novembre et 25 décembre. 9 F. ☏ 68 38 60 13. On ne visite pas l'aile Nord.

SAQUET (Plateau)

Télécabine. — Service assuré tous les jours. 21,60 F.

SERRABONE

Prieuré. — Visite le matin et l'après-midi. Fermé les mardis, les 1er janvier, 1er et 8 mai, 14 juillet, 15 août, 1er novembre et 25 décembre. 5 F. ☏ 68 84 09 30.

TAUTAVEL

Musée. — Visite accompagnée (1/2 h) le matin et l'après-midi. 6,80 F.

THUIR

Caves de Byrrh. — Visite accompagnée (1/2 h) de début avril à fin octobre, le matin et l'après-midi. Fermé le dimanche, et également le samedi en mars et en octobre.

TOULOUSE

Basilique St-Sernin. — Visite le matin et l'après-midi, sans interruption à midi l'été.

Chœur. — Visite guidée uniquement.

Déambulatoire et crypte. — Visite le matin et l'après-midi, sans interruption à midi l'été. 7 F

Musée St-Raymond. — Visite le matin et l'après-midi. Fermé le dimanche le matin, le mardi toute la journée et certains jours fériés. 1 F, lors des expositions : entre 5 F et 20 F. ☏ 61 22 21 85.

Ancienne chapelle du Carmel. — Visite accompagnée, toute la journée sans interruption à midi. Fermé le dimanche. S'adresser à M. Bardaji, 56 rue du Taur.

Les Jacobins. — Visite le matin (sauf le dimanche) et l'après-midi. 1 F.

Grand réfectoire. — Visite le matin et l'après-midi. Fermé le mardi. 10 F.

Capitole. — Visite toute la journée. Fermé les samedis, dimanches et jours fériés.

Musée du Vieux-Toulouse. — Visite de début juin à fin septembre, l'après-midi ; de début mars à fin mai et en octobre visite le jeudi après-midi seulement. Fermé les dimanches et jours fériés. 5 F.

Hôtel d'Assézat. — On ne visite pas l'intérieur mais on peut voir la cour (fermée de 12 h à 14 h). Pour monter à la tour (les 43 marches du dernier escalier à vis sont étroites et incommodes), s'adresser au concierge.

Musée des Augustins. — Visite accompagnée (1 h) le matin et l'après-midi (en outre le mercredi soir). Fermé les mardis et jours fériés. 1 F.

151

Musée Paul-Dupuy. — Visite le matin et l'après-midi. Fermé le mardi, le dimanche matin et les jours fériés. 1 F (gratuit le dimanche après-midi), 10 F lors des expositions.

Église N.-D.-de-la-Dalbade. — Fermée entre 11 h 45 et 15 h.

Museum d'Histoire Naturelle. — Visite l'après-midi. Fermé le mardi. 1 F (gratuit le dimanche).

Monument de la Résistance. — Visite avec présentation audiovisuelle le matin (sauf les mardis et dimanches) et l'après-midi. ☎ 61 22 21 87.

Musée Georges-Labit. — Visite le matin et l'après-midi. Fermé le mardi, le dimanche matin et les jours fériés. 1 F.

Galerie Municipale du Château d'eau. — Visite sans interruption. Fermée le mardi. ☎ 61 22 28 98.

TRIMOUNS

Carrière. — L'accès à la carrière n'est possible qu'avec une autorisation écrite préalable, à demander à Talcs de Luzenac, 09250 Luzenac-sur-Ariège.

V

VALS

Musée archéologique. — Visite le matin et l'après-midi. ☎ 61 68 63 75.

VERNET-LES-BAINS

Église St-Saturnin. — Visite accompagnée en juillet et août les lundis, mercredis et vendredis, l'après-midi.

VILLEFRANCHE-DE-CONFLENT

Remparts. — Visite tous les jours sans interruption à midi de début juin à fin septembre ; en avril, mai et octobre, visite le matin et l'après-midi ; le reste de l'année, l'après-midi seulement ou sur demande : ☎ 68 96 10 78. 5 F. Suivre à l'aller les flèches rouges, au retour les flèches jaunes.

Grotte des Canalettes. — Visite accompagnée (3/4 h) de mi-mars à fin octobre le matin et l'après-midi. 20 F.

Notes

MANUFACTURE FRANÇAISE DES PNEUMATIQUES MICHELIN

Société en commandite par actions au capital de 700 000 000 de francs

Place des Carmes-Déchaux - 63 Clermont-Ferrand (France)

R.C.S. Clermont-Fd B 855 200 507

© Michelin et Cie, Propriétaires-Éditeurs 1986

Dépôt légal 5.86 - ISBN 2.06.003.681-X - ISSN 0293-9436

Printed in France - 9.86.75

Photocomposition : BLANCHARD. Le Plessis-Robinson

Impression : I.M.E. - 25-Baume-les-Dames - N° imprimeur : 7128